施耐庵

水滸傳

卷 1

第一回至第二〇回

編者序

《水滸傳》和《三國演義》一樣，也是由民間說話藝人和文人作家共同創作的作品，描寫北宋徽宗宣和年間（西元一一一九～一一二五）以宋江為首的一百零八條好漢，從反貪官汙吏到被招安抗敵的過程。如果《三國演義》七實三虛，那麼《水滸傳》就是三實七虛了。

歷史上關於宋江起義的記載雖然簡略，但聲勢極盛。南宋時期，水滸故事開始在民間廣泛流傳，不同時期和不同階層的人為它加油添醋，於是內容和人物也就越來越複雜了。

宋元之間的《大宋宣和遺事》，其中有一段三四千字的梁山泊故事，楊志賣刀、智取生辰綱、宋江殺惜、招安方臘等情節已經出現，也是《水滸傳》最後成書的重要基礎。元代雜劇中，有不少水滸題材的劇目，大多以人物為中心，又以李逵的為最多。

關於《水滸傳》的寫定者是誰，歷來有不同的看法，一是認為施耐庵所作，二是認為羅貫中所作，三是認為施作羅編，四是認為施作羅續；學界一般認為離成書時間較近的高儒《百川雜志》的說法較可靠，定為元末明初的施耐庵作，或施耐庵作又經過羅貫中加工。

《水滸傳》版本也比較複雜，一般分為繁本和簡本。簡本因文學價值不高，多用於研究；繁本中最精簡的是明末金聖嘆的七十回本，另有百回本和百二十本。《人人文庫》採繁本中的一百二十回本，也就是《水滸全傳》本。

《水滸傳》中第一次出現大規模行動，是晁蓋和吳用等人發動的「智取生辰綱」。「生辰綱」是北京大名府留守良中書送給當朝太師、他的岳父蔡京的壽禮，價值十萬貫的金銀珠寶，都是他靠巧取豪奪的手段從老百姓那兒搜括來的；所以「不義之財，取之何礙」，有別於一般盜匪的打家劫舍，而顯示出這些好漢們行動的正當性。

《水滸傳》裡的惡人代表是禁軍統帥高俅，官逼民反的結果，造就了這批梁山英雄。起義隊伍由小到大，從無到有，由盲目行動到有嚴明紀律；被朝廷招安後，征大遼，除田虎、王慶，在平靖方臘時遭到重大挫敗，一百零八條好漢僅餘二十七人。

故事到了最後，宋江、盧俊義被酖，李逵、吳用、花榮追隨赴死，令讀者掩卷嘆息，心中好不慘然。

《水滸傳》的英雄人物，如宋江、李逵、魯智深、武松、林沖、三阮等，性格鮮明，令人印象深刻。宋江出場雖晚（第二十回），卻是本書的靈魂人物。他本山東鄆城刀筆小吏，面目黝黑，身材矮小，但他與生俱來的領導能力，使得他個人的思想性格引導了梁山泊義軍的走向。鹵莽粗豪的李逵，是反對招安最激烈的一個，因佩服宋江哥哥的義氣，依然跟隨到底。

魯智深出身行伍，「殺人須見血，救人須救徹」是他的基本信念，但他粗中有細，和李逵又不一樣。武松身軀凜凜，相貌堂堂，根本就是力與勇的化身；血濺鴛鴦樓，手刃張都監全家十幾口，既殘酷卻又讓人感到痛快淋漓。

人人出版公司《人人文庫》系列的四大小說——《紅樓夢》、《三國演義》、《水滸傳》、《西遊記》——於二〇一七年首度合體登場，盼提供讀者最豐富的閱讀饗宴。

《人人文庫》系列秉持好看、好讀的「輕」小說原則，方便您一卷在手，隨身攜帶。不但選用輕韌的日本紙，注解和編排更是簡明易懂，賞心悅目。祈願讀者們盡情優游書海，享受閱讀的樂趣。

【目次】卷1

第一回至第二〇回

第一回……02
張天師祈禳瘟疫
洪太尉誤走妖魔

第二回……22
王教頭私走延安府
九紋龍大鬧史家村

第三回……68
史大郎夜走華陰縣
魯提轄拳打鎮關西

第四回……94
趙員外重修文殊院
魯智深大鬧五臺山

第五回……132
小霸王醉入銷金帳
花和尚大鬧桃花村
第六回……160
九紋龍剪徑赤松林
魯智深火燒瓦罐寺
第七回……184
花和尚倒拔垂楊柳
豹子頭誤入白虎堂
第八回……210
林教頭刺配滄州道
魯智深大鬧野豬林
第九回……228
柴進門招天下客
林沖棒打洪教頭
第一〇回……256
林教頭風雪山神廟
陸虞候火燒草料場
第一一回……278
朱貴水亭施號箭
林沖雪夜上梁山
第一二回……300
梁山泊林沖落草
汴京城楊志賣刀

第一三回……320
青面獸北京鬥武
急先鋒東郭爭功
第一四回……342
赤髮鬼醉臥靈官殿
晁天王認義東溪村
第一五回……362
吳學究說三阮撞籌
公孫勝應七星聚義
第一六回……388
楊志押送金銀擔
吳用智取生辰綱
第一七回……418
花和尚單打二龍山
青面獸雙奪寶珠寺
第一八回……448
美髯公智穩插翅虎
宋公明私放晁天王
第一九回……474
林沖水寨大併火
晁蓋梁山小奪泊
第二〇回……502
梁山泊義士尊晁蓋
鄆城縣月夜走劉唐

引首

【詞曰】

試看書林隱處，幾多俊逸儒流。
虛名薄利不關愁，裁冰及剪雪，談笑看吳鉤。
評議前王並後帝，分真偽占據中州，七雄擾擾亂春秋。
興亡如脆柳，身世類虛舟。
見成名無數，圖形無數，更有那逃名無數。
霎時新月下長川，江湖變桑田古路。
訝求魚緣木，擬窮猿擇木，恐傷弓遠之曲木。
不如且覆掌中杯，再聽取新聲曲度。摧地塌，嶽撼山崩。

【詩曰】

紛紛五代亂離間，一旦雲開復見天。
草木百年新雨露，車書萬里舊江山。
尋常巷陌陳羅綺，幾處樓臺奏管弦。
人樂太平無事日，鶯花無限日高眠。

話說這八句詩乃是故宋神宗天子朝中一個名儒，姓邵，諱堯夫，道號康節先生所作，為嘆五代殘唐，天下干戈不息。那時朝屬梁，暮屬晉，正謂是：

朱李石劉郭，梁唐晉漢周。
都來十五帝，播亂五十秋！

後來感得天道循環，向甲馬營中生下太祖武德皇帝來。這朝聖人出世，紅光滿天，異香經宿不散，乃是上界霹靂大仙下降。英雄勇猛，智量寬洪，自古帝王，都不及這朝天子：一條桿棒等身齊，打四百座軍州都姓趙！那天子掃清寰宇，蕩靜中原，國號大宋，建都汴梁。

九朝八帝班頭，四百年開基帝主。因此上，邵堯夫先生讚道：「一旦雲開復見天！」正如教百姓再見天日之面。不則這個先生吟讚。

那時西嶽華山有個陳摶處士，是個道高有德之人，能辨風雲氣色。一日，騎驢下山，向那華陰道中正行之間，聽得路上客人傳說：「如今東京柴世宗讓位與趙檢點登基。」那陳摶先生聽得，心中歡喜，以手加額，在驢背上大笑，攧下驢來。人問其故。

那先生道：「天下從此定矣！正應上合天心，下合地理，中合人和。」

自庚申年間，受禪開基即位，在位一十七年，天下太平，自此定矣。傳位與御弟太宗即位。太宗皇帝在位二十二年，傳位與太子即位。這朝皇帝乃是上界赤腳大仙，降生之時，晝夜啼哭不止。

朝廷出給黃榜，召人醫治，感動天庭，差遣太白金星下界，化作一老叟，前來揭了黃榜，能治太子啼哭。看榜官員，引至殿下，朝見真宗天子。聖旨教進內苑看視太子。那老叟直至宮中，抱著太子，耳邊低低說了八個字，太子便不啼哭。那老叟不言姓名，只見化一陣清風而去。

耳邊道八個甚字？

道是：「文有文曲，武有武曲。」端的是玉帝差遣紫微宮中兩座星辰下來輔佐這朝天子。文曲星乃是南衙開封府主龍圖閣大學士包拯，武曲星乃是征西夏國大元帥狄青。

這兩個賢臣出來輔佐這朝皇帝，廟號仁宗天子，在位四十二年，改了九個年號。自天聖元年癸亥登基，至天聖九年。

那時天下太平，五穀豐登，萬民樂業，路不拾遺，戶不夜閉，這九年謂之「一登」；自明道元年至皇祐三年，這九年亦是豐富，謂之「二登」；自皇祐四年至嘉祐二年，這九年，田禾大熟，謂之「三登」；一連三九二十七年，號為「三登之世」。那時百姓受了些快樂。

誰想到樂極悲生：嘉祐三年上春間，天下瘟疫盛行。自江南直至兩京，無一處人民不染此症。天下各州各府雪片也似申奏將來。

且說東京城裡城外軍民無其大半。開封府主包待制親將惠民和濟局方，自出俸資合藥救治萬民。那裏醫治得住！瘟疫越盛。文武百官商議，都向待漏院中聚會，伺候早朝，奏聞天子。專要祈禱，禳謝瘟疫。不因此事，如何教三十六員天罡，下臨凡世；七十二座地煞，降在人間。鬨動宋國乾坤，鬧遍趙家社稷。有詩為證：

萬姓熙熙化育中，三登之世樂無窮。
豈知禮樂笙鏞治，變作兵戈劍戟叢。
水滸寨中屯節俠，梁山泊內聚英雄。
細推治亂興亡數，盡屬陰陽造化功。

第一回

張天師祈禳瘟疫 洪太尉誤走妖魔

話說大宋仁宗天子在位，嘉祐三年三月三日五更三點，天子駕坐紫宸殿，受百官朝賀。但見：

祥雲迷鳳閣，瑞氣罩龍樓。
含煙御柳◆拂旌旗，帶露宮花迎劍戟。
天香影裡，玉簪珠履聚丹墀；
仙樂聲中，繡襖錦衣扶御駕。
珍珠簾捲，黃金殿上現金輿；
鳳尾扇開，白玉階前停寶輦。
隱隱淨鞭◆三下響，層層文武兩班齊。

當有殿頭官喝道：「有事出班早奏，無事捲簾退朝。」

只見班部叢中，宰相趙哲、參政文

彥博出班奏曰：「目今京師瘟疫盛行，民不聊生，傷損軍民多矣！伏望陛下釋罪寬恩，省刑薄稅，以禳天災，救濟萬民。」天子聽奏，急敕翰林院隨即草詔，一面降赦天下罪囚，應有民間稅賦，悉皆赦免；一面命在京宮觀寺院，修設好事◈禳災。

不料其年瘟疫轉盛。仁宗天子聞知，龍體不安，復會百官計議。向那班部中，有一大臣越班啟奏。天子看時，乃是參知政事范仲淹。拜罷起居，奏曰：「目今天災盛行，軍民塗炭，日夕不能聊生。以臣愚意，要禳此災，可宣嗣漢天師星夜臨朝，就京師禁院，修設三千六百分羅天大醮◈，奏聞上帝，可以禳保民間瘟疫。」仁宗天子准奏。

◈**御柳**──御苑之柳。舊俗寒食插柳於門，故言及柳。

淨鞭──中國古代宮廷舉行朝會時的禮儀，稱為鳴鞭，俗稱響淨鞭。鞭用黃絲編織而成，鞭梢塗蠟，打在地上很響，目的是警告臣下「皇上即將駕到，重要典禮就要開始，大家要立即安靜」，也帶有顯示皇威的意思。

好事──請僧道做建醮、祈福、追薦等法事活動。

急令翰林學士草詔一道，天子御筆親書，並降御香一炷，欽差內外提點殿前太尉洪信為天使，前往江西信州龍虎山，宣請嗣漢天師張真人，星夜臨朝，祈禳瘟疫。就金殿上焚起御香，親將丹詔付與洪太尉為使，即便登程前去。

洪信領了聖敕，辭別天子，背了詔書，盛了御香，帶了數十人，上了鋪馬，一行部從，離了東京，取路逕投信州貴溪縣來。但見：

遙山疊翠，遠水澄清。奇花綻錦繡鋪林，嫩柳舞金絲拂地。

風和日暖，時過野店山村。路直沙平，夜宿郵亭驛館。

羅衣蕩漾紅塵內，駿馬驅馳紫陌中。

且說太尉洪信齎擎御書丹詔，一行人從上了路途，夜宿郵亭，朝行驛站，遠程近接，渴飲饑餐不止一日，來到江西信州。大小官員出郭迎接，隨即差人報知龍虎山上清宮住持道眾，準備接詔。次日，眾位官同送太尉到於龍虎山下。只見上清宮許多道眾，鳴鐘擊鼓，香花燈燭，幢幡◈寶蓋，一派仙樂，都下山來迎接丹詔，直至上清宮前下馬。太尉看那宮殿時，端的是好座上清宮！但見：

青松屈曲，翠柏陰森。門懸敕額金書，戶列靈符玉篆。
虛皇壇畔，依稀垂柳名花；煉藥爐邊，掩映蒼松老檜。
左壁廂天丁力士，參隨著太乙真君；
右勢下玉女金童，簇捧定紫微大帝。
披髮仗劍，北方真武踏龜蛇；趿履頂冠，南極老人伏龍虎。
前排二十八宿星君，後列三十二帝天子。

◈**三千六百分羅天大醮**—民間常見的醮祭中，格局、含意、祭期最大的醮典，當屬羅天大醮。盛極隆厚的羅天大醮，需搭設九壇奉祀天地諸神，上三壇稱普天，由皇帝主祀，祀三千六百神位。

天使—舊稱皇帝派遣的使臣。　**丹詔**—帝王用朱筆寫的詔。

鋪馬—驛馬。古時驛站傳遞文書、迎送公差的坐騎。

齎擎—捧持。　**幢幡**—佛教道場用來裝飾的長形旗幟。

階砌下流水潺湲，牆院後好山環繞。
鶴生丹頂，龜長綠毛，樹梢頭獻果蒼猿，莎草內銜芝白鹿。
三清殿上，鳴金鐘道士步虛；四聖堂前，敲玉磬真人禮斗。
獻香臺砌，彩霞光射碧琉璃；召將瑤壇，赤日影搖紅瑪瑙。
早來門外祥雲現，疑是天師送老君。

當下上自住持真人，下及道童侍從，前迎後引，接至三清殿上，請將詔書居中供養著。洪太尉便問監宮真人道：「天師今在何處？」住持真人向前稟道：「好教太尉得知：這代祖師，號曰虛靖天師，性好清高，倦於迎送，自向龍虎山頂，結一茅庵，修真養性。因此不住本宮。」

太尉道：「目今天子宣詔，如何得見？」

真人答道：「容稟：詔敕權供在殿上，貧道等亦不敢開讀。且請太尉到方丈◈獻茶，再煩計議。」當時將丹詔供養在三清殿上，與眾官都到方丈。

太尉居中坐下，執事人等獻茶，就進齋供，水陸俱備。

齋罷，太尉再問真人道：「既然天師在山頂庵中，何不著人請將下來相見，開宣丹詔？」

真人稟道：「太尉，這代祖師雖在山頂，其實道行非常，能駕霧興雲，蹤跡不定，貧道等如常亦難得見。怎生教人請得下來？」

太尉道：「似此如何得見！目今京師瘟疫盛行，今上天子特遣下官為使，齎捧御書丹詔，親奉龍香◈，來請天師，要做三千六百分羅天大醮，以禳天災，救濟萬民。似此怎生奈何？」

真人稟道：「天子要救萬民，只除是太尉辦一點志誠心，齋戒沐浴，更換布衣，休帶從人，自背詔書，焚燒御香，步行上山禮拜，叩請天師，方許得見。如若心不志誠，空走一遭，亦難得見。」

◈**方丈**—原為道教固有的稱謂，佛教傳入中國，佛寺住持的居處稱為方丈，亦曰堂頭、正堂。廣義的方丈除指住持居處外，還包括寢室、茶堂、衣缽寮等。 **龍香**—一種香料。

太尉聽說，便道：「俺從京師食素到此，如何心不志誠！既然恁地◆，依著你說，明日絕早上山。」當晚各自權歇。

次日五更時分，眾道士起來，備下香湯齋供，請太尉起來沐浴，換了一身新鮮布衣，腳下穿上麻鞋草履，吃了素齋，取過丹詔，用黃羅包袱背在脊梁上。手裡提著銀手爐，降降◆地燒著御香。許多道眾人等，送到後山，指與路徑。

真人又稟道：「太尉要救萬民，休生退悔之心，只顧志誠上去。」太尉別了眾人，口誦天尊寶號，縱步上山來。將至半山，望見大頂直侵霄漢，果然好座大山。正是：

根盤地角，頂接天心。遠觀磨斷亂雲痕，近看平吞明月魄。
高低不等謂之山，側石通道謂之岫，孤嶺崎嶇謂之路，
上面平極謂之頂，頭圓下壯謂之巒，藏虎藏豹謂之穴，
隱風隱雲謂之巖，高人隱居謂之洞，有境有界謂之府，

樵人出沒謂之徑，能通車馬謂之道，流水有聲謂之澗，
古渡源頭謂之溪，巖崖滴水謂之泉。
左壁為掩，右壁為映。出的是雲，納的是霧。
錐尖像小，崎峻似峭，懸空似險，削蠟如平。千峰競秀，萬壑爭流。
瀑布斜飛，藤蘿倒掛。虎嘯時風生谷口，猿啼時月墜山腰。
恰似青黛染成千塊玉，碧紗籠罩萬堆煙。

這洪太尉獨自一個，行了一回，盤坡轉徑，攬葛攀藤，約莫走過了數個山頭，三二里多路，看看腳痠腿軟，正走不動，口裡不說，肚裡躊躇。心中想道：「我是朝廷貴官公子，在京師時，重裀◆而臥，列鼎而食，尚兀自倦怠，何曾穿草鞋走這般山路！知他天師在哪裡，卻教下官受這般苦！」又行不到三、五十步，掇◆著肩氣喘，只見山凹裡起一陣風，風過處，向那

◆**恁地**—如此，這樣。**降降**—煙火盛貌。**重裀**—指雙層的坐臥墊褥。裀音因。**掇**—扭轉。掇音奪。

松樹背後，奔雷也似吼一聲，撲地跳出一個吊睛白額錦毛大蟲來。洪太尉吃了一驚，叫聲：「啊呀！」撲地望後便倒。偷眼看那大蟲時，但見：

毛披一帶黃金色，爪露銀鉤十八隻。
睛如閃電尾如鞭，口似血盆牙似戟。
伸腰展臂勢猙獰，擺尾搖頭聲霹靂。
山中狐兔盡潛藏，澗下獐麃皆斂跡。

那大蟲望著洪太尉，左盤右旋，咆哮了一回，托地望後山坡下跳了去。洪太尉倒在樹根底下，諕得三十六個牙齒捉對兒廝打，那心頭一似十五個吊桶，七上八落地響。渾身卻如中風麻木，兩腿一似鬥敗公雞，口裡連聲叫苦。大蟲去了一盞茶時，方才爬將起來，再收拾地上香爐，還把龍香燒著，再上山來，務要尋見天師。

又行過三、五十步，口裡嘆了數口氣，怨道：「皇帝御限差俺來這裡，教我受這場驚恐！」說猶未了，只覺得那裡又一陣風，吹得毒氣直衝將來。太尉定睛看時，山邊竹籐裡簌簌地響，搶出一條吊桶大小、雪花也似蛇來。太尉見了，又吃一驚。撇了手爐，叫一聲：「我今番死也！」望後便倒在盤陀石邊。微閃開眼看那蛇時，但見：

昂首驚飆起，掣目電光生。
動蕩則析峽倒岡，呼吸則吹雲吐霧。
鱗甲亂分千片玉，尾梢斜捲一堆銀。

那條大蛇，逕搶到盤陀石邊，朝著洪太尉盤做一堆，兩隻眼迸出金光，

◆**撲地**—突然。　**大蟲**—即老虎。
獐麃—哺乳綱偶蹄目獐鹿屬。大眼睛大耳朵，頸長尾短，後肢比前肢略長，臀部灰白色。雄的頭頂長角。食野果、青草、菌類等，分布於歐、亞兩洲。肉可吃，毛皮可做墊褥、皮革等。
托地—突然、猛然。　**謼**—音夏。害怕。

張開巨口，吐出舌頭，噴那毒氣在洪太尉臉上。驚得太尉三魂蕩蕩，七魄悠悠。那蛇看了洪太尉一回，望山下一溜，卻早不見了。

太尉方才爬得起來，說道：「慚愧！驚殺下官！」看身上時，寒栗子◈比餶飿兒◈大小。口裡罵那道士：「叵耐◈無禮，戲弄下官，教俺受這般驚恐！若山上尋不見天師，下去和他別有話說。」再拿了銀提爐，整頓身上詔敕，並衣服巾幘◈，卻待再要上山去。正欲移步，只聽得松樹背後，隱隱地笛聲吹響，漸漸近來。太尉定睛看時，只見那一個道童，倒騎著一頭黃牛，橫吹著一管鐵笛，轉出山凹來。太尉看那道童時，但見：

頭綰兩枚丫髻，身穿一領青衣。腰間絛結草來編，腳下芒鞋麻間隔。
明眸皓齒，飄飄並不染塵埃，綠鬢朱顏，耿耿全然無俗態。

昔日呂洞賓有首牧童詩道得好：

草鋪橫野六七里，笛弄晚風三四聲。
歸來飽飯黃昏後，不脫蓑衣臥月明。

只見那個道童笑吟吟地騎著黃牛，橫吹著那管鐵笛，正過山來。洪太尉見了，便喚那個道童：「你從哪裡來？認得我麼？」

道童不睬，只顧吹笛。太尉連問數聲，道童呵呵大笑，拿著鐵笛，指著洪太尉說道：「你來此間，莫非要見天師麼？」

太尉大驚，便道：「你是牧童，如何得知？」

道童笑道：「我早間在草庵中服伏天師，聽得天師說道：『今上仁宗天子差個洪太尉齎擎丹詔、御香，到來山中，宣我往東京做三千六百分羅天大醮，祈禳天下瘟疫。我如今乘鶴駕雲去也。』這早晚想是去了，不在庵中。你休上去。山內毒蟲猛獸極多，恐傷害了你性命。」

太尉再問道：「你不要說謊。」

道童笑了一聲，也不回應，又吹著鐵笛，轉過山坡去了。

◈**寒粟子**—因受寒或受驚皮膚上出現的小疙瘩。俗稱雞皮疙瘩。
餶飿兒—古時一種圓形、有餡、用油煎或水煮的麵食。餶音股。飿音惰。
叵耐—指不可容忍、可恨。叵音頗。 **巾幘**—頭巾。幘音則。

太尉尋思道：「這小的如何盡知此事？想是天師吩咐他。一定是了。」欲待再上山去：「方才驚諕的苦，爭些兒送了性命。不如下山去罷。」

太尉拿著提爐，再尋舊路，奔下山來。眾道士接著，請至方丈坐下。真人便問太尉道：「曾見天師麼？」

太尉說道：「我是朝廷中貴官，如何教俺走得山路，吃了這般辛苦，爭些兒送了性命！為頭上至半山裡，跳出一隻吊睛白額大蟲，驚得下官魂魄都沒了。又行不過一個山嘴，竹籐裡搶出一條雪花大蛇來，盤做一堆，攔住去路。若不是俺福分大，如何得性命回京！盡是你這道眾戲弄下官！」

真人覆道：「貧道等怎敢輕慢大臣！這是祖師試探太尉之心。本山雖有蛇虎，並不傷人。」

太尉又道：「我正走不動，方欲再上山坡，只見松樹旁邊轉出一個道童，騎著一頭黃牛，吹著管鐵笛，正過山來。我便問他：『哪裡來？識得俺麼？』他道：『已都知了。』說天師吩咐：早晨乘鶴駕雲，望東京去了。

下官因此回來。」

真人道：「太尉可惜錯過！這個牧童，正是天師。」

太尉道：「他既是天師，如何這等猥獕◆？」

真人答道：「這代天師，非同小可！雖然年幼，其實道行非常。他是額外之人◆，四方顯化，極是靈驗。世人皆稱為道通祖師。」

洪太尉道：「我直如此有眼不識真師，當面錯過！」

真人道：「太尉且請放心！既然祖師法旨，道是去了，比及太尉回京之日，這場醮事，祖師都已完了。」

太尉見說，方才放心。真人一面教安排筵宴，款待太尉，請將丹詔收藏於御書匣內，留在上清宮中，龍香就三清殿上燒了。當日方丈內大排齋供，設宴飲酌。至晚席罷，止宿到曉。

◆**爭些兒**—差一點。　**猥獕**—醜陋而俗氣的樣子。猥音委。獕音催。
額外之人—謂超凡得道的人。指出家人。

次日早膳以後，真人、道眾並提點、執事人等，請太尉遊山，太尉大喜。許多人從跟隨著，步行出方丈，前面兩個道童引路，行至宮前宮後，看玩許多景致。三清殿上，富貴不可盡言。左廊下，九天殿、紫微殿、北極殿；右廊下，太乙殿、三官殿、驅邪殿，諸宮看遍。行到右廊後一所去處，洪太尉看時，另外一所殿宇。一遭都是搗椒紅泥牆，正面兩扇朱紅槅子，門上使著肐膊大鎖鎖著，交叉上面貼著十數道封皮，封皮上又是重重疊疊使著朱印。簷前一面朱紅漆金字牌額，上書四個金字，寫道「伏魔之殿」。

太尉指著門道：「此殿是甚麼去處？」

真人答道：「此乃是前代老祖天師，鎖鎮魔王之殿。」

太尉又問道：「如何上面重重疊疊貼著許多封皮？」

真人答道：「此是老祖大唐洞玄國師封鎖魔王在此。但是經傳一代天師，親手便添一道封皮，使其子子孫孫不得妄開，走了魔君，非常利害。

今經八九代祖師，誓不敢開。鎖用銅汁灌鑄，誰知裡面的事。小道自來住持本宮三十餘年，也只聽聞。」

洪太尉聽了，心中驚怪，想道：「我且試看魔王一看。」便對真人說道：「你且開門來，我看魔王甚麼模樣。」

真人告道：「太尉，此殿決不敢開。先祖天師叮嚀告戒◈：『今後諸人，不許擅開。』」

太尉笑道：「胡說！你等要妄生怪事，煽惑百姓良民，故意安排這等去處，假稱鎖鎮魔王，顯耀你們道術。我讀一鑒之書◈，何曾見鎖魔之法？神鬼之道，處隔幽冥，我不信有魔王在內！快與我打開，我看魔王如何！」

真人三回五次稟說：「此殿開不得，恐惹利害，有傷於人。」

太尉大怒，指著道眾說道：「你等不開與我看，回到朝廷，先奏你們眾

◈**提點**—掌司法、刑獄及河渠等事，寓提舉、檢點之意。

搗椒紅泥牆—椒，花椒，一種香料。古代常用搗碎的花椒和泥來塗牆。

告戒—勸告申戒。　**一鑒之書**—國子監所藏的全部書籍。鑒同「監」，指國子監。

道士阻擋宣詔，違別聖旨，不令我見天師的罪犯；後奏你等私設此殿，假稱鎖鎮魔王，煽惑軍民百姓。把你都追了度牒◈，刺配◈遠惡軍州受苦。」真人等懼怕太尉權勢，只得喚幾個火工道人◈來，先把封皮揭了，將鐵鎚打開大鎖。眾人把門推開，看裡面時，黑洞洞地，但見：

昏昏默默，杳杳冥冥。數百年不見太陽光，億萬載難瞻明月影。不分南北，怎辨東西。黑煙靄靄撲人寒，冷氣陰陰侵體顫。人跡不到之處，妖精往來之鄉。閃開雙目有如盲，伸出兩手不見掌。常如三十夜，卻似五更時。

眾人一齊都到殿內，黑暗暗不見一物。太尉教從人取十數個火把點著，將來打一照時，四邊並無別物，只中央一個石碑，約高五六尺，下面石龜趺坐，太半陷在泥裡。照那碑碣上時，前面都是龍章鳳篆，天書符籙，人皆不識。照那碑後時，卻有四個真字大書，鑿著「遇洪而開」。卻不是一來天罡星合當出世，二來宋朝必顯忠良，三來湊巧遇著洪信。

豈不是天數！洪太尉看了這四個字，大喜，便對真人說道：「你等阻擋我，卻怎地數百年前已注定我姓字在此。『遇洪而開』，分明是教我開看。卻何妨！我想這個魔王，都只在石碑底下。汝等從人，與我多喚幾個火工人等，將鋤頭鐵鍬來掘開。」

真人慌忙諫道：「太尉，不可掘動！恐有利害，傷犯於人，不當穩便◈。」太尉大怒，喝道：「你等道眾省得甚麼！碑上分明鑿著遇我教開，你如何阻擋！快與我喚人來開。」

真人又三回五次稟道：「恐有不好。」太尉哪裡肯聽。只得聚集眾人，先把石碑放倒，一齊併力掘那石龜，半日方才掘得起。又掘下去，約有三四尺深，見一片大青石板，可方丈圍。洪太尉叫再掘起來。

◈**度牒**—古代中國為了管理僧道，允許他們出家所頒發的證明文書。這個文件由尚書省祠部司所發放，又稱祠部牒。最早始於唐代。擁有度牒的僧人或道士，可以免除賦稅和勞役。後世僧人遊方掛單，必須隨身攜帶度牒，作為身分證明。 **火工道人**—僧寺的雜工。 **刺配**—古代刑罰名。在犯人臉部刺字並發配邊遠地方。 **不當穩便**—不太妥當。

真人又苦稟道：「不可掘動！」太尉哪裡肯聽。眾人只得把石板一齊扛起。看時，石板底下，卻是一個萬丈深淺地穴。只見穴內刮剌剌一聲響亮，那響非同小可，恰似：

天摧地塌，嶽撼山崩。
錢塘江上，潮頭浪擁出海門來；泰華山頭，巨靈神一劈山峰碎。
共工奮怒，去盔撞倒了不周山；力士施威，飛鎚擊碎了始皇輦。
一風撼折千竿竹，十萬軍中半夜雷。

那一聲響亮過處，只見一道黑氣，從穴裡滾將起來，掀塌了半個殿角。那道黑氣直沖上半天裡，空中散作百十道金光，望四面八方去了。眾人吃了一驚，發聲喊都走了，撇下鋤頭鐵鍬，盡從殿內奔將出來，推倒攧翻無數。驚得洪太尉目睜口呆，罔知所措，面色如土。奔到廊下，只見真人向前，叫苦不迭。

太尉問道：「走了的卻是甚麼妖魔？」那真人言不過數句，話不過一席，說出這個緣由。有分教：一朝皇帝，夜眠不穩，晝食忘餐。直使：
宛子城◈中藏虎豹，蓼兒洼◈內聚神蛟。
畢竟龍虎山真人說出甚麼言語來？且聽下回分解。

◈刮剌剌——狀聲詞。形容急速而猛烈的聲響。
攧翻——弄翻。攧音顛。 **宛子城**——梁山大寨的所在地。
蓼兒洼——東平湖古時稱蓼兒洼、大野澤、鉅野澤、梁山泊、安山湖，到清朝咸豐年間才定名稱為東平湖。是《水滸傳》八百里水泊惟一遺存水域，過去是漕運要樞，現在蓄水滯洪。

第二回

王教頭私走延安府
九紋龍大鬧史家村

話說當時住持真人對洪太尉說道：「太尉不知，此殿中當初是祖老天師洞玄真人傳下法符，囑咐道：『此殿內鎮鎖著三十六員天罡星，七十二座地煞星，共是一百單八個魔君在裡面。上立石碑，鑿著龍章鳳篆天符，鎮住在此。若還放他出世，必惱下方生靈。』如今太尉放他走了，怎生是好！」有詩為證：

千古幽扃一旦開，天罡地煞出泉臺。
自來無事多生事，本為禳災卻惹災。
社稷從今雲擾擾，兵戈到處鬧垓垓。
高俅奸佞雖堪恨，洪信從今釀禍胎。

洪太尉聽罷，渾身冷汗，捉顫不住。急急收拾行李，引了從人，下山回京。真人並道眾送官已罷，自回宮內，修整殿宇，起豎石碑，不在話下。

再說洪太尉在路上吩咐從人，教把走妖魔一節，休說與外人知道，恐天子知而見責。於路無話，星夜回至京師。進得汴梁城，聞人所說：「天師在東京禁院，做了七晝夜好事，普施符籙，禳救災病，瘟疫盡消，軍民安泰。天師辭朝，乘鶴駕雲，自回龍虎山去了。」

洪太尉次日早朝，見了天子奏說：「天師乘鶴駕雲，先到京師。臣等驛站而來，才得到此。」仁宗准奏，賞賜洪信，復還舊職，亦不在話下。後來仁宗天子在位共四十二年晏駕◆，無有太子，傳位濮安懿王允讓之子，太宗皇帝的孫，立帝號曰英宗。在位四年，傳位與太子神宗，神宗在位一十八年，傳位與太子哲宗。那時天下盡皆太平，四方無事。

◆**幽扃**—深鎖的門戶。扃音ㄐㄩㄥ。**泉臺**—墳墓、墓穴。**鬧垓垓**—喧鬧、紛亂。**晏駕**—皇帝駕崩。

且說東京開封府汴梁宣武軍，一個浮浪破落戶子弟，姓高，排行第二。自小不成家業，只好刺槍使棒。最是踢得好腳氣毬。京師人口順，不叫高二，卻都叫他做高毬。後來發跡，便將氣毬那字，去了毛旁，添作立人，便改作姓高名俅。這人吹彈歌舞，刺槍使棒，相撲玩耍，頗能詩書詞賦；若論仁義禮智，信行忠良，卻是不會。

只在東京城裡城外幫閑。因幫了一個生鐵王員外兒子使錢，每日三瓦兩舍，風花雪月，被他父親在開封府裡告了一紙文狀。府尹把高俅斷了四十脊杖，迭配出界發放。東京城裡人民，不許容他在家宿食。高俅無計奈何，只得來淮西臨淮州，投奔一個開賭坊的閒漢柳大郎，名喚柳世權。他平生專好惜客養閒人，招納四方乾隔澇漢子。高俅投托得柳大郎家，一住三年。後來哲宗天子因拜南郊，感得風調雨順，放寬恩大赦天下。

那高俅在臨淮州因得了赦宥罪犯，思鄉要回東京。這柳世權卻和東京城裡金梁橋下開生藥鋪的董將士是親戚，寫了一封書札，收拾些人事盤纏，齎發高俅回東京，投奔董將士家過活。

當時高俅辭了柳大郎，背上包裹，離了臨淮州，迤邐回到東京。逕來金梁橋下董生藥家，下了這封書。

董將士一見高俅，看了柳世權來書，自肚裡尋思道：「這高俅，我家如何安著得他！若是個志誠老實的人，可以容他在家出入，也教孩兒們學些好。他卻是個幫閑的破落戶，沒信行◈的人，亦且當初有過犯來，被開封府斷配◈出境的人。倘或留住在家中，倒惹得孩兒們不學好了。待不收留他，又撇不過柳大郎面皮。」當時只得權且歡天喜地相留在家宿歇。每日酒食款待。

◈浮浪—到處遊蕩，不務正業。　**破落戶**—門第敗落的無賴子弟。
踘氣毬—充氣的空心球，以牛或豬的膀胱為球芯，充氣後再包以牛皮，彈跳性佳。
幫閑—專門陪著貴族、官僚、富人等消遣玩樂的人這裡做動詞使用。
三瓦兩舍—宋代對妓院、茶樓、酒肆及其他遊樂場所的總稱。
迭配—押解罪犯到某個地方。　**乾隔澇漢子**—患乾疥瘡的人。比喻不乾不淨的人。
生藥鋪—藥材店。　**齎發**—資助或贈送財物給他人使前往做某事。齎音基。
信行—誠實、有信用。行音性。　**斷配**—犯人被判罪發配外地服刑。

住了十數日，董將士思量出一個緣由。將出◆一套衣服，寫了一封書簡，對高俅說道：「小人家下，螢火之光，照人不亮，恐後誤了足下。我轉薦足下與小蘇學士處，久後也得個出身。足下意內如何？」高俅大喜，謝了董將士。董將士使個人，將著書簡，引領高俅逕到學士府內。

門吏轉報小蘇學士，出來見了高俅，看罷來書，知道高俅原是幫閑浮浪的人，心下想道：「我這裡如何安著得他？不如做個人情，薦他去駙馬王晉卿府裡做個親隨◆。人都喚他做小王都太尉，便喜歡這樣的人。」當時回了董將士書札，留高俅在府裡，住了一夜。

次日，寫了一封書呈，使個幹人◆，送高俅去那小王都太尉處。這太尉乃是哲宗皇帝妹夫，神宗皇帝的駙馬。他喜愛風流人物，正用這樣的人。一見小蘇學士差人馳書送這高俅來，拜見了便喜。隨即寫了回書，收留高俅在府內做個親隨。

自此高俅遭際◆在王都尉府中出入，如同家人一般。自古道：「日遠日疏，日親日近。」忽一日，小王都太尉慶誕生辰，吩咐府中安排筵宴，專請小舅端王。這端王乃是神宗天子第十一子，哲宗皇帝御弟，現掌東駕，排號九大王，是個聰明俊俏人物。

這浮浪子弟門風，幫閑之事，無一般不曉，無一般不會，更無一般不愛；更兼琴棋書畫，儒釋道教，無所不通；踢毬打彈◆，品竹調絲，吹彈歌舞，自不必說。

當日王都尉府中準備筵宴，水陸俱備。但見：

香焚寶鼎，花插金瓶。仙音院競奏新聲，教坊司頻逞妙藝。水晶壺內，盡都是紫府瓊漿；琥珀杯中，滿泛著瑤池玉液。玳瑁盤堆仙桃異果，玻璃碗供熊掌駝蹄。

◆將出—拿出。**親隨**—跟隨左右伺候的人。
幹人—富戶和官戶家中的辦事差役。**遭際**—經歷、遭遇。**打彈**—用棒打球。

鱗鱗膾切銀絲，細細茶烹玉蕊。紅裙舞女，盡隨著象板鸞簫；翠袖歌姬，簇捧定龍笙鳳管。兩行珠翠立階前，一派笙歌臨座上。

且說這端王來王都尉府中赴宴。都尉設席，請端王居中坐定。太尉對席相陪。酒進數杯，食供兩套。那端王起身淨手，偶來書院裡少歇，猛見書案上一對兒羊脂玉碾成的鎮紙獅子，極是做得好，細巧玲瓏。端王拿起獅子，不落手看了一回，道：「好！」王都尉見端王心愛，便說道：「再有一個玉龍筆架，也是這個匠人一手做的，卻不在手頭。明日取來，一併相送。」端王大喜道：「深謝厚意。想那筆架必是更妙。」王都尉道：「明日取出來，送至宮中便見。」端王又謝了。兩個依舊入席飲宴。至暮，盡醉方散。端王相別回宮去了。

次日，小王都太尉取出玉龍筆架和兩個鎮紙玉獅子，著一個小金盒子盛了，用黃羅包袱包了，寫了一封書呈，卻使高俅送去。高俅領了王都尉鈞旨，將著兩般玉玩器，懷中揣了書呈，逕投端王宮中來。把門官吏轉報與院公。沒多時，院公出來問：「你是哪個府裡來的人？」

高俅施禮罷，答道：「小人是王駙馬府中，特送玉玩器來進大王。」

院公道：「殿下在庭心裡和小黃門踢氣毬，你自過去。」

高俅道：「相煩引進。」院公引到庭門。

高俅看時，見端王頭戴軟紗唐巾，身穿紫繡龍袍，腰繫文武雙穗絛，把繡龍袍前襟拽扎起，揣在絛兒邊，足穿一雙嵌金線飛鳳靴。三五個小黃門，相伴著蹴氣毬。高俅不敢過去衝撞，立在從人背後伺候。

也是高俅合當發跡，時運到來，那個氣毬騰地起來，端王接個不著，向人叢裡直滾到高俅身邊。那高俅見氣毬來，也是一時的膽量，使個鴛鴦拐

◆**象板**──樂器名。用兩塊片狀板，一頭以繩子聯結而成的樂器。　**院公**──舊時小說中對僕人的敬稱。

小黃門──泛指宦官。黃門，秦漢時候的官名。

踢還端王。端王見了大喜，便問道：「你是甚人？」
高俅向前跪下道：「小的是王都尉親隨，受東人◆使令，齎送兩般玉玩器來進獻大王。有書呈在此拜上。」
端王聽罷，笑道：「姐夫真如此掛心。」高俅取出書呈進上。
端王開盒子看了玩器，都遞與堂候官◆收了去。那端王且不理玉玩器下落，卻先問高俅道：「你原來會踢氣毬？你喚做甚麼？」
高俅叉手跪覆道：「小的叫做高俅。胡亂踢得幾腳。」
端王道：「好！你便下場來踢一回耍。」
高俅拜道：「小的是何等樣人，敢與恩王下腳！」
端王道：「這是齊雲社，名為天下圓，但踢何傷。」
高俅再拜道：「怎敢！」三回五次告辭。端王定要他踢。高俅只得叩頭謝罪，解膝下場。才踢幾腳，端王喝采。高俅只得把平生本事都使出來，奉承端王。那身分模樣，這氣毬一似鰾膠◆黏在身上的。端王大喜，哪裡肯放高俅回府去。就留在宮中，過了一夜。

次日，排個筵會，專請王都尉宮中赴宴。

卻說王都尉當日晚不見高俅回來，正疑思間，只見次日門子報道：「九大王差人來傳令旨，請太尉到宮中赴宴。」王都尉出來，見了幹人，看了令旨，隨即上馬，來到九大王府前，下馬入宮來，見了端王。端王大喜，稱謝兩般玉玩器。入席飲宴間，端王說道：「這高俅踢得兩腳好氣毬，孤欲索此人做親隨，如何？」王都尉答道：「殿下既欲用此人，就留在宮中服伏殿下。」端王歡喜，執杯相謝。二人又閒話一回，至晚席散，王都尉自回駙馬府去。不在話下。

且說端王自從索得高俅做伴之後，就留在宮中宿食。高俅自此遭際端王，

◈**鴛鴦拐**——古代踢球動作名。先後用左右外腳踝連續踢球的花式動作。
東人——東家、主人。**堂候官**——古時供官員差使的小吏。
鰾膠——用魚鰾或豬皮等熬製的膠，黏性大。

每日跟著，寸步不離。未及兩個月，哲宗皇帝晏駕，無有太子，文武百官商議，冊立端王為天子，立帝號曰徽宗，便是玉清教主微妙道君皇帝。登基之後，一向無事。忽一日，與高俅道：「朕欲要抬舉你，但要有邊功◈，方可升遷。先教樞密院與你入名，只是做隨駕遷轉的人。」後來，沒半年之間，直抬舉高俅做到殿帥府太尉職事。正是：

不拘貴賤齊雲社，一味模棱天下圓。
抬舉高俅毬氣力，全憑手腳會當權。

且說高俅得做太尉，揀選吉日良辰，去殿帥府裡到任。所有一應合屬公吏衙將，都軍監軍，馬步人等，盡來參拜，各呈手本◈，開報花名◈。高殿帥一一點過。於內只欠一名八十萬禁軍教頭◈王進，半月之前，已有病狀在官，患病未痊，不曾入衙門管事。高殿帥大怒，喝道：「胡說！既有手本呈來，卻不是那廝抗拒官府，搪塞下官。此人即係推病在家，快與我拿來！」隨即差人到王進家來，捉拿王進。

且說這王進卻無妻子，只有一個老母，年已六旬之上。牌頭◈與教頭王進說道：「如今高殿帥新來上任，點你不著，軍正司◈稟說染患在家，現有患病狀在官。高殿帥焦躁，哪裡肯信，定要拿你，只道是教頭詐病在家。教頭只得去走一遭，若還不去，定連累眾人，小人也有犯罪。」王進聽罷，只得捱著病來。進得殿帥府前，參見太尉，拜了四拜，躬身唱個喏起來，立在一邊。

高俅道：「你那廝便是都軍教頭王昇的兒子？」

王進稟道：「小人便是。」

高俅喝道：「這廝！你爺是街市上使花棒賣藥的，你省得甚麼武藝！前官沒眼，參你做個教頭。如何敢小覷我，不服俺點視！你托誰的勢要◈，推病在家安閒快樂！」

◈**邊功**—指守衛、開拓或治理邊疆所立下的功勳。**教頭**—此指教授武藝的老師。
手本—明清時門生見座師或下官見上官時所用的名帖。**花名**—戶口簿冊登錄的人名。
牌頭—衙門役卒。**軍正司**—管理軍中事務的官員。**勢要**—指權勢。

王進告道：「小人怎敢！其實患病未痊。」

高太尉罵道：「賊配軍！你既害病，如何來得？」

王進又告道：「太尉呼喚，不敢不來！」

高殿帥大怒，喝令左右：「拿下王進，加力與我打這廝！」

眾多牙將都是和王進好的，只得與軍正同告道：「今日是太尉上任好日頭，權免此人這一次。」

高太尉喝道：「你這賊配軍！且看眾將之面，饒恕你今日之犯。明日卻和你理會！」王進謝罪罷，起來抬頭看了，認得是高俅。

出得衙門，嘆口氣道：「俺的性命今番難保了！俺道是甚麼高殿帥，卻原來正是東京幫閑的圓社高二！比先時曾學使棒，被我父親一棒打翻，三四個月將息不起。有此之仇，他今日發跡，得做殿帥府太尉，正待要報仇。我不想正屬他管！自古道：『不怕官，只怕管。』俺如何與他爭得！怎生奈何是好？」回到家中，悶悶不已，對娘說知此事。母子二人，抱頭而哭。

娘道：「我兒，三十六著，走為上著。只恐沒處走！」王進道：「母親說得是。兒子尋思，也是這般計較。只有延安府老种經略相公◆，鎮守邊庭，他手下軍官多有曾到京師的，愛兒子使槍棒，何不逃去投奔他們？那裡是用人去處，足可安身立命。」正是：

用人之人，人始為用。恃己自用，人為人送。
彼處得賢，此間失重。若驅若引，可惜可痛。

娘兒兩個商議定了。其母又道：「我兒，和你要私走，只恐門前兩個牌

◆**賊配軍**——罵人的話。配軍在宋朝指犯法被刺配某地的各級軍官，在額頭烙上印記，以方便辨認和防止逃跑。「賊」在此是「壞」的意思。

牙將——軍中的中下級軍官。　**比先時**——原先、從前。　**將息**——調養休息。

老种經略相公——老种經略相公和小种經略相公是父子，父親是种諤，兒子是种師道，兩人是种世衡的子孫。种世衡是有功於大宋的重臣，种家世代鎮守邊關，幾乎可以和楊家將媲美。种世衡的兒子种諤和孫子种師道都在西北邊境出任經略安撫使，也就是書中稱的「經略相公」。「相公」是對地方官員的稱呼，比稱呼「老爺」親切。「經略相公」是軍政合一的地方官員，權力比知府、知州大得多。种音崇。

軍，是殿帥府撥來服伏你的。他若得知，須走不脫。」

王進道：「不妨，母親放心。兒子自有道理措置他。」

當下日晚未昏，王進先叫張牌入來，吩咐道：「你先吃了些晚飯，我使你一處去幹事。」

張牌道：「教頭使小人哪裡去？」

王進道：「我因前日病患，許下酸棗門外嶽廟裡香願，明日早要去燒炷頭香。你可今晚先去吩咐廟祝，教他來日早些開廟門，等我來燒炷頭香，就要三牲獻劉、李王。你就廟裡歇了等我。」張牌答應，先吃了晚飯，叫了安置，望廟中去了。當夜母子二人，收拾了行李衣服，細軟銀兩，做一擔兒打挾了；又裝兩個料袋袱駝，拴在馬上。

等到五更天色未明，王進叫起李牌，吩咐道：「你與我將這些銀兩去嶽廟裡，和張牌買個三牲煮熟，在那裡等候，我買些紙燭隨後便來。」李牌將銀子望廟中去了。

王進自去備了馬，牽出後槽，將料袋袱駝搭上，把索子拴縛牢了，牽在後門外，扶娘上了馬。家中粗重都棄了。鎖上前後門，挑了擔兒，跟在馬後。趁五更天色未明，乘勢出了西華門，取路望延安府來。

且說兩個牌軍，買了福物◈煮熟，在廟等到巳牌，也不見來。李牌心焦，走回到家中尋時，見鎖了門。兩頭無路。尋了半日，並無有人曾見。看看待晚，嶽廟裡張牌疑忌，一直奔回家來，又和李牌尋了一黃昏。看看黑了，兩個見他當夜不歸，又不見了他老娘。

次日，兩個牌軍，又去他親戚之家訪問，亦無尋處。兩個恐怕連累，只得去殿帥府首告：「王教頭棄家在逃，母子不知去向。」

高太尉見告了，大怒道：「賊配軍在逃，看那廝待走哪裡去！」隨即押下

◈**牌軍**—衙門的差役。　**料袋**—裝乾糧與錢物的布袋，可以隨身攜帶，也可以拴在馬上。
福物—祭祀所用的酒肉。

文書，行開諸州各府，捉拿逃軍王進。二人首告◆，免其罪責。不在話下。

且說王教頭母子二人，自離了東京，在路免不得飢餐渴飲，夜住曉行。在路一月有餘。

忽一日，天色將晚，王進挑著擔兒，跟在娘的馬後，口裡與母親說道：「天可憐見！慚愧了我母子兩個脫了這天羅地網之厄，此去延安府不遠了。高太尉便要差人拿我，也拿不著了！」母子兩人歡喜。在路上不覺錯過了宿頭。走了這一晚，不遇著一處村坊，哪裡去投宿是好？正沒理會處◆，只見遠遠地林子裡閃出一道燈光來。

王進看了道：「好了！遮莫◆去那裡陪個小心，借宿一宵，明日早行。」

當時轉入林子裡來看時，卻是一所大莊院，一周遭都是土牆，牆外卻有二三百株大柳樹。看那莊院，但見：

前通官道，後靠溪岡。一周遭青縷如煙，四下裡綠陰似染。
轉屋角牛羊滿地，打麥場鵝鴨成群。田園廣野，負傭莊客有千人。

家眷軒昂，女使兒童難計數。
正是家有餘糧雞犬飽，戶多書籍子孫賢。

當時王教頭來到莊前，敲門多時，只見一個莊客◆出來。王進放下擔兒，與他施禮。莊客道：「來俺莊上有甚事？」王進答道：「實不相瞞，小人母子二人，貪行了些路程，錯過了宿店。來到這裡，前不巴村，後不巴店。欲投貴莊借宿一宵，明日早行。依例拜納房金。萬望周全方便。」莊客道：「既是如此，且等一等，待我去問莊主太公，肯時，但歇不妨。」王進又道：「大哥方便。」莊客入去多時，出來說道：「莊主太公，教你兩個入來。」王進請娘下了

◆**首告**—出首告發。 **沒理會處**—不知如何是好。 **遮莫**—不管。
莊客—除耕種外，還要服其他勞役，並負保衛田莊的責任。

馬，王進挑著擔兒，就牽了馬，隨莊客到裡面打麥場上，歇下擔兒，把馬拴在柳樹上。

母子二人，直到草堂上來見太公。那太公年近六旬之上，鬚髮皆白，頭戴遮塵暖帽，身穿直縫寬衫，腰繫皂絲縧，足穿熟皮靴。王進見了便拜。太公連忙道：「客人休拜，且請起來。你們是行路的人，辛苦風霜，且坐一坐。」王進母子兩個敘禮◈罷，都坐定。

太公問道：「你們是哪裡來？如何昏晚到此？」

王進答道：「小人姓張，原是京師人。今來消折◈了本錢，無可營用，要去延安府投奔親眷。不想今日路上貪行了程途，錯過了宿店。欲投貴莊借宿一宵，來日早行。房金依例拜納。」

太公道：「不妨。如今世上人，哪個頂著房屋走哩！你母子二位，敢未打火◈？」叫莊客安排飯來。沒多時，就廳上放開條桌子，莊客托出一桶盤，四樣菜蔬，一盤牛肉，鋪放桌上，先燙酒來篩下。

太公道：「村落中無甚相待，休得見怪。」

王進起身謝道：「小人子母，無故相擾，得蒙厚意，此恩難報。」

太公道：「休這般說。且請吃酒。」一面勸了五七杯酒，搬出飯來，二人吃了。收拾碗碟，太公起身引王進子母到客房中安歇。

王進告道：「小人母親騎的頭口，相煩寄養，草料望乞應付，一發拜還。」

太公道：「這個亦不妨。我家也有頭口騾馬。教莊客牽去後槽，一發餵養，草料亦不用憂心。」王進謝了，挑那擔兒到客房裡來。莊客點上燈火，一面提湯來洗了腳。太公自回裡面去了。

王進母子二人，謝了莊客，掩上房門，收拾歇息。

次日，睡到天曉，不見起來。莊主太公來到客房前過，聽得王進老母在房中聲喚。

敘禮—以禮相見。　**消折**—損失。　**打火**—生火、燒火。指用打火刀敲擊火石以取火。

頭口—指騾馬驢牛之類大牲畜。　**湯**—此處指熱水。　**聲喚**—痛苦地喊叫。

太公問道：「客官失曉，好起了。」王進聽得，慌忙出房來見太公，施禮說道：「小人起多時了。夜來多多攪擾，甚是不當。」

太公問道：「誰人如此聲喚？」

王進道：「實不敢瞞太公說，老母鞍馬勞倦，昨夜心疼病發。」

太公道：「既然如此，客人休要煩惱。教你老母且在老夫莊上住幾日。我有個醫心疼的方，叫莊客去縣裡撮藥來，與你老母親吃。教她放心，慢慢地將息。」王進謝了。

話休絮煩。自此王進子母兩個，在太公莊上服藥，住了五七日。覺道母親病患痊了，王進收拾要行。當日因來後槽看馬，只見空地上一個後生脫膊著，刺著一身青龍，銀盤也似一個面皮，約有十八、九歲，拿條棒在那裡使。王進看了半晌，不覺失口道：「這棒也使得好了。只是有破綻，贏不得真好漢。」

那後生聽得，大怒喝道：「你是甚麼人！敢來笑話我的本事！俺經了七八個有名的師父，我不信倒不如你。你敢和我扠一扠◆麼？」說猶未了，太公到來，喝那後生：「不得無禮。」

那後生道：「叵耐這廝笑話我的棒法！」

太公道：「客人莫不會使槍棒？」

王進道：「頗曉得些。敢問長上，這後生是宅上何人？」

太公道：「是老漢的兒子。」

王進道：「既然是宅內小官人◆，若愛學時，小人點撥他端正，如何？」

太公道：「恁地時◆，十分好。」便教那後生來拜師父。那後生哪裡肯拜。心中越怒道：「阿爹休聽這廝胡說！若吃他贏得我這條棒時，我便拜他為師。」

王進道：「小官人，若是不當村◆時，較量一棒耍子◆。」

◆**失曉**──不知天亮。後多指人晚起。　**撮藥**──抓藥、配藥。　**扠一扠**──對打、交手。
小官人──稱富貴人家子弟。也可稱年輕男子或男孩。　**恁地時**──什麼時候。　**不當村**──不嫌棄。

那後生就空地當中，把一條棒使得風車兒似轉，向王進道：「你來，你來！怕你不算好漢！」王進只是笑，不肯動手。

太公道：「客官既是肯教小頑時，使一棒何妨？」

王進笑道：「恐衝撞了令郎時，須不好看。」

太公道：「這個不妨。若是打折了手腳，亦是他自作自受。」

王進道：「恕無禮。」去槍架上拿了一條棒在手裡，來到空地上，使個旗鼓。那後生看了一看，拿條棒滾將入來，逕奔王進。王進托地拖了棒便走。那後生掄著棒又趕入來。王進回身，把棒望空地裡劈將下來。那後生見棒劈來，用棒來隔。王進卻不打下來，對棒一掣，卻望後生懷裡直搠將來。只一繳，那後生的棒丟在一邊，撲地望後倒了。

王進連忙撇了棒，向前扶住道：「休怪，休怪！」

那後生爬將起來，便去旁邊掇條凳子，納王進坐，便拜道：「我枉自經了許多師家，原來不值半分。師父，沒奈何，只得請教！」

王進道：「我母子二人，連日在此攪擾宅上，無恩可報，當以效力。」

太公大喜，教那後生穿了衣裳，一同來後堂坐下。叫莊客殺一個羊，安排了酒食果品之類，就請王進的母親一同赴席。四個人坐定。一面把盞，太公起身勸了一杯酒，說道：「師父如此高強，必是個教頭。小兒有眼不識泰山。」

王進笑道：「奸不廝欺，俏不廝瞞◈。小人不姓張。俺是東京八十萬禁軍教頭王進的便是，這槍棒終日搏弄◈。為因新任一個高太尉，原被先父打翻，今做殿帥府太尉，懷挾舊仇，要奈何王進。小人不合屬他所管，和他爭不得。只得母子二人，逃上延安府去，投托老种經略相公處勾當◈。不想來到這裡，得遇長上父子二位如此看待。又蒙救了老母病患。連日管顧，甚是不當。既然令郎肯學時，小人一力奉教。只是令郎學的都是花棒，只好看，上陣無用。小人從新點撥他。」

◈耍子—嬉戲、玩耍。 小頑—對人謙稱自己的孩子。 使個旗鼓—使槍棍的架式。 繳—攪動。 掇—這裡是搬、端的意思。 奸不廝欺，俏不廝瞞—是說真人面前不說假話。 搏弄—擺弄。 勾當—料理事務。

太公見說了，便道：「我兒，可知輸了？快來再拜師父。」那後生又拜了王進。正是：

好為師患負虛名，心服應難以力爭。
只有胸中真本事，能令頑劣拜先生。

太公道：「教頭在上，老漢祖居在這華陰縣界，前面便是少華山。這村便喚做史家村。村中總有三四百家，都姓史。老漢的兒子，從小不務農業，只愛刺槍使棒。母親說他不得，嘔氣死了。老漢只得隨他性子。不知使了多少錢財，投師父教他。又請高手匠人，與他刺了這身花繡，肩臂胸膛，總有九條龍，滿縣人口順，都叫他做『九紋龍』史進。教頭今日既到這裡，一發成全了他亦好。老漢自當重重酬謝。」

王進大喜道：「太公放心。既然如此說時，小人一發教了令郎方去。」自當日為始，吃了酒食，留住王教頭母子二人在莊上。史進每日求王教頭點撥十八般武藝◈，一一從頭指教。

哪十八般武藝？

矛鎚弓弩銃，鞭鐧◆劍鏈撾◆。斧鉞並戈戟，牌棒與槍杈。

話說這史進每日在莊上款待王教頭母子二人，指教武藝。史太公自去華陰縣中承當里正◆，不在話下。不覺荏苒光陰，早過半年之上。正是：

窗外日光彈指過，席間花影坐前移。

一杯未進笙歌送，階下辰牌又報時。

◆**十八般武藝**——指能使用十八般兵器的本領，亦泛指多種武藝；《水滸傳》寫到的十八般武器是：矛、鎚、弓、弩、銃、鞭、鐧、劍、鏈、撾、斧、鉞、戈、戟、牌、棒、槍、杈。

撾——音抓，中國古代的兵械，十八般兵器之一。有長械、短械、軟械三種之分。凡具有人手或獸爪形象的武器，皆屬此類。

鐧——是中國傳統古代兵器之一。鐧身成棒狀，端頂無尖，底部設有手把，四面向內凹陷，所以又被稱為「四面金裝鐧」，或「凹面鐧」。鐧身連把約長四尺。傳說中唐初戰將秦瓊善使雙鐧，三國時期劉備也使用雙鼓鐧和呂布對戰。沒有鋒刃的鐧，更像是怒斥責罰的道具，而非取人性命、殘人肢體的凶器。

里正——春秋戰國時的一里之長，明代改名里長，主要負責掌管戶口和納稅。

前後得半年之上。史進把這十八般武藝，重新學得十分精熟。多得王進盡心指教，點撥得件件都有奧妙。

王進見他學得精熟了，自思：「在此雖好，只是不了。」一日想起來，相辭要上延安府去。

史進哪裡肯放，說道：「師父只在此間過了。小弟奉養你母子二人，以終天年，多少是好。」

王進道：「賢弟，多蒙你好心，在此十分之好。只恐高太尉追捕到來，負累了你，不當穩便。以此兩難。我一心要去延安府，投著在老种經略處勾當。那裡是鎮守邊庭，用人之際，足可安身立命。」史進並太公苦留不住，只得安排一個筵席送行。托出一盤兩個緞子，一百兩花銀◈謝師。

次日，王進收拾了擔兒，備了馬，母子二人相辭史太公、史進。王進請娘乘了馬，望延安府路途進發。史進叫莊客挑了擔兒，親送十里之程，心中難捨。史進當時拜別了師父，灑淚分手，和莊客自回。王教頭依舊自挑了擔兒，跟著馬，母子二人自取關西路上去了。

話中不說王進去投軍役。只說史進回到莊上，每日只是打熬◈氣力，抑且壯年，又沒老小，半夜三更起來演習武藝。白日裡只在莊射弓走馬。不到半載之間，史進父親太公染患病症，數日不起。史進使人遠近請醫士看治，不能痊可。嗚呼哀哉，太公歿了。

史進一面備棺槨盛殮◈，請僧修設好事，追齋理七◈，薦拔太公；又請道士建立齋醮，超度升天。整做了十數壇好事功果道場，選了吉日良時，出喪安葬。

滿村中三四百史家莊戶，都來送喪掛孝。埋殯在村西山上祖墳內了。史進家自此無人管業。史進又不肯務農，只要尋人使家生◈，較量槍棒。

◈**花銀**——通常指成色較純的銀子。 **打熬**——支撐、忍耐。 **盛殮**——將死者裝殮在棺材裡。

追齋理七——追齋，即追薦。理七，一種齋祭亡魂的儀式。舊俗人死後，生者每七天為之齋供一次，並請和尚誦經，四十九天中共行七次，稱為理七。最後一次叫「斷七」。

家生——指武器。 **交床**——一種可以摺疊的輕便繩椅。

自史太公死後，又早過了三四個月日。時當六月中旬，炎天正熱。那一日，史進無可消遣，提個交床◆，坐在打麥場邊柳陰樹下乘涼。對面松林，透過風來。史進喝采道：「好涼風！」正乘涼哩，只見一個人，探頭探腦在那裡張望。

史進喝道：「作怪！誰在那裡張俺莊上？」史進跳起身來，轉過樹背後，打一看時，認得是獵戶摽兔◆李吉。

史進喝道：「李吉，張我莊內做甚麼？莫不是來相腳頭◆？」

李吉向前聲喏道：「大郎，小人要尋莊上矮丘乙郎吃碗酒。因見大郎在此乘涼，不敢過來衝撞。」

史進道：「我且問你：往常時，你只是擔些野味來我莊上賣。我又不曾虧了你。如何一向不將來賣與我？敢是欺負我沒錢？」

李吉答道：「小人怎敢！一向沒有野味，以此不敢來。」

史進道：「胡說！偌大一個少華山，恁地廣闊，不信沒有個獐兒、兔兒？」

李吉道：「大郎原來不知。如今近日上面添了一夥強人，紮下個山寨在上面，聚集著五七百個小嘍囉，有百十匹好馬。為頭那個大王，喚做『神機軍師』朱武，第二個喚做『跳澗虎』陳達，第三個喚做『白花蛇』楊春。這三個為頭，打家劫舍，華陰縣裡不敢捉他，出三千貫賞錢召人拿他。因此上，小人們不敢上山打捕野味，哪討來賣！」

史進道：「我也聽得說有強人。不想那廝們如此大弄◈，必然要惱人。李吉，你今後有野味時，尋些來。」李吉唱個喏，自去了。

史進歸到廳前，尋思：「這廝們大弄，必要來薅惱◈村坊。」既然如此，便叫莊客揀兩頭肥水牛來殺了，莊內自有造下的好酒，先燒了一陌順溜紙◈，便叫莊客去請這當村裡三四百史家莊戶，都到家中草堂上，序齒坐下。教莊客一面把盞勸酒，史進對眾人說道：「我聽得少華山上有三個強人，

◈**摽兔**——追捕兔子。摽音標。　**相腳頭**——宋時江湖上隱語，謂行竊前先行窺探。
大弄——放開手幹，大規模地行動。　**薅惱**——打攪、麻煩。薅音蒿。

聚集著五七百小嘍囉，打家劫舍。這廝們既然大弄，必然早晚要來俺村中囉唣◈。我今特請你眾人來商議。倘若那廝們來時，各家準備。我莊上打起梆子◈，你眾人可各執槍棒，前來救應。你各家有事，亦是如此。遞相救護，共保村坊。如若強人自來，都是我來理會◈。」

眾人道：「我等村農，只靠大郎做主。梆子響時，誰敢不來？」

當晚，眾人謝酒，各自分散回家，準備器械。自此，史進修整門戶牆垣，安排莊院，拴束衣甲，整頓刀馬，提防賊寇，不在話下。

且說少華山寨中，三個頭領坐定商議。為頭的神機軍師朱武，那人原是定遠人氏，能使兩口雙刀，雖無本事，廣有謀略。有八句詩單道朱武好處：

道服裁棕葉，雲冠剪鹿皮。臉紅雙眼俊，面目細鬚垂。

陣法方諸葛，陰謀勝范蠡。華山誰第一，朱武號神機。

第二個好漢，姓陳名達，原是鄴城人氏，使一條出白點鋼槍。亦有詩讚曰：

力健身雄性粗魯，丈二長槍撒如雨。
鄴中豪傑霸華陰，陳達人稱跳澗虎。

第三個好漢，姓楊名春，蒲州解良縣人氏，使一口大桿刀。亦有詩讚道：

腰長臂瘦力堪誇，到處刀鋒亂撒花。
鼎立華山真好漢，江湖名播白花蛇。

當日朱武與陳達、楊春說道：「如今我聽知華陰縣裡出三千賞錢，召人捉我們，誠恐來時要與他廝殺。只是山寨錢糧欠少，如何不去劫擄些來，以供山寨之用？聚積些糧食在寨裡，防備官軍來時，好和他打熬。」

◆**囉唣**——吵鬧。　**順溜紙**——指祈求神鬼保佑順利而燒的紙錢。
梆子——打更用的器具，空心，用竹子或木頭製成。　**理會**——料理、處置。

跳澗虎陳達道：「說得是。如今便去華陰縣裡，先問他借糧，看他如何。」白花蛇楊春道：「不要華陰縣去，只去蒲城縣，萬無一失。」陳達道：「蒲城縣人戶稀少，錢糧不多。不如只打華陰縣，那裡人民豐富，錢糧廣有。」楊春道：「哥哥不知，若去打華陰縣時，須從史家村過。那個九紋龍史進，是個大蟲，不可去撩撥他。他如何肯放我們過去？」陳達道：「兄弟好懦弱！一個村坊過去不得，怎地敢抵敵官軍？」楊春道：「哥哥不可小覷了他。那人端的了得！」朱武道：「我也曾聞他十分英雄，說這人真有本事。兄弟，休去罷！」陳達叫將起來，說道：「你兩個閉了鳥嘴！長別人志氣，滅自己威風。他只是一個人，須不三頭六臂，我不信。」喝叫小嘍囉：「快備我的馬來！如今便去先打史家莊，後取華陰縣！」朱武、楊春再三諫勸，陳達哪裡肯聽。隨即披掛上馬，點了一百四、五十小嘍囉，鳴鑼擂鼓，下山望史家村去了。

且說史進正在莊內整治刀馬，只見莊客報知此事。

史進聽得，就莊上敲起梆子來。那莊前莊後，莊東莊西，三四百史家莊戶，聽得梆子響，都拖槍拽棒，聚起三四百人，一齊都到史家莊上。看了史進，頭戴一字巾◆，身披朱紅甲，上穿青錦襖，下著抹綠靴，腰繫皮搭膊◆，前後鐵掩心，一張弓，一壺箭，手裡拿一把三尖兩刃四竅八環刀。莊客牽過那匹火炭赤馬，史進上了馬，綽了刀，前面擺著三、四十壯健的莊客，後面列著八、九十村蠢◆的鄉夫及各史家莊戶，都跟在後頭，一齊吶喊，直到村北路口擺開。那少華山陳達，引了人馬，飛奔到山坡下，便將小嘍囉擺開。

史進看時，見陳達頭戴乾紅凹面巾，身披裹金生鐵甲，上穿一領紅衲襖，腳穿一對吊墩靴，腰繫七尺攢線搭膊，坐騎一匹高頭白馬，手中橫著

◆端的——果真、確實。　掩心——護胸的鎧甲。　村蠢——粗笨。
一字巾——古時頭巾之一種，相傳起於宋韓世忠。也稱幅巾、太極巾。
搭膊——一種長方形的布袋，中間開口，兩端可盛錢物，繫在衣外作腰巾，亦可肩負或手提。

丈八點鋼矛。小嘍囉乘勢便吶喊，二員將就馬上相見。

陳達在馬上看著史進，欠身施禮。

史進喝道：「汝等殺人放火，打家劫舍，犯著彌天大罪，都是該死的人！你也須有耳朵。好大膽！直來太歲頭上動土！」

陳達在馬上答道：「俺山寨裡欠少些糧，欲往華陰縣借糧。經由貴莊，假一條路，並不敢動一根草。可放我們過去，回來自當拜謝。」

史進道：「胡說！俺家現當里正，正要來拿你這夥賊；今日到來，經由我村中過卻不拿你，倒放你過去，本縣知道，須連累於我。」

陳達道：「四海之內，皆兄弟也。相煩借一條路。」

史進道：「甚麼閒話！我便肯時，有一個不肯！你問得他肯，便去！」

陳達道：「好漢教我問誰？」

史進道：「你問得我手裡這口刀肯，便放你去。」

陳達大怒道：「趕人不要趕上，休得要逞精神！」史進也怒，掄手中刀，驟坐下馬，來戰陳達。陳達也拍馬挺槍來迎史進。兩個交馬。但見：

一來一往，一上一下。
一來一往，有如深水戲珠龍；一上一下，卻似半巖爭食虎。
九紋龍忿怒，三尖刀只望頂門飛；
跳澗虎生嗔，丈八矛不離心坎刺。
好手中間逞好手，紅心裡面奪紅心。

兩個交馬鬥了多時，史進賣個破綻，讓陳達把槍望心窩裡搠來，史進卻把腰一閃，陳達和槍攧入懷裡來。史進輕舒猿臂，款扭狼腰，只一挾，把陳達輕輕摘離了嵌花鞍，款款揪住了線搭膊，丟在馬前受降。那匹戰馬撥風也似去了。史進叫莊客將陳達綁縛了。眾人把小嘍囉一趕，都走了。史進回到莊上，將陳達綁在庭心內柱上，等待一發拿了那兩個賊首，一併解官請賞。且把酒來賞了眾人，教且權散。眾人喝采：「不枉了史大郎如此豪傑！」

休說眾人歡喜飲酒。卻說朱武、楊春兩個，正在寨裡猜疑，捉摸不定。

且教小嘍囉再去探聽消息，只見回去的人，牽著空馬，奔到山前，只叫道：「苦也！陳家哥哥不聽二位哥哥所說，送了性命！」朱武問其緣故。小嘍囉備說交鋒一節，怎當史進英勇。

朱武道：「我的言語不聽，果有此禍。」

楊春道：「我們盡數都去，和他死拚如何？」

朱武道：「亦是不可。他尚自輸了，你如何拚得他過？我有一條苦計，若救他不得，我和你都休。」

楊春問道：「如何苦計？」朱武附耳低言說道：「只除恁地◆。」

楊春道：「好計！我和你便去，事不宜遲。」

再說史進正在莊上忿怒未消，只見莊客飛報道：「山寨裡朱武、楊春自來了。」史進道：「這廝合休◆！我教他兩個一發解官。快牽過馬來！」一面打起梆子，眾人早都到來。史進上了馬，正待出莊門，只見朱武、楊春步行已到莊前。兩個雙雙跪下，擎著四行眼淚。

史進下馬來喝道：「你兩個跪下如何說？」

朱武哭道：「小人等三個，累被官司逼迫，不得已上山落草。當初發願道：『不求同日生，只願同日死。』雖不及關、張、劉備的義氣，其心則同。今日小弟陳達不聽好言，誤犯虎威，已被英雄擒捉在貴莊，無計懇求。今來一逕就死。望英雄將我三人一發解官請賞，誓不皺眉。我等就英雄手內請死，並無怨心！」

史進聽了，尋思道：「他們直恁義氣！我若拿他去解官請賞時，反教天下好漢們恥笑我不英雄。自古道：『大蟲不吃伏肉◆。』」

史進便道：「你兩個且跟我進來。」

朱武、楊春心無懼怯，隨了史進直到後廳前跪下。又教史進綁縛。史進三回五次叫起來，那兩個哪裡肯起來。惺惺惜惺惺，好漢識好漢。

◆只除恁地——只有這樣才能……，沒有別的辦法。合休——該死。
大蟲不吃伏肉——謂真正的強者不欺已經服輸的弱者。

史進道：「你們既然如此義氣深重，我若送了你們，不是好漢。我放陳達還你如何？」

朱武道：「休得連累了英雄，不當穩便。寧可把我們去解官請賞。」

史進道：「如何使得。你肯吃我酒食麼？」

朱武道：「一死尚然不懼，何況酒肉乎？」有詩為證：

姓名各異死生同，慷慨偏多計較空。
只為有冠無義狹，遂令草澤見奇雄。

當時史進大喜，解放陳達，就後廳上座，置酒設席，管待三人。朱武、楊春、陳達拜謝大恩。酒至數杯，少添春色。酒罷，三人謝了史進，回山去了。史進送出莊門，自回莊上。

卻說朱武等三人歸到寨中坐下，朱武道：「我們非這條苦計，怎得性命在此？雖然救了一人，卻也難得史進為義氣上放了我們。過幾日備些禮物送去，謝他救命之恩。」

話休絮煩，過了十數日，朱武等三人收拾得三十兩蒜條金，使兩個小嘍囉，趁月黑夜送去史家莊上。當夜初更時分，小嘍囉敲門。莊客報知史進。史進火急披衣，來到門前，問小嘍囉有甚話說。

小嘍囉道：「三個頭領再三拜覆，特地使小校◆送些薄禮，酬謝大郎不殺之恩。不要推卻，望乞笑留。」取出金子，遞與史進。

初時推卻，次後尋思道：「既然送來，回禮可酬。」受了金子，叫莊客置酒管待小校。吃了半夜酒，把些零碎銀兩賞了小校回山去了。又過半月餘，朱武等三人在寨中商議，擄掠得一串好大珠子，又使小嘍囉連夜送來史家莊上。史進受了，不在話下。

又過了半月，史進尋思道：「也難得這三個敬重我！我也備些禮物回奉

◆小校——兵士。

他。」次日，叫莊客尋個裁縫，自去縣裡買了三疋紅錦，裁成三領錦襖子，又揀肥羊煮了三個，將大盒子盛了。

委兩個莊客去送。史進莊上有個為頭的莊客王四，此人頗能答應官府，口舌利便，滿莊人都叫他做「賽伯當◈」。史進教他同一個得力莊客，挑了盒擔，直送到山下。小嘍囉問了備細，引到山寨裡見了朱武等。三個頭領大喜，受了錦襖子並肥羊酒禮，把十兩銀子賞了莊客，每人吃了十數碗酒。下山回歸莊內，見了史進，說道：「山上頭領，多多上覆◈。」

史進自此常常與朱武等三人往來。不時間，只是王四去山寨裡送物事。不則一日，寨裡頭領也頻頻地使人送金銀來與史進。

荏苒光陰，時遇八月中秋到來。史進要和三人說話。約至十五夜來莊上賞月飲酒。先使莊客王四帶一封請書，直去少華山上請朱武、陳達、楊春來莊上赴席。王四馳書逕到山寨裡，見了三位頭領，下了來書。朱武看了，大喜。三個應允，隨即寫封回書，賞了王四五兩銀子，吃了十來碗酒。王四下得山來，正撞著時常送物事來的小嘍囉，一把抱住，哪裡肯放。又拖去山路邊村酒店裡，吃了十數碗酒。

王四相別了回莊，一面走著，被山風一吹，酒卻湧上來，踉踉蹌蹌，一步一攧。走不得十里之路，見座林子，奔到裡面，望著那綠茸茸莎草地上，撲地倒了。

原來摽兔李吉正在那山坡下張兔兒，認得是史家莊上王四，趕入林子裡來扶他，哪裡扶得動。只見王四搭膊裡突出銀子來。

李吉尋思道：「這廝醉了，哪裡討得許多？何不拿他些。」也是天罡星合當聚會，自然生出機會來。李吉解那搭膊，望地下只一抖，那封回書和銀子都抖出來。李吉拿起，頗識幾字，將書拆開看時，見上面寫著少華山朱武、陳達、楊春，中間多有兼文帶武的言語，卻不識得，只

◆**伯當**—白衣神箭王伯當，口才便給，是瓦岡寨五虎之一。 **上覆**—回覆，謙遜的用語。

認得三個名字。

李吉道：「我做獵戶，幾時能夠發跡。算命道我今年有大財，卻在這裡！華陰縣裡現出三千貫賞錢捕捉他三個賊人。叵耐史進那廝，前日我去他莊上尋矮丘乙郎，他道我來相腳頭躧盤◆。你原來倒和賊人來往！」銀子並書都拿去了，望華陰縣裡來出首◆。

卻說莊客王四一覺直睡到二更，方醒覺來，看見月光微微照在身上。王四吃了一驚，跳將起來。卻見四邊都是松樹。便去腰裡摸時，搭膊和書都不見了。四下裡尋時，只見空搭膊在莎草地上。

王四只管叫苦，尋思道：「銀子不打緊。這封回書卻怎生得好！正不知被甚人拿去了？」眉頭一縱，計上心來。自道：「若回去莊上，說脫了回書，大郎必然焦躁，定是趕我出去。不如只說不曾有回書，哪裡查照？」計較定了，飛也似取路歸來莊上。卻好五更天氣。

史進見王四回來，問道：「你如何方才歸來？」

王四道：「托主人福蔭，寨中三個頭領都不肯放，留住王四吃了半夜酒，因此回來遲了。」史進又問：「曾有回書麼？」王四道：「三個頭領要寫回書，卻是小人道：三位頭領既然準來赴席，何必回書。小人又有杯酒◆，路上恐有些失支脫節◆，不是耍處。」史進聽了大喜，說道：「不枉了諸人叫你賽伯當，真個了得！」王四應道：「小人怎敢差遲，路上不曾住腳，一直奔回莊上。」史進道：「既然如此，教人去縣裡買些果品按酒伺候。」不覺中秋節至。是日晴明得好。史進當日吩咐家中莊客，宰了一腔大羊，殺了百十個雞鵝，準備下酒食筵宴。看看天色晚來。怎見得好個中秋，但見：

午夜初長，黃昏已半，一輪月掛如銀。
冰盤如晝，賞玩正宜人。

◆**躧盤**——踩踏他人的地盤，比喻探路。躧音洗。　**出首**——舉發他人的犯罪行為。**失支脫節**——意外。　**杯酒**——喝了些酒。

清影十分圓滿，桂花玉兔交馨。
簾櫳高捲，金杯頻勸酒，歡笑賀昇平。
年年當此節，酩酊醉醺醺。莫辭終夕飲，銀漢露華新。

且說少華山上朱武、陳達、楊春三個頭領，吩咐小嘍囉看守寨柵，只帶三五個做伴，將了朴刀◈，各跨口腰刀，不騎鞍馬，步行下山，逕來到史家莊上。史進接著，各敘禮罷，請入後園。莊內已安排下筵宴。史進請三位頭領上坐，史進對席相陪。便叫莊客把前後莊門拴了，一面飲酒。莊內莊客輪流把盞，一邊割羊勸酒。酒至數杯，卻早東邊推起那輪明月。但見：

桂花離海嶠，雲葉散天衢。
彩霞照萬里如銀，素魄映千山似水。
影橫曠野，驚獨宿之烏鴉；光射平湖，照雙栖之鴻雁。
冰輪展出三千里，玉兔平吞四百州。

史進正和三個頭領敘說舊話新言，只聽得牆外一聲喊起，火把亂明。史進大驚，跳起身來道：「三位賢友且坐，待我去看！」喝叫莊客不要開門，掇條梯子上牆打一看時，只見是華陰縣縣尉在馬上，引著兩個都頭◈，帶著三四百土兵，圍住莊院。史進和三個頭領只管叫苦。外面火把光中，照見鋼叉、朴刀、五股叉、留客住◈，擺得似麻林一般。

兩個都頭口裡叫道：「不要走了強賊！」不是這夥人來捉史進並三個頭領，怎地教史進先殺了一兩個人，結識了十數個好漢？直教：

蘆花深處屯兵士，荷葉陰中治戰船。

畢竟史進與三個頭領怎地脫身？且聽下回分解。

◈**朴刀**—為一種長而寬的鋼刀，可以裝在木柄上成為比一般大刀還要長的長兵器，也可以卸下來單獨作為一種短兵器。**都頭**—州縣的捕盜頭目。
留客住—舊時一種有倒鉤的槍形武器，因可把人拉倒拖回，故稱為「留客住」。

第二回

史大郎夜走華陰縣
魯提轄拳打鎮關西

話說當時史進道：「卻怎生是好？」

朱武等三個頭領跪下答道：「哥哥，你是乾淨的人，休為我等連累了。可把索來綁縛我三個，出去請賞，免得負累了你不好看。」

史進道：「如何使得！恁地時，是我賺你們來，捉你請賞，枉惹天下人笑我。若是死時，與你們同死，活時同活。你等起來，放心別作圓便◆。且等我問個來歷緣故情由。」

史進上梯子問道：「你兩個何故半夜三更來劫我莊上？」

那兩個都頭答道：「大郎，你兀自賴哩！現有原告人李吉在這裡。」

史進喝道：「李吉，你如何誣告平人◆？」

李吉應道：「我本不知，林子裡拾得王四的回書，一時間把在縣前看，因此事發。」史進叫王四問道：「你說無回書，如何卻又有書？」

王四道：「便是小人一時醉了，忘記了回書。」

史進大喝道：「畜生，卻怎生好？」外面都頭人等，懼怕史進了得，不敢奔入莊裡來捉人。

三個頭領把手指道：「且答應外面。」

史進會意，在梯子上叫道：「你兩個都頭都不要鬧動，權退一步，我自綁縛出來，解官請賞。」

那兩個都頭卻怕史進，只得應道：「我們都是沒事的，等你綁出來，同去請賞。」史進下梯子，來到廳前，先叫王四，帶進後園，把來一刀殺了。喝教許多莊客，把莊裡有的沒的◆細軟等物，即便收拾，盡教打疊◆起了，

◆圓便—圓融變通的方法。平人—無罪的人。有的沒的—全部、所有的。打疊—指收拾、安排。

一壁點起三、四十個火把。莊裡史進和三個頭領全身披掛，槍架上各人跨了腰刀，拿了朴刀，拽扎起；把莊後草屋點著；莊客各自打拴了包裹，外面見裡面火起，都奔來後面看。

且說史進卻就中堂又放起火來，大開了莊門，吶聲喊，殺將出來。史進當頭，朱武、楊春在中，陳達在後，和小嘍囉並莊客，一衝一撞，指東殺西。正迎著兩個都頭並李吉。史進見了大怒，仇人相見，分外眼明，兩個都頭見頭勢不好，轉身便走。

李吉也卻待回身，史進早到，手起一朴刀，把李吉斬做兩段。兩個都頭正待走時，陳達、楊春趕上，一個一朴刀，結果了兩個性命。縣尉驚得跑馬走回去了。眾士兵哪裡敢向前，各自逃命散了，不知去向。史進引著一行人，且殺且走，直到少華山上寨內坐下，喘息方定。朱武等忙叫小嘍囉一面殺牛宰馬，賀喜飲宴，不在話下。

一連過了幾日，史進尋思：「一時間要救三人，放火燒了莊院，雖是有些細軟家財，粗重什物，盡皆沒了。」心內躊躇，在此不了◆，開言對朱武等說道：「我的師父王教頭，在關西經略府勾當。我先要去尋他，只因父親死了，不曾去得。今來家私莊院廢盡，我如今要去尋他。」

朱武三人道：「哥哥休去，只在我寨中且過幾時，又作商議。若哥哥不願落草◆時，待平靜了，小弟們與哥哥重整莊院，再作良民。」

史進道：「雖是你們的好情分，只是我心去意難留。我若尋得師父，也要那裡討個出身◆，求半世快樂。」

朱武道：「哥哥便在此間做個寨主，卻不快活？雖然寨小，亦堪歇馬。」

史進道：「我是個清白好漢，如何肯把父母遺體來玷汙了？你勸我落草，再也休提。」史進住了幾日，定要去，朱武等苦留不住。史進帶去的莊

◆**一壁**—一面。表示一個動作與另一個動作同時進行。
中堂—正中的廳堂。　**頭勢**—形勢。　**不了**—不能解決。
落草—舊指逃入山林做強盜。　**出身**—指前途。

客，都留在山寨；只自收拾了些散碎銀兩，打拴一個包裹，餘者多的，盡數寄留在山寨。

史進頭戴白范陽氈大帽，上撒一撮紅纓，帽兒下裹一頂渾青抓角軟頭巾，項上明黃縷帶，身穿一領白紵絲兩上領戰袍，腰繫一條揸五指梅紅攢線搭膊，青白間道行纏絞腳◆，襯著踏山透土多耳麻鞋，跨一口銅鈸磐口雁翎刀，背上包裹，提了朴刀，辭別朱武等三人。眾多小嘍囉都送下山來，朱武等灑淚而別，自回山寨去了。

只說史進提了朴刀，離了少華山，取路投關西五路，望延安府路上來。但見：

崎嶇山嶺，寂寞孤村。
披雲霧夜宿荒林，帶曉月朝登險道。
落日趲行聞犬吠，嚴霜早促聽雞鳴。

史進在路，免不得飢餐渴飲，夜住曉行。獨自一個行了半月之上，來到渭州。「這裡也有個經略府，莫非師父王教頭在這裡？」史進便入城來，看時，依然有六街三市。只見一個小小茶坊，正在路口。史進便入茶坊裡來，揀一副座位坐了。

史進問道：「這裡經略府在何處？」

茶博士◈道：「只在前面便是。」

史進道：「借問經略府內有個東京來的教頭王進麼？」

茶博士道：「這府裡教頭極多，有三四個姓王的，不知哪個是王進？」道猶未了，只見一個大漢大踏步入來，走進茶坊裡。史進看他時，是個軍官模樣，頭裹芝麻羅萬字頂頭巾，腦後兩個太原府紐絲金環，上穿一領鸚哥綠紵絲戰袍，腰繫一條文武雙股鴉青縧，足穿一雙鷹爪皮四縫乾黃靴。生得面圓耳大，鼻直口方，腮邊一部落腮鬍，身長八尺，腰闊十圍。

◈絞腳——裹腳。　茶博士——古時對精通茶藝者的稱呼，此指茶館裡的夥計。

那人入到茶坊裡面坐下。茶博士便道：「客官要尋王教頭，只問這位提轄，便都認得。」

史進忙起身施禮道：「官人請坐拜茶。」那人見史進長大魁偉，像條好漢，便來與他施禮。兩個坐下。

史進道：「小人大膽，敢問官人高姓大名？」那人道：「洒家是經略府提轄，姓魯，諱個達字。敢問阿哥，你姓甚麼？」

史進道：「小人是華州華陰縣人氏，姓史，名進。請問官人，小人有個師父，是東京八十萬禁軍教頭，姓王名進，不知在此經略府中有也無？」

魯提轄道：「阿哥，你莫不是史家村九紋龍史大郎？」

史進拜道：「小人便是。」魯提轄連忙還禮，說道：「聞名不如見面，見面勝似聞名。你要尋王教頭，莫不是在東京惡了高太尉的王進？」

史進道：「正是那人。」

魯達道：「俺也聞他名字。那個阿哥不在這裡。洒家聽得說，他在延安府老种經略相公處勾當；俺這渭州，卻是小种經略相公鎮守，那人不在這裡。你既是史大郎時，多聞你的好名字，你且和我上街去吃杯酒。」

魯提轄挽了史進的手，便出茶坊來。魯達回頭道：「茶錢洒家自還你。」

茶博士應道：「提轄但吃不妨，只顧去。」兩個挽了胳膊，出了茶坊來，上街行得三、五十步，只見一簇眾人圍住白地◈上。

史進道：「兄長，我們看一看。」分開人眾看時，中間裡一個人，仗著十來條桿棒；地上攤著十數個膏藥，一盤子盛著，插把紙標兒◈在上面，卻原來是江湖上使槍棒賣藥的。史進看了，卻認得他，原來是教史進開手◈的師父，叫做「打虎將」李忠。

史進就人叢中叫道：「師父，多時不見。」

李忠道：「賢弟如何到這裡？」

◈**提轄**—一種指揮官，為「提轄兵甲盜賊公事」的簡稱。

洒家—是宋時陝甘一帶人的自稱，類似現代的俺、咱。 **阿哥**—對兄長的稱呼。

白地—空地。 **紙標兒**—用以標明欲出售商品的紙製標籤。 **開手**—開始學武。

魯提轄道：「既是史大郎的師父，同和俺去吃三杯。」

李忠道：「待小子賣了膏藥，討了回錢，一同和提轄去。」

魯達道：「誰耐煩等你？去便同去。」

李忠道：「小人的衣飯，無計奈何。提轄先行，小人便尋將來。賢弟，你和提轄先行一步。」

魯達焦躁，把那看的人，一推一交，便罵道：「這廝們夾著屁眼撒開！不去的，洒家便打！」眾人見是魯提轄，一鬨都走了。

李忠見魯達凶猛，敢怒而不敢言，只得陪笑道：「好急性的人！」當下收拾了行頭藥囊，寄頓了槍棒，三個人轉彎抹角，來到州橋之下一個潘家有名的酒店。

門前挑出望竿◆，掛著酒旆◆，漾在空中飄蕩。怎見得好座酒肆◆，有詩為證：

風拂煙籠錦旆揚，太平時節日初長。
能添壯士英雄膽，善解佳人愁悶腸。

三尺曉垂楊柳外，一竿斜插杏花旁。

男兒未遂平生志，且樂高歌入醉鄉。

三人上到潘家酒樓上，揀個濟楚閣兒◈裡坐下。魯提轄坐了主位，李忠對席，史進下首坐了。酒保唱了喏，認得是魯提轄，便道：「提轄官人，打多少酒？」

魯達道：「先打四角◈酒來。」

一面鋪下菜蔬果品按酒◈。又問道：「官人，吃甚下飯◈？」

魯達道：「問甚麼？但有，只顧賣來，一發算錢還你。這廝只顧來聒噪！」酒保下去，隨即燙酒上來；但是下口肉食，只顧將來擺一桌子。

◈**望竿**—懸掛酒旆的旗竿。　**酒旆**—即酒旗。長的旗幟叫做旆。旆音配。　**酒肆**—酒店。

濟楚閣兒—濟楚，指出色、出眾。閣兒，酒樓、茶樓特設的小房間。

角—盛酒的器具，古時是用獸角做的；宋時雖不用獸角，仍稱做角，用來指盛一定分量的酒具。

按酒—下酒的菜餚。也作案酒。　**下飯**—通常指下飯的菜餚。

三個酒至數杯，正說較量些槍法，說得入港◈，只聽得隔壁閣子裡有人哽哽咽咽啼哭。魯達焦躁，便把碟兒盞兒都丟在樓板上。酒保聽得，慌忙上來看時，見魯提轄氣憤憤地。

酒保抄手◈道：「官人要甚東西？吩咐買來。」

魯達道：「洒家要甚麼？你也須認得洒家，卻恁地教甚麼人在間壁◈吱吱的哭，打攪俺弟兄們吃酒。洒家須不曾少了你酒錢！」

酒保道：「官人息怒，小人怎敢教人啼哭，打攪官人吃酒。這個哭的，是綽酒座兒唱的◈父女兩人。不知官人們在此吃酒，一時間自苦了啼哭。」

魯提轄道：「可是作怪！你與我喚得他來。」酒保去叫，不多時，只見兩個到來：前面一個十八、九歲的婦人，背後一個五、六十歲的老兒，手裡拿串拍板◈，都來到面前。看那婦人，雖無十分的容貌，也有些動人的顏色。但見：

髯鬆雲髻，插一枝青玉簪兒；嫋娜纖腰，繫六幅紅羅裙子。

素白舊衫籠雪體，淡黃軟襪襯弓鞋。

蛾眉緊蹙，汪汪淚眼落珍珠；粉面低垂，細細香肌消玉雪。
若非雨病雲愁，定是懷憂積恨。

那婦人拭著眼淚，向前來深深的道了三個萬福◈。那老兒也都相見了。魯達問道：「你兩個是哪裡人家？為甚啼哭？」

那婦人便道：「官人不知，容奴告稟：奴家是東京人氏。因同父母來渭州投奔親眷，不想搬移南京去了。母親在客店裡染病身故，父女二人，流落在此生受◈。此間有個財主，叫做『鎮關西』鄭大官人，因見奴家，便使強媒硬保，要奴作妾。誰想寫了三千貫文書，虛錢實契，要了奴家身體。未

◈**入港**—指意氣相投。　**抄手**—兩臂交叉於胸前。表示施禮。　**間壁**—隔壁。

綽酒座兒唱的—專在酒館巡迴賣唱的歌妓。

拍板—又名檀板，是一種中國傳統打擊樂器，相互敲擊以發出聲響，通常由兩片竹片構成，高級者係以象牙製成。在民間的說唱音樂、器樂、戲曲伴奏中使用。

萬福—舊時婦女敬禮時，雙手在襟前合拜，口稱「萬福」，後用萬福做為這種敬禮的代用語。

生受—說自己的時候，是吃苦、受罪之意；對別人說，是難為、辛苦、有勞的意思。

及三個月，他家大娘子好生利害，將奴趕打出來，不容完聚，著落店主人家，追要原典身錢三千貫。父親懦弱，和他爭執不得，他又有錢有勢。當初不曾得他一文，如今哪討錢來還他？沒計奈何，父親自小教得奴家些小曲兒，來這裡酒樓上趕座子◆。每日但得些錢來，將大半還他，留些少父女們盤纏◆。這兩日酒客稀少，違了他錢限，怕他來討時受他羞恥。父女們想起這苦楚來，無處告訴，因此啼哭。不想誤犯了官人，望乞恕罪，高抬貴手。」

魯提轄又問道：「你姓甚麼？在哪個客店裡歇？那個『鎮關西』鄭大官人在哪裡住？」

老兒答道：「老漢姓金，排行第二；孩兒小字翠蓮。鄭大官人，便是此間狀元橋下賣肉的鄭屠，綽號鎮關西。老漢父女兩個，只在前面東門裡魯家客店安下。」

魯達聽了道：「呸！俺只道哪個鄭大官人，卻原來是殺豬的鄭屠！這個腌臢潑才◆，投托著俺小种經略相公門下做個肉鋪戶，卻原來這等欺負人！」回頭看著李忠、史進道：「你兩個且在這裡，等洒家去打死了那廝便來。」史進、李忠抱住勸道：「哥哥息怒，明日卻理會。」兩個三回五次勸得他住。

魯達又道：「老兒，你來，洒家與你些盤纏，明日便回東京去如何？」父女兩個告道：「若是能夠回鄉去時，便是重生父母，再長爺娘。只是店主人家如何肯放？鄭大官人須著落他要錢。」魯提轄道：「這個不妨事，俺自有道理。」便去身邊摸出五兩來銀子，放在桌上，看著史進道：「洒家今日不曾多帶得些出來，你有銀子，借些與俺，洒家明日便送還你。」史進道：「值甚麼，要哥哥還。」去包裹裡取出一錠十兩銀子，放在桌上。

◆**趕座子**—在酒樓賣唱。**盤纏**—花費、開銷。**腌臢潑才**—指撒潑的無賴。

魯達看著李忠道：「你也借些出來與洒家。」李忠去身邊摸出二兩來銀子。魯提轄看了見少，便道：「也是個不爽利的人！」

魯達只把十五兩銀子與了金老，吩咐道：「你父女兩個將去做盤纏，一面收拾行李。俺明日清早來，發付你兩個起身，看哪個店主人敢留你！」金老並女兒拜謝去了。魯達把這二兩銀子丟還了李忠。三人再吃了兩角酒，下樓來叫道：「主人家，酒錢洒家明日送來還你。」

主人家連聲應道：「提轄只顧自去，但吃不妨，只怕提轄不來賒。」三個人出了潘家酒肆，到街上分手，史進、李忠各自投客店去了。只說魯提轄回到經略府前下處，到房裡，晚飯也不吃，氣憤憤地睡了。主人家又不敢問他。

再說金老得了這一十五兩銀子，回到店中，安頓了女兒。先去城外遠處覓下一輛車兒，回來收拾了行李，還了房宿錢，算清了柴米錢，只等來日天明。當夜無事，次早五更起來，父女兩個先打火做飯，吃罷，收拾了。天色微明，只見魯提轄大踏步走入店裡來，高聲叫道：「店小二，哪裡是金老歇處？」小二哥道：「金公，提轄在此尋你。」金老開了房門，便道：「提轄官人，裡面請坐。」魯達道：「坐甚麼？你去便去，等甚麼？」金老引了女兒，挑了擔兒，作謝提轄，便待出門。

店小二攔住道：「金公，哪裡去？」魯達問道：「他少你房錢？」小二道：「小人房錢，昨夜都算還了。須欠鄭大官人典身錢，著落在小人身上看他哩！」

魯提轄道：「鄭屠的錢，洒家自還他。你放了老兒還鄉去。」那店小二哪裡肯放。魯達大怒，叉開五指，去那小二臉上只一掌，打得那店小二口中吐血；再復一拳，打下當門兩個牙齒◈。

◈發付——指打發。 當門兩個牙齒——指門牙。

小二爬將起來，一道煙跑向店裡去躲了。店主人哪裡敢出來攔他。金老父女兩個，忙忙離了店中，出城自去尋昨日覓下的車兒去了。且說魯達尋思，恐怕店小二趕去攔截他，且向店裡掇條凳子，坐了兩個時辰。約莫金公去得遠了，方才起身，逕到狀元橋來。

且說鄭屠開著間門面，兩副肉案，懸掛著三五片豬肉。鄭屠正在門前櫃身內坐定，看那十來個刀手賣肉。魯達走到門前，叫聲：「鄭屠！」鄭屠看時，見是魯提轄，慌忙出櫃身來唱喏道：「提轄恕罪。」便叫副手掇條凳子來：「提轄請坐。」魯達坐下道：「奉著經略相公鈞旨，要十斤精肉，切做臊子，不要見半點肥的在上頭。」鄭屠道：「使得，你們快選好的，切十斤去。」魯提轄道：「不要那等腌臢廝們動手，你自與我切。」鄭屠道：「說得是。小人自切便了。」自去肉案上，揀了十斤精肉，細細切做臊子。那店小二把手帕包了頭，正來鄭屠家報說金老之事，卻見魯提轄坐在肉案門邊，不敢攏◈來，只得遠遠的立住，在房簷下望。這鄭屠整整自切了半個時辰，用荷葉包了道：「提轄，教人送去？」

魯達道：「送甚麼！且住，再要十斤，都是肥的，不要見些精的在上面，也要切做臊子。」

鄭屠道：「卻才精的，怕府裡要裹餛飩，肥的臊子何用？」

魯達睜著眼道：「相公鈞旨吩咐洒家，誰敢問他？」

鄭屠道：「是合用的東西，小人切便了。」又選了十斤實膘◈的肥肉，也細細的切做臊子，把荷葉來包了。整弄了一早晨，卻得飯罷時候。那店小二哪裡敢過來，連那正要買肉的主顧，也不敢攏來。

鄭屠道：「著人與提轄拿了，送將府裡去。」魯達道：「再要十斤寸金軟骨◈，也要細細地剁做臊子，不要見些肉在上面。」

◈唱喏—一面作揖，一面出聲致敬。喏音惹。　臊子—碎肉、肉末。　攏—靠近。　膘—肥肉。

寸金軟骨—即月牙骨，指的是動物的前腿夾心肉與扇面骨相連處的一塊月牙形軟組織，上面有一層薄薄的瘦肉，骨頭為白色的脆骨，一頭豬也就兩片月牙骨，一共大概三四兩重。

鄭屠笑道：「卻不是特地來消遣◆我！」

魯達聽罷，跳起身來，拿著那兩包臊子在手裡，睜眼看著鄭屠道：「洒家特地要消遣你！」把兩包臊子劈面打將去，卻似下了一陣的肉雨。鄭屠大怒，兩條忿氣從腳底下直衝到頂門。心頭那一把無明業火◆焰騰騰的按納不住，從肉案上搶了一把剔骨尖刀，托地跳將下來。魯提轄早拔步在當街上。眾鄰舍並十來個火家◆，哪個敢向前來勸。兩邊過路的人都立住了腳，和那店小二也驚得呆了。

鄭屠右手拿刀，左手便來要揪魯達，被這魯提轄就勢按住左手，趕將入去，望小腹上只一腳，騰地踢倒在當街上。

魯達再入一步，踏住胸脯，提著那醋缽兒大小拳頭，看看這鄭屠道：「洒家始投老种經略相公，做到關西五路廉訪使，也不枉了叫做『鎮關西』！你是個賣肉的操刀屠戶，狗一般的人，也叫做『鎮關西』！你如何強騙了金翠蓮？」撲的只一拳，正打在鼻子上，打得鮮血迸流，鼻子歪在半邊，卻便似開了個醬油鋪，鹹的酸的辣的，一發都滾出來。鄭屠掙不起來，那把尖刀，也丟在一邊，口裡只叫打得好。

魯達罵道：「直娘賊◈，還敢應口！」提起拳頭來，就眼眶際眉梢只一拳，打得眼睖縫裂，烏珠迸出，也似開了個彩帛鋪的，紅的黑的絳的，都滾將出來。兩邊看的人懼怕魯提轄，誰敢向前來勸？

鄭屠當不過，討饒。魯達喝道：「咄◈！你是個破落戶，若是和俺硬到底，洒家便饒了你！你如今對俺討饒，洒家偏不饒你！」又只一拳，太陽◈上正著，卻似做了一全堂水陸的道場，磬兒鈸兒鐃兒一齊響。魯達看時，只見鄭屠挺在地下，口裡只有出的氣，沒了入的氣，動彈不得。

◈**消遣**—戲弄、捉弄。　**無明業火**—指怒火。　**火家**—夥計。
直娘賊—直通「入」和「日」，在古代三字同音互通，今吳語仍然保留了這三字的古音。「直娘賊」的本字應是「入娘賊」，意思是「姦其母親的惡人」。
咄—表示斥喝。咄音墮。　**太陽**—太陽穴的簡稱。

魯提轄假意道：「你這廝詐死，洒家再打。」只見面皮漸漸的變了。魯達尋思道：「俺只指望痛打這廝一頓，不想三拳真個打死了他。洒家須吃官司，又沒人送飯，不如及早撒開。」拔步便走，回頭指著鄭屠屍道：「你詐死，洒家和你慢慢理會！」一頭罵，一頭大踏步去了。街坊鄰舍，並鄭屠的火家，誰敢向前來攔他。魯提轄回到下處，急急捲了些衣服盤纏，細軟銀兩；但是舊衣粗重都棄了。提了一條齊眉短棒，奔出南門，一道煙走了。

且說鄭屠家中眾人和那報信的店小二救了半日，不活，嗚呼死了。老小鄰人逕來州衙告狀。候得府尹升廳，接了狀子，看罷道：「魯達係是經略府提轄，不敢擅自逕來捕捉凶身。」府尹隨即上轎，來到經略府前，下了轎子。把門軍士入去報知。經略聽得，教請到廳上，與府尹施禮罷。經略問道：「何來？」

府尹稟道：「好教相公得知，府中提轄魯達，無故用拳打死市上鄭屠。不曾稟過相公，不敢擅自捉拿凶身。」

經略聽說，吃了一驚，尋思道：「這魯達雖好武藝，只是性格粗鹵◈，今番做出人命事，俺如何護得短？須教他推問使得。」

經略回府尹道：「魯達這人，原是我父親老經略處軍官，為因俺這裡無人幫護，撥他來做個提轄。既然犯了人命罪過，你可拿他依法度取問。如若供招明白，擬罪已定，也須教我父親知道，方可斷決。怕日後父親處邊上要這個人時，卻不好看。」

府尹稟道：「下官問了情由，合行申稟老經略相公知道，方敢斷遣◈。」

府尹辭了經略相公，出到府前，上了轎，回到州衙裡，升廳坐下。便喚當日緝捕使臣押下文書，捉拿犯人魯達。當時王觀察領了公文，將帶二十來個做公的人◈，逕到魯提轄下處。

◈**凶身**—行凶的人。　**粗鹵**—粗率鹵莽。　**斷遣**—處分、調度差遣。　**做公的人**—衙門中的差人。

只見房主人道：「卻才帶了些包裹，提了短棒出去了。小人只道奉著差使，又不敢問他。」

王觀察聽了，教打開他房門看時，只有些舊衣舊裳，和些被臥在裡面。王觀察就帶了房主人，東西四下裡去跟尋，州南走到州北，捉拿不見。

王觀察又捉了兩家鄰舍，並房主人，同到州衙廳上回話道：「魯提轄懼罪在逃，不知去向，只拿得房主人並鄰舍在此。」府尹見說，且教監下；一面教拘集鄭屠家鄰佑人等，點了仵作行人，著仰本地方官人並坊廂里正，再三檢驗已了。

鄭屠家自備棺木盛殮，寄在寺院。一面疊成文案，一壁差人杖限緝捕凶身。原告人保領回家。鄰佑杖斷有失救應。房主人並下處鄰舍，只得個不應。

魯達在逃，行開個海捕的文書，各處追捉；出賞錢一千貫，寫了魯達的年甲貫址，畫了他的形貌，到處張掛。一干人等疏放聽候。鄭屠家親人，自去做孝，不在話下。

且說魯達自離了渭州，東逃西奔，急急忙忙，卻似：

失群的孤雁，趁月明獨自貼天飛；漏網的活魚，乘水勢翻身衝浪躍。

不分遠近，豈顧高低。心忙撞倒路行人，腳快有如臨陣馬。

行過了幾處州府，正是「飢不擇食，寒不擇衣，慌不擇路，貧不擇妻」。魯達心慌搶路，正不知投哪裡去的是。一連地行了半月之上，卻走到代州雁門縣。

入得城來，見這市井鬧熱，人煙輳集，車馬軿馳，一百二十行經商買賣，諸物行貨都有，端的整齊。雖然是個縣治，勝如州府。魯提轄正行之間，不覺見一簇人眾圍住了十字街口看榜。但見：

◈件作行人—專門驗死傷的官吏。
仰—舊時公文用語。用於上級對下級的公文表示命令，用於下級對上級的公文則表示恭敬。
杖限—舊時官府要下屬限期完成某事，逾期則予以杖罰。**杖斷**—打一頓板子做為對罪犯的判決。
海捕文書—相當於現在的通緝令，除了寫有逃犯的姓名、年齡、籍貫外，還有逃犯的畫像。

扶肩搭背，交頸並頭。紛紛不辨賢愚，擾擾難分貴賤。
張三蠢胖，不識字只把頭搖；李四矮矬，看別人也將腳踏。
白頭老叟，盡將拐棒拄髭鬚；綠鬢書生，卻把文房抄款目。
行行總是蕭何法，句句俱依律令行。

魯達看見眾人看榜，挨滿在十字路口，也鑽在人叢裡聽時，魯達卻不識字，只聽得眾人讀道：「代州雁門縣依奉太原府指揮使司，該准渭州文字，捕捉打死鄭屠犯人魯達，即係經略府提轄。如有人停藏在家宿食，與犯人同罪；若有人捕獲前來或首告到官，支給賞錢一千貫文。」魯提轄正聽到那裡，只聽得背後一個人大叫道：「張大哥，你如何在這裡？」攔腰抱住，扯離了十字路口。不是這個人看見了，橫拖倒拽將去，有分教：魯提轄剃除頭髮，削去髭鬚，倒換過殺人姓名，薅惱殺諸佛羅漢。

直教：

禪杖打開危險路，戒刀殺盡不平人。
畢竟扯住魯提轄的是甚人？且聽下回分解。

◈**綠鬢**——烏黑光亮的頭髮。

第四回

趙員外重修文殊院　魯智深大鬧五臺山

話說當下魯提轄扭過身來看時，拖扯的不是別人，卻是渭州酒樓上救了的金老。

那老兒直拖魯達到僻靜處，說道：「恩人，你好大膽！現今明明地張掛榜文，出一千貫賞錢捉你，你緣何卻去看榜？若不是老漢遇見時，卻不被做公的拿了？榜上現寫著你年甲、貌相、貫址。」

魯達道：「酒家不瞞你說，因為你事，就那日回到狀元橋下，正迎著鄭屠那廝，被酒家三拳打死了，因此上在逃。一到處撞了四、五十日，不想來到這裡。你緣何◆不回東京去，也來到這裡？」

金老道：「恩人在上：自從得恩人救了，老漢尋得一輛車子，本欲要回東京去，又怕這廝趕來，亦無恩人在彼搭救，因此不上東京去。隨路望北來，撞見一個京師古鄰◈來這裡做買賣，就帶老漢父女兩口兒到這裡。虧殺了他，就與老漢女兒做媒，結交此間一個大財主趙員外，養做外宅，衣食豐足，皆出於恩人。我女兒常常對他孤老◈說提轄大恩，那個員外也愛刺槍使棒，常說道：『怎地得恩人相會一面也好。』想念如何能夠得見？且請恩人到家過幾日，卻再商議。」

魯提轄便和金老行不得半里，到門首，只見老兒揭起簾子，叫道：「我兒，大恩人在此。」

◈**緣何**—因何、為何。 **古鄰**—老鄰居。

孤老—娼妓對長期固定的客人、非正式夫妻關係中的男人稱孤老。幫閑等輩有時也稱他所倚靠接濟的人做孤老。孤老之意略近於官人。

那女孩兒濃妝豔飾，從裡面出來，請魯達居中坐了，插燭也似拜了六拜，說道：「若非恩人垂救，怎能夠有今日！」魯達看那女子時，另是一般丰韻，比前不同。但見：

金釵斜插，掩映烏雲；翠袖巧裁，輕籠瑞雪。
櫻桃口淺暈微紅，春筍手半舒嫩玉。
纖腰嬝娜，綠羅裙微露金蓮；素體輕盈，紅繡襖偏宜玉體。
臉堆三月嬌花，眉掃初春嫩柳。
香肌撲簌瑤臺月，翠鬢籠鬆楚岫雲。

那女子拜罷，便請魯提轄道：「恩人上樓去請坐。」
魯達道：「不須生受，洒家便要去。」
金老便道：「恩人既到這裡，如何肯放你便去？」老兒接了桿棒包裹，請到樓上坐定。
老兒吩咐道：「我兒陪侍恩人坐坐，我去安排飯來。」

魯達道：「不消多事，隨分◆便好。」

老兒道：「提轄恩念，殺身難報。量些粗食薄味，何足掛齒。」女子留住魯達在樓上坐地◆，金老下來，叫了家中新討的小廝，吩咐那個丫鬟一面燒著火。老兒和這小廝上街來，買了些鮮魚嫩雞、釀鵝肥鮓◆、時新果子之類歸來。一面開酒，收拾菜蔬，都早擺了，搬上樓來。春臺◆上放下三個盞子：三雙筷子，鋪下菜蔬果子下飯等物，丫鬟將銀酒壺燙上酒來。

父女二人輪番把盞，金老倒地便拜。魯提轄道：「老人家如何恁地下禮，折殺◆俺也。」

金老說道：「恩人聽稟：前日老漢初到這裡，寫個紅紙牌兒，旦夕一炷香，父女兩個兀自拜哩！今日恩人親身到此，如何不拜？」

魯達道：「卻也難得你這片心。」三人慢慢地飲酒。

◆**隨分**—隨便、隨意。　**坐地**—坐著。　**折殺**—因享受過分而減損福壽。亦用以表示承受不起。**鮓**—糟醃的魚類、肉類，生燙的魚片，都叫做鮓。一般指糟醃魚。鮓音眨。　**春臺**—飯桌。

將及天晚，只聽得樓下打將起來。魯提轄開窗看時，只見樓下二、三十人，各執白木棍棒，口裡都叫拿將下來。人叢裡一個官人騎在馬上，口裡大喝道：「休教走了這賊！」魯達見不是頭，拿起凳子，從樓上打將下來。金老連忙搖手叫道：「都不要動手！」那老兒搶下樓去，直至那騎馬的官人身邊，說了幾句言語。那官人笑將起來，便喝散了那二、三十人，各自去了。

那官人下馬，入到裡面，老兒請下魯提轄來，那官人撲翻身便拜道：「聞名不如見面，見面勝似聞名，義士提轄受禮。」魯達便問那金老道：「這官人是誰？素不相識，緣何便拜洒家？」老兒道：「這個便是我兒的官人趙員外。卻才只道老漢引甚麼郎君子弟◆在樓上吃酒，因此引莊客來廝打。老漢說知，方才喝◆散了。」魯達道：「原來如此。怪員外不得。」趙員外再請魯提轄上樓坐定。金老重整杯盤，再備酒食相待。

趙員外讓魯達上首坐地，魯達道：「洒家怎敢！」

員外道：「聊表相敬之禮，小子多聞提轄如此豪傑，今日天賜相見，實為萬幸。」

魯達道：「洒家是個粗鹵漢子，又犯了該死的罪過，若蒙員外不棄貧賤，結為相識，但有用洒家處，便與你去。」趙員外大喜，動問打死鄭屠一事，說些閒話，較量些槍法。吃了半夜酒，各自歇了。

次日天明，趙員外道：「此處恐不穩便，可請提轄到敝莊住幾時。」

魯達問道：「貴莊在何處？」

員外道：「離此間十里多路，地名七寶村便是。」魯達道：「最好。」

員外先使人去莊上，再牽兩匹馬來。未及晌午，馬已到來。員外便請魯

◈郎君子弟—指顯貴浮浪的公子。　喝—喝退。喝音賀。

提轄上馬，叫莊客擔了行李，魯達相辭了金老父女二人和趙員外上了馬。兩個並馬行程，於路說些閒話，投七寶村來。不多時，早到莊前下馬，趙員外攜住魯達的手，直至草堂上，分賓而坐，一面叫殺羊置酒相待。晚間收拾客房安歇，次日又備酒食款待。

魯達道：「員外錯愛洒家，如何報答！」

趙員外便道：「四海之內，皆兄弟也。如何言報答之事。」

話休絮煩。魯達自此之後，在這趙員外莊上住了五七日。忽一日，兩個正在書院裡閒坐說話，只見金老急急奔來莊上，逕到書院裡，見了趙員外並魯提轄。見沒人，便對魯達道：「恩人，不是老漢多心，為是恩人前日老漢請在樓上吃酒，員外誤聽人報，引領莊客來鬧了街坊，後卻散了，人都有些疑心，說開去。昨日有三四個做公的，來鄰舍街坊打聽得緊，只怕要來村裡緝捕恩人。倘或有些疏失，如之奈何？」

魯達道：「恁地時，洒家自去便了。」

趙員外道：「若是留提轄在此，誠恐有些山高水低◈，教提轄怨悵；若不留提轄來，許多面皮都不好看。趙某卻有個道理，教提轄萬無一失，足可安身避難。只怕提轄不肯。」

魯達道：「洒家是個該死的人，但得一處安身便了，做甚麼不肯？」

趙員外道：「若如此，最好。離此間三十餘里有座山，喚做五臺山。山上有一個文殊院，原是文殊菩薩道場。寺裡有五七百僧人，為頭智真長老，是我弟兄。我祖上曾捨錢在寺裡，是本寺的施主檀越◈。我曾許下剃度一僧在寺裡，已買下一道五花度牒◈在此，只不曾有個心腹之人了這條願心。如是提轄肯時，一應費用，都是趙某備辦，委實肯落髮做和尚麼？」

魯達尋思：「如今便要去時，哪裡投奔人？不如就了這條路罷。」便道：「既蒙員外做主，洒家情願做和尚，專靠員外照管。」

◈**山高水低**—意外、不測的事。　**檀越**—佛家術語，意為施主。
五花度牒—簽署有多種花押的度牒。宋時政府出賣空頭僧、道度牒，有錢有勢的人家，可以買度牒送給別人，讓別人去做僧道，認為這是「替身」代他修行的好事。

當時說定了，連夜收拾衣服盤纏，緞疋禮物排擔了。

次日早起來，叫莊客挑了，兩個取路望五臺山來。辰牌巳後，早到那山下。魯提轄看那五臺山時，果然好座大山！但見：

雲遮峰頂，日轉山腰；嵯峨彷彿接天關，崒嵂◆參差侵漢表。
巖前花木舞春風，暗吐清香；洞口藤蘿披宿雨，倒懸嫩線。
飛雲瀑布，銀河影浸月光寒；峭壁蒼松，鐵角鈴搖龍尾動。
山根雄峙三千界，巒勢高擎幾萬年。

趙員外與魯提轄兩乘轎子抬上山來，一面使莊客前去通報。到得寺前，早有寺中都寺◆、監寺◆，出來迎接。兩個下了轎子，去山門外亭子上坐定。寺內智真長老得知，引著首座◆、侍者◆，出山門外來迎接。趙員外和魯達向前施禮，智真長老打了問訊◆，說道：「施主遠出不易。」

趙員外答道：「有些小事，特來上剎◆相浼◆。」

智真長老便道：「且請員外方丈吃茶。」趙員外前行，魯達跟在背後，看那文殊寺，果然是好座大剎。但見：

山門侵翠嶺，佛殿接青雲。鐘樓與月窟相連，經閣共峰巒對立。
香積廚◆通一泓泉水，眾僧寮納四面煙霞。
老僧方丈斗牛邊，禪客經堂雲霧裡。
白面猿時時獻果，將怪石敲響木魚；
黃斑鹿日日銜花，向寶殿供養金佛。
七層寶塔接丹霄，千古聖僧來大剎。

◆**崒嵂**—形容山勢高峻的樣子。崒音族。嵂音綠。 **都寺**—掌理寺院雜務的僧人。
監寺—寺院中掌管事務工作的僧侶。 **長老**—寺院的住持和尚。
首座—四大班首之一，其地位僅次於方丈和尚，常由叢林中德業兼修者充任，其職掌是代住持統領全寺僧眾。
侍者—屬僧職名。在叢林職位中，侍者通常由沙彌或比丘任之。其與長老或師父、住持的關係最密切。 **問訊**—出家人的常禮，合掌當胸。也叫合十。
剎—佛寺。剎音詫。 **相浼**—求託。浼音美。 **香積廚**—僧家的廚房。

當時智真長老請趙員外並魯達到方丈。長老邀員外向客席而坐，魯達便去下首，坐在禪椅上。

員外叫魯達附耳低言：「你來這裡出家，如何便對長老坐地？」

魯達道：「洒家不省得◆。」起身立在員外肩下。面前首座、維那◆、侍者、監寺、都寺、知客◆、書記◆，依次排立東西兩班。莊客把轎子安頓了，一齊將盒子搬入方丈來，擺在面前。

長老道：「何故又將禮物來？寺中多有相瀆◆檀越處。」

趙員外道：「些小薄禮，何足稱謝！」道人◆、行童◆收拾去了。

趙員外起身道：「一事啟堂頭大和尚◆：趙某舊有一條願心，許剃一僧在上剎，度牒、詞簿都已有了，到今不曾剃得。今有這個表弟姓魯，是關西軍漢出身，因見塵世艱辛，情願棄俗出家。萬望長老收錄，慈悲慈悲，看趙某薄面，披剃◆為僧。一應所用，弟子自當準備。煩望長老玉成◆，幸甚！」

長老見說，答道：「這個事緣是光輝老僧山門，容易容易，且請拜茶◆，。」只見行童托出茶來。

茶罷，收了盞托。智真長老便喚首座、維那，商議剃度這人，吩咐監寺、都寺，安排辦齋。

只見首座與眾僧自去商議道：「這個人不似出家的模樣，一雙眼卻恁凶險！」

眾僧道：「知客，你去邀請客人坐地，我們與長老計較◈。」

◈**不省得**—不明白、不了解、不曉得。

維那—是寺院中的綱領職事，掌理眾僧的進退威儀，非但要佛門的規矩熟，而且要喉嚨好，資格老，正如戲臺上掛頭牌的角色。

知客—於寺廟接待信眾的僧人稱為知客僧。

書記—八大執事之一，負責文書、寺院往來書信和法會上的迴向文等的執事法師。

相瀆—褻瀆、輕慢。　**道人**—佛寺中打雜的人。　**行童**—供寺院役使的小和尚。

堂頭大和尚—指寺院的住持，即方丈。

披剃—出家。根據佛教戒律，僧尼出家，須剃頭髮，披上袈裟，故稱為「披剃」。

玉成—敬請他人因愛護而助成某事。　**拜茶**—請客人飲茶的敬詞。

知客出來，請趙員外、魯達到客館裡坐地。

首座、眾僧稟長老說道：「卻才這個要出家的人，形容醜惡，貌相凶頑，不可剃度他，恐久後累及山門◆。」

長老道：「他是趙員外檀越的兄弟，如何撇得他的面皮？你等眾人且休疑心，待我看一看。」焚起一炷信香◆，長老上禪椅，盤膝而坐，口誦咒語，入定◆去了。

一炷香過，卻好回來，對眾僧說道：「只顧剃度他。此人上應天星，心地剛直。雖然時下凶頑，命中駁雜，久後卻得清淨，正果非凡，汝等皆不及他。可記吾言，勿得推阻。」

首座道：「長老只是護短，我等只得從他。不諫不是，諫他不從便了。」

長老叫備齋食，請趙員外等方丈會齋。齋罷，監寺打了單帳◆。趙員外取出銀兩，教人買辦物料。一面在寺裡做僧鞋、僧衣、僧帽、袈裟、拜具◆。一、兩日都已完備。長老選了吉日良時，教鳴共鐘，擊動法鼓，就法堂內會集大眾。整整齊齊五六百僧人，盡披袈裟，都到法座◆下合掌作禮，分作兩班。

趙員外取出銀錠、表禮◆、信香，向法座前禮拜了。表白宣疏◆已罷，行童引魯達到法座下。維那教魯達除了巾幘，把頭髮分作九路綰◆了，揭揲◆起來。淨髮人先把一周遭都剃了，卻待剃髭鬚，魯達道：「留了這些兒還洒家也好。」眾僧忍笑不住。

智真長老在法座上道：「大眾聽偈◆。」念道：「寸草不留，六根清淨，與汝剃除，免得爭競。」

◆計較—商量討論。　山門—此指寺院。　法座—佛道天尊說法時的座位。
信香—佛教的說法：虔誠燒香，香的氣味便可以達到神的面前，神就能知道他的願望。
入定—佛教用語。指修習禪觀時，心念安住在一對象上，而餘念不生的境界。
單帳—帳單之類的單據。　拜具—禮拜神佛的用具。如蒲團、墊子等物品。
表禮—初次見面所贈送的禮物。　宣疏—誦讀祝禱文。　綰—盤結。
揭揲—揭，收攏。揲，以手抽點物品的數目。揭音照。揲音蛇。
偈—佛教文學的詩歌，無韻。音譯相當於梵語。

長老念罷偈言，喝一聲：「咄！盡皆剃去！」淨髮人只一刀，盡皆剃了。首座呈將度牒上法座前，請長老賜法名。長老拿著空頭度牒，而說偈曰：「靈光一點，價值千金，佛法廣大，賜名智深。」長老賜名已罷，把度牒轉將下來，書記僧填寫了度牒，付與魯智深收受。長老又賜法衣、袈裟，教智深穿了。

監寺引上法座前，長老用手與他摩頂受記，道：「一要皈依佛性，二要皈奉正法，三要皈敬師友，此是三皈。五戒者：一不要殺生，二不要偷盜，三不要邪淫，四不要貪酒，五不要妄語。」智深不曉得禪宗答應能否兩字，卻便道：「洒家記得。」眾僧都笑。受記已罷，趙員外請眾僧到雲堂裡坐下，焚香設齋供獻。大小職事僧人，各有上賀禮物。都寺引魯智深參拜了眾師兄師弟，又引去僧堂背後叢林裡選佛場坐地。當夜無事。

次日趙員外要回，告辭長老，留連不住，早齋已罷，並眾僧都送出山門。趙員外合掌道：「長老在上，眾師父在此，凡事慈悲。小弟智深，乃是愚魯直人，早晚禮數不到，言語冒瀆，誤犯清規，萬望覷趙某薄面，恕免，恕免！」

長老道：「員外放心，老僧自慢慢地教他念經誦咒，辦道參禪。」

員外道：「日後自得報答。」

人叢裡，喚智深到松樹下，低低吩咐道：「賢弟，你從今日難比往常，凡事自宜省戒，切不可托大◆。倘有不然，難以相見，保重，保重！早晚衣服，我自使人送來。」

智深道：「不索◆哥哥說，洒家都依了。」當時趙員外相辭長老，再別了眾人上轎；引了莊客，拕◆了一乘空轎，取了盒子，下山回家去了。當下長老自引了眾僧回寺。

◆**摩頂受記**—摩頂是佛用手撫摩弟子之頂。受記是受將來成佛的預記。

雲堂—禪堂古稱僧堂或雲堂，禪僧晝夜於此行道。　**叢林**—寺院道場。

托大—驕傲自大。　**拕**—同「拖」。帶著。　**不索**—不消、不須的意思。

話說魯智深回到叢林選佛場◆中禪床上，撲倒頭便睡，上下肩兩個禪和子◆推他起來，說道：「使不得。既要出家，如何不學坐禪？」智深道：「洒家自睡，干你甚事？」禪和子道：「善哉◆！」

智深裸袖道：「團魚◆洒家也吃，甚麼『鱔哉』？」

禪和子道：「卻是苦也！」

智深便道：「團魚大腹，又肥甜了，好吃，哪得『苦也』？」上下肩禪和子都不睬他，由他自睡了。次日，要去對長老說知智深如此無禮。

首座勸道：「長老說道，他後來正果非凡，我等皆不及他，只是護短◆。你們且沒奈何，休與他一般見識。」禪和子自去了。智深見沒人說他，每到晚便放翻身體，橫羅十字◆，倒在禪床上睡，夜間鼻如雷響；要起來淨手，大驚小怪，只在佛殿後撒尿撒屎，遍地都是。

侍者稟長老說：「智深好生無禮，全沒些個出家人體面。叢林中如何安著得此等之人？」

長老喝道：「胡說！且看檀越之面，後來必改。」自此無人敢說。

魯智深在五臺山寺中，不覺打攪了四五個月。時遇初冬天氣，智深久靜思動。當日晴明得好，智深穿了皂布直裰，繫了鴉青絛，換了僧鞋，大踏步走出山門來。

信步行到半山亭子上，坐在鵝項懶凳◆上，尋思道：「干鳥◆麼？俺往常好酒好肉，每日不離口，如今教洒家做了和尚，餓得乾癟了。趙員外這幾日又不使人送些東西來與洒家吃，口中淡出鳥來◆。這早晚怎地得些酒來吃也好。」正想酒哩，只見遠遠地一個漢子，挑著一副擔桶，唱上山來，上面蓋著桶蓋。那漢子手裡拿著一個鏇子◆，唱著上來，唱道：

◆**選佛場**—專供集體坐禪之場所。在禪堂參禪時，主持和尚會就根器成熟的禪修者，用棒、喝等方法，使其開悟。　**禪和子**—參禪之人的通稱，就是和尚。也叫「禪和」。

善哉—本是感嘆之詞，這裡魯智深故意把「善」與「鱔」混在一起，取笑對方。

團魚—鱉，別名甲魚。　**護短**—指故意避開別人的短處或缺點。

橫羅十字—橫躺在床上，兩臂張開，身體形如十字。

鵝項懶凳—狹長的矮凳。　**干鳥**—罵人的粗話。

口中淡出鳥來—粗話。這裡的鳥，就是人和禽畜的生殖器官。　**鏇子**—一種溫酒的器具。

九里山前作戰場，牧童拾得舊刀槍。
順風吹動烏江水，好似虞姬別霸王。

魯智深觀見那漢子挑擔桶上來。坐在亭子上看，這漢子也來亭子上，歇下擔桶。智深道：「兀那漢子，你那桶裡甚麼東西？」

那漢子道：「好酒！」智深道：「多少錢一桶？」

那漢子道：「和尚，你真個也作是耍？」智深道：「洒家和你耍甚麼？」

那漢子道：「我這酒挑上去，只賣與寺內火工道人、直廳、轎夫、老郎們，做生活的吃。本寺長老已有法旨：但賣與和尚們吃了，我們都被長老責罰，追了本錢，趕出屋去。我們現關著本寺的本錢，現住著本寺的屋宇，如何敢賣與你吃？」

智深道：「真個不賣？」那漢子道：「殺了我也不賣！」

智深道：「洒家也不殺你，只要問你買酒吃。」

那漢子見不是頭，挑了擔桶便走。智深趕下亭子來，雙手拿住扁擔，只一腳，交襠踢著，那漢子雙手掩著，做一堆蹲在地下，半日起不得。智深把那兩桶酒都提在亭子上，地下拾起鏇子，開了桶蓋，只顧舀冷酒吃。無移時◈，兩大桶酒吃了一桶。

智深道：「漢子，明日來寺裡討錢。」那漢子方才疼止，又怕寺裡長老得知，壞了衣飯，忍氣吞聲，哪裡敢討錢。把酒分作兩半桶挑了，拿了鏇子，飛也似下山去了。

只說魯智深在亭子上坐了半日，酒卻上來；下得亭子，松樹根邊又坐了半歇，酒越湧上來。智深把皂布直裰褪膊下來，把兩隻袖子纏在腰裡，露出脊背上花繡◈來，搧著兩個膀子上山來。但見：

頭重腳輕，眼紅面赤；前合後仰，東倒西歪。

◈兀那—就是「那」。「兀」是發音詞，無意義。**直廳**—守廳。亦指守廳的人。
老郎—舊稱廟裡的粗雜工。**關**—此指領取。**不是頭**—情勢不妙或不對勁。**無移時**—不多時。
花繡—身上雕刺的花紋，即刺青。

踉踉蹌蹌上山來，似當風之鶴；擺擺搖搖回寺去，如出水之蛇。指定天宮，叫罵天蓬元帥；踏開地府，要拿催命判官。裸形赤體醉魔君，放火殺人花和尚。

魯達看看來到山門下，兩個門子◆遠遠地望見，拿著竹篦◆來到山門下，攔住魯智深，便喝道：「你是佛家弟子，如何噇◆得爛醉了上山來？你須不瞎，也見庫局◆裡貼的曉示：但凡和尚破戒吃酒，決打四十竹篦，趕出寺去。如門子縱容醉的僧人入寺，也吃十下。你快下山去，饒你幾下竹篦。」

魯智深一者初做和尚，二來舊性未改，睜起雙眼罵道：「直娘賊！你兩個要打洒家，俺便和你廝打！」門子見勢頭不好，一個飛也似入來報監寺，一個虛拖竹篦攔他。

智深用手隔過，張開五指，去那門子臉上只一掌，打得踉踉蹌蹌；卻待掙扎，智深再復一拳，打倒在山門下，只是叫苦。

智深道：「洒家饒你這廝！」踉踉蹌蹌，攧◆入寺裡來。

監寺聽得門子報說，叫起老郎、火工、直廳、轎夫三二十人，各執白木棍棒，從西廊下搶出來，卻好迎著智深。智深望見，大吼了一聲，卻似嘴邊起個霹靂，大踏步搶入來。眾人初時不知他是軍官出身，次後見他行得凶了，慌忙都退入藏殿裡去，便把亮槅◈關上。智深搶入階來，一拳一腳，打開亮槅，三、二十人都趕得沒路，奪條棒，從藏殿裡打將出來。監寺慌忙報知長老。

長老聽得，急引了三五個侍者直來廊下，喝道：「智深！不得無禮！」智深雖然酒醉，卻認得是長老，撇了棒，向前來打個問訊，指著廊下對長老道：「智深吃了兩碗酒，又不曾撩撥他們，他眾人又引人來打洒家。」

◈門子─看門的人。　噇─大口吃喝。噇音床。　攧─跌、摔。攧音顛。
竹篦─竹棍做成的刑具，一端是整齊的，一端是劈開的；或是把一束竹片綁紮在一起。也寫作「批頭」。　庫局─佛寺中掌管倉庫、財務的部門。
亮槅─能透光的花格門窗，用以間隔房間或房屋的前後牆。

長老道：「你看我面，快去睡了，明日卻說。」

魯智深道：「俺不看長老面，洒家直打死你那幾個禿驢！」

長老叫侍者扶智深到禪床上，撲地便倒了，齁齁地睡了。眾多職事僧人團定長老告訴道：「向日徒弟們曾諫長老來，今日如何？本寺哪裡容得這等野貓，亂了清規！」

長老道：「雖是如今眼下有些囉唣，後來卻成得正果，無奈何，且看趙員外檀越之面，容恕他這一番。我自明日叫去埋怨他便了。」

眾僧冷笑道：「好個沒分曉的長老！」各自散去歇息。

次日，早齋罷，長老使侍者到僧堂裡坐禪處喚智深時，尚兀自未起。待他起來，穿了直裰，赤著腳，一道煙走出僧堂來。侍者吃了一驚，趕出外來尋時，卻走在佛殿後撒屎。

侍者忍笑不住，等他淨了手，說道：「長老請你說話。」

智深跟著侍者到方丈，長老道：「智深雖是個武夫出身，今來趙員外檀越剃度了你，我與你摩頂受記，教你一不可殺生，二不可偷盜，三不可邪淫，四不可貪酒，五不可妄語。此五戒乃僧家常理。出家人第一不可貪酒，你如何夜來吃得大醉？打了門子，傷壞了藏殿上朱紅槅子，又把火工道人都打走了，口出喊聲。如何這般行為？」

智深跪下道：「今番不敢了。」

長老道：「既然出家，如何先破了酒戒，又亂了清規？我不看你施主趙員外面，定趕你出寺！再後休犯！」

智深起來合掌道：「不敢，不敢。」長老留住在方丈裡，安排早飯與他吃，又用好言勸他；取一領細布直裰，一雙僧鞋，與了智深，教回僧堂去了。昔有一名賢，走筆作一篇口號◈，單說那酒。端的做得好，道是：

◈**禿驢**—本指驢子，後為譏罵出家人的話。　**齁齁**—熟睡時的鼻息聲。

向日—往日。　**野貓**—比喻鹵莽或不受約束的人。　**囉唕**—騷擾、吵鬧，讓人覺得麻煩。

沒分曉—不懂事，不通事理。　**口號**—此指打油詩或順口溜。號音毫。

直裰—古代家居常服。斜領大袖，四周鑲邊，因背之中縫直通到下面，故名直裰。裰音奪。

從來過惡皆歸酒，我有一言為世剖。
地水火風合成人，麵麴米水和醇酎。
酒在瓶中寂不波，人未酣時若無口。
誰說孩提即醉翁，未聞食糯顛如狗。
如何三杯放手傾，遂令四大不自有。
幾人涓滴不能嘗，幾人一飲三百斗。
亦有醒眼是狂徒，亦有酕醄神不謬。
酒中賢聖得人傳，人負邦家因酒覆。
解嘲破惑有常言：「酒不醉人人醉酒。」

但凡飲酒，不可盡歡，常言：「酒能成事，酒能敗事。」便是小膽的吃了，也胡亂做了大膽，何況性高的人？再說這魯智深自從吃酒醉鬧了這一場，一連三四個月，不敢出寺門去。忽一日，天氣暴暖，是二月間天氣。離了僧房，信步踱出山門外立地，看著五臺山，喝采一回。猛聽得山下叮叮噹噹的響聲，順風吹上山來。

智深再回僧堂裡取了些銀兩，揣在懷裡，一步步走下山來。出得那「五臺福地」的牌樓來。看時，原來卻是一個市井，約有五七百人家。智深看那市鎮上時，也有賣肉的，也有賣菜的，也有酒店、麵店。

智深尋思道：「乾呆麼！俺早知有這個去處，不奪他那桶酒吃，也自下來買些吃。這幾日熬得清水流◈，且過去看，有甚東西買些吃。」聽得那響處，卻是打鐵的在那裡打鐵，間壁一家，門上寫著「父子客店」。

智深走到鐵匠鋪門前看時，見三個人打鐵。智深便道：「兀那待詔◈，有好鋼鐵麼？」那打鐵的看見魯智深腮邊新剃，暴長短鬚，戧戧◈地好滲瀨◈人，先有五分怕他。

◈酕醄—大醉的樣子。酕音毛。醄音陶。　熬得清水流—特指口水。
待詔—宋元時對手藝工匠的尊稱，意思是皇帝隨時會要找他去工作。
戧戧—有不順的、倒長的、旁邊伸出來的意思。戧音嗆。　滲瀨—讓人看了覺得害怕。

那待詔住了手道：「師父請坐，要打甚麼生活◆？」

智深道：「洒家要打條禪杖，一口戒刀◆，不知有上等好鐵麼？」

待詔道：「小人這裡正有些好鐵，不知師父要打多少重的禪杖、戒刀？但憑吩咐。」智深道：「洒家只要打一條一百斤重的。」

待詔笑道：「重了。師父，小人打怕不打了，只恐師父如何使得動？便是關王刀，也只有八十一斤。」

智深焦躁道：「俺便不及關王？他也只是個人。」

那待詔道：「小人據常說，只可打條四、五十斤的，也十分重了。」

智深道：「便依你說，比關王刀，也打八十一斤的。」

待詔道：「師父，肥了不好看，又不中使。依著小人，好生打一條六十二斤的水磨◆禪杖與師父，使不動時，休怪小人。戒刀已說了，不用吩咐，小人自用十分好鐵打造在此。」

智深道：「兩件家生◆，要幾兩銀子？」

待詔道：「不討價，實要五兩銀子。」

智深道：「俺便依你五兩銀子，你若打得好時，再有賞你。」

那待詔接了銀兩道：「小人便打在此。」

智深道：「俺有些碎銀子在這裡，和你買碗酒吃。」

待詔道：「師父穩便◈。小人趕趁◈些生活，不及相陪。」

智深離了鐵匠人家，行不到三、二十步，見一個酒望子◈挑出在房簷上。

智深掀起簾子，入到裡面坐下，敲著桌子叫道：「將酒來！」

賣酒的主人家說道：「師父少罪，小人住的房屋，也是寺裡的，本錢也是寺裡的。長老已有法旨：但是◈小人們賣酒與寺裡僧人吃了，便要追了小人們本錢，又趕出屋。因此只得休怪。」

◈**生活**—在此指鐵器。　**戒刀**—指僧人所佩帶的刀，戒律規定只准割衣物用，不許殺生。

水磨—摻水細磨。形容工作深入細緻且費時。

家生—指器物。　**穩便**—請便。　**趕趁**—這裡是趕著做的意思。　**但是**—只要是。

酒望子—古代酒店的招牌。用布條綴於竿頂，懸在店門前，以招徠客人。

智深道：「胡亂賣些與洒家吃，俺須不說是你家便了。」

店主人道：「胡亂不得，師父別處去吃。休怪，休怪。」

智深只得起身，便道：「洒家別處吃得，卻來和你說話。」出得店門，行了幾步，又望見一家酒旗兒，直挑出在門前。

智深一直走進去，坐下叫道：「主人家，快把酒來賣與俺吃。」

店主人道：「師父，你好不曉事，長老已有法旨，你須也知，卻來壞我們衣飯。」智深不肯動身，三回五次，哪裡肯賣。智深情知不肯，起身又走。連走了三五家，都不肯賣。智深尋思一計，若不生個道理，如何能夠吃酒？遠遠地杏花深處，市梢盡頭，一家挑出個草帚兒來。智深走到那裡看時，卻是個傍村小酒店。但見：

傍村酒肆已多年，斜插桑麻古道邊。
白板凳鋪賓客坐，須籬笆用棘荊編。
破甕榨成黃米酒，柴門挑出布青帘。
更有一般堪笑處，牛屎泥牆盡酒仙。

智深走入店裡來，靠窗坐下，便叫道：「主人家，過往僧人買碗酒吃。」

莊家看了一看道：「和尚，你哪裡來？」

智深道：「俺是行腳僧人，遊方◆到此經過，要買碗酒吃。」

莊家道：「和尚，若是五臺山寺裡的師父，我卻不敢賣與你吃。」

智深道：「洒家不是，你快將酒賣來。」

莊家看見魯智深這般模樣，聲音各別◆，便道：「你要打多少酒？」

智深道：「休問多少，大碗只顧篩來。」

約莫也吃了十來碗，智深問道：「有甚肉，把一盤來吃。」

莊家道：「早來有些牛肉，都賣沒了。」

智深猛聞得一陣肉香，走出空地上看時，只見牆邊沙鍋◆裡煮著一隻狗在那裡。智深道：「你家現有狗肉，如何不賣與俺吃？」

◆**草帚**—小酒店的招牌。以杉葉束成球狀，懸放門首。

遊方—指僧人、道士為修行問道或化緣而雲遊四方。　**各別**—特別，與眾不同。

沙鍋—用陶土燒製成的鍋。通常做為烹煮食物和熬藥的器具。

莊家道：「我怕你是出家人，不吃狗肉，因此不來問你。」

智深道：「洒家的銀子有在這裡。」便將銀子遞與莊家道：「你且賣半隻與俺。」那莊家連忙取半隻熟狗肉，搗些蒜泥，將來放在智深面前。智深大喜，用手扯那狗肉，蘸著蒜泥吃，一連又吃了十來碗酒。吃得口滑，只顧要吃，哪裡肯住。

莊家倒都呆了，叫道：「和尚，只恁地罷！」

智深睜起眼道：「洒家又不白吃你的，管俺怎地？」

莊家道：「再要多少？」智深道：「再打一桶來。」

莊家只得又舀一桶來。智深無移時，又吃了這桶酒，剩下一腳狗腿，把來揣在懷裡，臨出門又道：「多的銀子，明日又來吃。」嚇得莊家目瞪口呆，罔知所措。看見他早望五臺山上去了。

智深走到半山亭子上，坐了一回，酒卻湧上來，跳起身，口裡道：「俺好些時不曾拽拳使腳，覺道身體都困倦了，洒家且使幾路看。」下得亭子，把兩隻袖子搭◆在手裡，上下左右，使了一回。使得力發，只一膀子，搧在亭子柱上，只聽得刮剌剌一聲響亮，把亭子柱打折了，坍了亭子半邊。門子聽得半山裡響，高處看時，只見魯智深一步一攧，搶上山來。

兩個門子叫道：「苦也！這畜生今番又醉得不小！」便把山門關上，把栓拴了。只在門縫裡張時，見智深搶到山門下，見關了門，把拳頭擂鼓也似敲門，兩個門子哪裡敢開。

智深敲了一回，扭過身來，看了左邊的金剛，喝一聲道：「你這個鳥大漢，不替俺敲門，卻拿著拳頭嚇洒家，俺須不怕你！」跳上臺基，把柵剌子◆只一拔，卻似撧蔥◆般拔開了；拿起一根折木頭，去那金剛腿上便打，簌簌地泥和顏色都脫下來。

◆**口滑**—因口味適合，恣意吃喝而不能自我控制。　**路**—此指種類。
搭—同「搦」，握持。搭音諾。　**柵剌子**—即柵欄。
撧蔥—折蔥。比喻不費力。撧音撅，折斷。

門子張見道：「苦也！只得報知長老。」
智深等了一會，調轉身來，看著右邊金剛，喝一聲道：「你這廝張開大口，也來笑洒家！」便跳過右邊臺基上，把那金剛腳上打了兩下，只聽得一聲震天價響，那尊金剛從臺基上倒撞下來，智深提著折木頭大笑。
兩個門子去報長老，長老道：「休要惹他，你們自去。」
只見這首座、監寺、都寺，並一應職事僧人，都到方丈稟說：「這野貓今日醉得不好，把半山亭子，山門下金剛，都打壞了。如何是好？」
長老道：「自古天子尚且避醉漢，何況老僧乎？若是打壞了金剛，請他的施主趙員外自來塑新的；倒了亭子，也要他修蓋。這個且由他。」
眾僧道：「金剛乃是山門之主，如何把來換過？」
長老道：「休說壞了金剛，便是打壞了殿上三世佛，也沒奈何，只可迴避他。你們見前日的行凶麼？」
眾僧出得方丈，都道：「好個囫圇竹的長老！門子，你且休開，只在裡面聽。」

智深在外面大叫道：「直娘的禿驢們，不放洒家入寺時，山門外討把火來，燒了這個鳥寺。」

眾僧聽得叫，只得叫門子：「拽了大栓，由那畜生入來；若不開時，真個做出來！」門子只得捻腳捻手◈，把栓拽了，飛也似閃入房裡躲了，眾僧也各自迴避。

只說那魯智深雙手把山門盡力一推，撲地攧將入來，吃了一跤。爬將起來，把頭摸一摸，直奔僧堂來。到得選佛場中，禪和子正打坐間，看見智深揭起簾子，鑽將入來，都吃一驚，盡低了頭，智深到得禪床邊，喉嚨裡咯咯地響，看著地下便吐。

眾僧都聞不得那臭，個個道：「善哉！」齊掩了口鼻。智深吐了一回，爬上禪床，解下絛，把直裰帶子都咇咇剝剝◈扯斷了，脫下那腳狗腿來。

◈囫圇竹—未鑿眼的竹子。喻糊塗、不明事理。　捻腳捻手—放輕動作，小心翼翼的樣子。
咇咇剝剝—象聲詞。形容敲擊或爆裂的聲音。

智深道：「好，好！正肚飢哩！」扯來便吃。眾僧看見，便把袖子遮了臉，上下肩兩個禪和子遠遠地躲開。智深見他躲開，便扯一塊狗肉，看著上首的道：「你也到口！」上首的那和尚，把兩隻袖子死掩了臉。

智深道：「你不吃？」把肉望下首的禪和子嘴邊塞將去，那和尚躲不迭，卻待下禪床，智深把他劈耳朵揪住，將肉便塞。對床四五個禪和子跳過來勸時，智深撇了狗肉，提起拳頭，去那光腦袋上剝剝只顧鑿。滿堂僧眾大喊起來，都去櫃中取了衣鉢要走。

此亂喚做「捲堂大散◆」，首座哪裡禁約得住？

智深一味地打將出來，大半禪客都躲出廊下來。監寺、都寺，不與長老說知，叫起一班職事僧人，點起老郎、火工道人、直廳、轎夫，約有一二百人，都執杖叉棍棒，盡使手巾盤頭◆，一齊打入僧堂來。智深見了，大吼一聲，別無器械，搶入僧堂裡，佛面前推翻供桌，撧兩條桌腳，從堂裡打將出來。但見：

心頭火起，口角雷鳴。奮八九尺猛獸身軀，吐三千丈凌雲志氣。按不住殺人怪膽，圓睜起捲海雙睛。直截橫衝，似中箭投崖虎豹；前奔後湧，如著槍跳澗豺狼。直饒揭諦◈也難當，便是金剛須拱手。

眾多僧行見他來得凶了，都拖了棒，退到廊下。智深兩條桌腳著地捲將來，眾僧早兩下合攏來。智深大怒，指東打西，指南打北，只饒了兩頭的。當時智深直打到法堂◈下，只見長老喝道：「智深！不得無禮！眾僧也休動手！」兩邊眾人，被打傷了數十個，見長老來，各自退去。智深見眾人退散，撇了桌腳，叫道：「長老，與洒家做主！」此時酒已七八分醒了。

◈**捲堂大散**—指生員集體罷學或僧人集體離寺。**盤頭**—裹在頭上的裝束用品。**揭諦**—護法的神眾。**法堂**—七堂伽藍之一，乃禪林演布大法的地方。位於佛殿的後方，方丈的前方。相當於講堂。

長老道：「智深，你連累殺老僧。前番醉了一次，攪擾了一場，我教你兄趙員外得知，他寫書來，與眾僧陪話。今番你又如此大醉無禮，亂了清規，打坍了亭子，又打壞了金剛。這個且由他。你攪得眾僧捲堂而走，這個罪業非小，我這裡五臺山文殊菩薩道場，千百年清淨香火去處，如何容得你這等穢汙？你且隨我來方丈裡過幾日，我安排你一個去處。」

智深隨長老到方丈去。長老一面叫職事僧人留住眾禪客，再回僧堂，自去坐禪；打傷了的和尚，自去將息。長老領智深到方丈，歇了一夜。

次日，長老與首座商議：「收拾了些銀兩齎發他，教他別處去，可先說與趙員外知道。」長老隨即修書一封，使兩個直廳、道人，逕到趙員外莊上，說知就裡，立等回報。

趙員外看了來書，好生不然。回書來拜覆長老說道：「壞了的金剛、亭子，趙某隨即備價來修。智深任從長老發遣。」長老得了回書，便叫侍者取領皂布直裰，一雙僧鞋，十兩白銀，房中喚過智深。

長老道：「智深，你前番一次大醉，鬧了僧堂，便是誤犯。今次又大醉，打壞了金剛，坍了亭子，捲堂鬧了選佛場，你這罪業非輕；又把眾禪客打傷了。我這裡出家，是個清淨去處，你這等做，甚是不好。看你趙檀越面皮，與你這封書，投一個去處安身。我這裡決然安你不得了。我夜來看了，贈汝四句偈言，終身受用。」

智深道：「師父，教弟子哪裡去安身立命？願聽俺師四句偈言。」

智真長老指著魯智深，說出這幾句言語，去這個去處。有分教：這人笑揮禪杖，戰天下英雄好漢；怒掣戒刀，砍世上逆子讒臣。直教：

名馳塞北三千里，果證江南第一州。

畢竟智真長老與智深說出甚言語來？且聽下回分解。

◈不然——不悅、不高興。

第五回

小霸王醉入銷金帳　花和尚大鬧桃花村

話說當日智真長老道：「智深，你此間決不可住了。我有一個師弟，現在東京大相國寺◆住持，喚做智清禪師。我與你這封書，去投他那裡，討個職事僧做。我夜來看了，贈汝四句偈言，你可終身受用，記取今日之言。」

智深跪下道：「洒家願聽偈言。」

長老道：「遇林而起，遇山而富，遇水而興，遇江而止。」魯智深聽了四句偈言，拜了長老九拜◆。

背了包裹、腰包、肚包，藏了書信，辭了長老並眾僧人，離了五臺山，逕到鐵匠間壁客店裡歇了，等候打了禪杖、戒刀，完備就行。寺內眾僧得魯智深去了，無一個不歡喜，長老教火工道人自來收拾打壞了的金剛、亭子。過不得數日，趙員外自將若干錢物來五臺山，再塑起金剛，重修起半山亭子，不在話下。有詩為證：

禪林辭去入禪林，知己相逢義斷金。
且把威風驚賊膽，漫將妙理悅禪心。
綽名久喚花和尚，道號親名魯智深。
俗願了時終證果，眼前爭奈沒知音。

再說這魯智深就客店裡住了幾日，等得兩件家生都已完備，做了刀鞘，把戒刀插放鞘內，禪杖卻把漆來裹了。將些碎銀子賞了鐵匠，背了包裹，

◈東京大相國寺——宋太祖趙匡胤在陳橋黃袍加身，被屬下擁立為皇帝，他在東京汴梁也就是今日的開封建都，開創了大宋三百多年的基業。大相國寺是中國的十大佛教寺院之一，設在開封最熱鬧的市中心，周圍是鼓樓商業區，是佛事傳播的集中地，又是社會文化、經濟活動的匯聚區，被稱為「瓦市」。

九拜——中國古代特有的向對方表示崇高敬意的跪拜禮。

跨了戒刀，提了禪杖，作別了客店主人並鐵匠，行程上路。過往人看了，果然是個莽和尚。但見：

皂直裰背穿雙袖，青圓縧斜綰雙頭。鞘內戒刀，藏春冰三尺；肩頭禪杖，橫鐵蟒一條。鷺鷥腿緊繫腳絣，蜘蛛肚牢拴衣鉢。嘴縫邊攢千條斷頭鐵線，胸脯上露一帶蓋膽寒毛。生成食肉餐魚臉，不是看經念佛人。

且說魯智深自離了五臺山文殊院，取路投東京來。行了半月之上，於路不投寺院去歇，只是客店內打火安身，白日間酒肆裡買吃。一日正行之間，貪看山明水秀，不覺天色已晚。但見：

山影深沉，槐陰漸沒。綠楊郊外，時聞鳥雀歸林；紅杏村中，每見牛羊入圈。落日帶煙生碧霧，斷霞映水散紅光。

溪邊釣叟移舟去，野外村童跨犢歸。

魯智深因見山水秀麗，貪行了半日，趕不上宿頭◆，路中又沒人作伴，哪裡投宿是好？又趕了三、二十里田地，過了一條板橋，遠遠地望見一簇紅霞，樹木叢中，閃著一所莊院，莊後重重疊疊都是亂山。

魯智深道：「只得投莊上去借宿。」逕奔到莊前看時，見數十個莊家，忙忙急急，搬東搬西。魯智深到莊前，倚了禪杖，與莊客打個問訊。

莊客道：「和尚，日晚來我莊上做甚的？」

智深道：「洒家趕不上宿頭，欲借貴莊投宿一宵，明早便行。」

莊客道：「我莊上今夜有事，歇不得。」

智深道：「胡亂借洒家歇一夜，明日便行。」

莊客道：「和尚快走，休在這裡討死！」

◆腳絣——裹腿。纏在腿上的布條。絣音崩，原是古代氐人以不同顏色絲線混織成的布匹。

宿頭——住宿的地方。

智深道：「也是怪哉！歇一夜，打甚麼不緊？怎地便是討死？」

莊家道：「去便去，不去時，便捉來縛在這裡！」

魯智深大怒道：「你這廝村人，好沒道理！俺又不曾說甚的，便要綁縛洒家。」莊家們也有罵的，也有勸的。

魯智深提起禪杖，卻待要發作，只見莊裡走出一個老人來。魯智深看那老人時，似年近六旬之上。拄一條過頭拄杖，走將出來，喝問莊客：「你們鬧甚麼？」

莊客道：「可奈這個和尚要打我們。」

智深便道：「小僧是五臺山來的和尚，要上東京去幹事，今晚趕不上宿頭，借貴莊投宿一宵，莊家那廝無禮，要綁縛洒家。」

那老人道：「既是五臺山來的僧人，隨我進來。」智深跟那老人直到正堂上，分賓主坐下。

那老人道：「師父休要怪，莊家們不省得師父是活佛去處來的，他作尋常一例相看。老漢從來敬信佛天三寶◈，雖是我莊上今夜有事，權且留師父歇一宵了去。」

智深將禪杖倚了，起身打個問訊，謝道：「感承施主，小僧不敢動問貴莊高姓？」

老人道：「老漢姓劉，此間喚做桃花村，鄉人都叫老漢做桃花莊劉太公。敢問師父俗姓，喚做甚麼諱字？」

智深道：「俺的師父是智真長老，與俺取了個諱字。因洒家姓魯，喚做魯智深。」

太公道：「師父請吃些晚飯，不知肯吃葷腥也不？」

魯智深道：「洒家不忌葷酒，遮莫◈甚麼渾清白酒，都不揀選，牛肉狗肉，但有便吃。」

◈**村人**—粗俗的人。　**可奈**—怎奈。
活佛去處—去處，指地方。佛教的說法是，有佛祖在五臺山修行得道，那裡是聖地。
佛天三寶—佛、法、僧。　**遮莫**—不論、不管。

太公道：「既然師父不忌葷酒，先叫莊客取酒肉來。」沒多時，莊客掇張桌子，放下一盤牛肉，三四樣菜蔬，一雙筷，放在魯智深面前。智深解下腰包、肚包，坐定。那莊客鏇了一壺酒，拿一只盞子，篩下酒與智深吃。這魯智深也不謙讓，也不推辭，無一時，一壺酒，一盤肉，都吃了。

太公對席看見，呆了半晌。莊客搬飯來，又吃了。抬過桌子，太公吩咐道：「胡亂教師父在外面耳房中歇一宵，夜間如若外面熱鬧，不可出來窺望。」智深道：「敢問貴莊今夜有甚事？」

太公道：「非是你出家人閒管的事。」

智深道：「太公，緣何模樣不甚喜歡？莫不怪小僧來攪擾你麼？明日洒家算還你房錢便了。」

太公道：「師父聽說，我家時常齋僧布施，哪爭師父一個。只是我家今夜小女招夫，以此煩惱。」

魯智深呵呵大笑道：「男大須婚，女大須嫁，這是人倫大事，五常之禮，何故煩惱？」

太公道：「師父不知，這頭親事，不是情願與的。」

智深大笑道：「太公，你也是個癡漢，既然不兩相情願，如何招贅做個女婿？」

太公道：「老漢只有這個小女，如今方得一十九歲。被此間有座山，喚做桃花山，近來山上有兩個大王，紮了寨柵，聚集著五、七百人，打家劫舍。此間青州官軍捕盜，禁他不得。因來老漢莊上討進奉◈，見了老漢女兒，撇下二十兩金子、一疋紅錦為定禮，選著今夜好日，晚間來入贅。老漢莊上又和他爭執不得，只得與他，因此煩惱，非是爭師父一個人。」

智深聽了道：「原來如此。小僧有個道理，教他回心轉意，不要娶你女兒如何？」

◈**腰包**—隨身所帶的錢包。　**肚包**—繫在腰帶間的小口袋。　**篩酒**—斟酒。
耳房—正房兩旁的小屋。　**進奉**—獻納費。

太公道：「他是個殺人不眨眼魔君，你如何能夠得他回心轉意？」

智深道：「洒家在五臺山智真長老處，學得說因緣，便是鐵石人，也勸得他轉。今晚可教你女兒別處藏了，俺就你女兒房內說因緣，勸他便回心轉意。」

太公道：「好卻甚好，只是不要捋虎鬚。」

智深道：「洒家的不是性命？你只依著俺行。」

太公道：「卻是好也！我家有福，得遇這個活佛下降。」莊客聽得，都吃一驚。

太公問智深：「再要飯吃麼？」

智深道：「飯便不要吃，有酒再將些來吃。」

太公道：「有，有！」隨即叫莊客取一隻熟鵝，大碗斟將酒來，叫智深盡意吃了三、二十碗，那隻熟鵝也吃了。

叫莊客將了包裹，先安放房裡，提了禪杖，帶了戒刀，問道：「太公，你的女兒躲過了不曾？」

太公道：「老漢已把女兒寄送在鄰舍莊裡去了。」

智深道：「引洒家新婦房內去。」

太公引至房邊，指道：「這裡面便是。」智深道：「你們自去躲了。」

太公與眾莊客自出外面安排筵席。智深把房中桌椅等物都掇過了，將戒刀放在床頭，禪杖把來倚在床邊，把銷金帳◆子下了，脫得赤條條地，跳上床去坐了。

太公見天色看看黑了，叫莊客前後點起燈燭熒煌◆，就打麥場上放下一條桌子，上面擺著香花燈燭。一面叫莊客大盤盛著肉，大壺溫著酒。約莫初更時分，只聽得山邊鑼鳴鼓響。這劉太公懷著鬼胎，莊家們都捏著兩把汗，盡出莊門外看時，只見遠遠地四、五十火把，照耀如同白日，一簇人

◆捋虎鬚—捋，撫摩。比喻觸犯有權勢的人或冒著很大的風險。

銷金帳—以金箔物裝飾的床帳。　熒煌—閃耀輝煌。

馬，飛奔莊上來。但見：

霧鎖青山影裡，滾出一夥沒頭神；煙迷綠樹林邊，擺著幾行爭食鬼。人人凶惡，個個猙獰。頭巾都戴茜根紅，衲襖盡披楓葉赤。纓槍對對，圍遮定吃人心肝的小魔王；梢棒雙雙，簇捧著不養爹娘的真太歲。夜間羅剎去迎親，山上大蟲來下馬。

劉太公看見，便叫莊客大開莊門，前來迎接。只見前遮後擁，明晃晃的都是器械旗槍，盡把紅綠絹帛縛著。小嘍囉頭巾邊亂插著野花。前面擺著四五對紅紗燈籠，照著馬上那個大王。怎生打扮？但見：

頭戴撮尖乾紅凹面巾，鬢旁邊插一枝羅帛像生花◆，上穿一領圍虎體挽絨金繡綠羅袍，

腰繫一條狼身銷金包肚紅搭膊，
著一雙對掩雲跟牛皮靴，騎一匹高頭捲毛大白馬。

那大王來到莊前下了馬，只見眾小嘍囉齊聲賀道：「帽兒光光◆，今夜做個新郎。衣衫窄窄，今夜做個嬌客◆。」劉太公慌忙親捧臺盞，斟下一杯好酒，跪在地下。眾莊客都跪著。

那大王把手來扶道：「你是我的丈人，如何倒跪我？」

太公道：「休說這話，老漢只是大王治下管的人戶。」

那大王已有七八分醉了，呵呵大笑道：「我與你家做個女婿，也不虧負了你。你的女兒匹配我也好。」劉太公把了下馬杯◆。

來到打麥場上，見了香花燈燭，便道：「泰山◆，何須如此迎接？」那裡

◆**羅帛像生花**—以絲絹綢緞所製的人造花。
帽兒光光—本為宋元明時代民間讚賀新郎衣帽整潔的諧謔語。亦用作「新郎」的隱語。
嬌客—指女婿。　**下馬杯**—客人抵達時，剛下馬即敬酒一杯，以示歡迎。

又飲了三杯，來到廳上，喚小嘍囉教把馬去繫在綠楊樹上。小嘍囉把鼓樂就廳前擂將起來。

大王上廳坐下，叫道：「丈人，我的夫人在哪裡？」

太公道：「便是怕羞，不敢出來。」

大王笑道：「且將酒來，我與丈人回敬。」

那大王把了一杯，便道：「我且和夫人廝見了，卻來吃酒未遲。」

那劉太公一心只要那和尚勸他，便道：「老漢自引大王去。」拿了燭臺，引著大王，轉入屏風背後，直到新人房前。

太公指與道：「此間便是，請大王自入去。」太公拿了燭臺，一直去了。未知凶吉如何，先辦一條走路◆。

那大王推開房門，見裡面黑洞洞◆地。大王道：「你看我那丈人，是個做家◆的人，房裡也不點碗燈，由我那夫人黑地裡坐地。明日叫小嘍囉山寨裡扛一桶好油來與他點。」

魯智深坐在帳子裡都聽得，忍住笑，不做一聲。那大王摸進房中，叫道：「娘子，妳如何不出來接我？妳休要怕羞，我明日要妳做壓寨夫人。」一頭叫娘子，一頭摸來摸去。一摸摸著銷金帳子，便揭起來，探一隻手入去摸時，摸著魯智深的肚皮，被魯智深就勢劈頭巾帶角兒揪住，一按按將下床來。

那大王卻待掙扎，魯智深把右手捏起拳頭，罵一聲：「直娘賊！」連耳根帶脖子只一拳，那大王叫一聲：「做甚麼便打老公？」魯智深喝道：「教你認得老婆！」拖倒在床邊，拳頭腳尖一齊上，打得大王叫救人。劉太公驚得呆了，只道這早晚正說因緣勸那大王，卻聽得裡面叫救人。

◈**泰山**—一般稱妻子的父親為岳父、丈人、泰山。
先辦一條走路—先安排一條後路。
黑洞洞—形容黑暗。　**做家**—指持家節儉。

太公慌忙把著燈燭，引了小嘍囉，一齊搶將入來。眾人燈下打一看時，只見一個胖大和尚，赤條條不著一絲，騎翻大王在床面前打。

為頭的小嘍囉叫道：「你眾人都來救大王！」

眾小嘍囉一齊拖槍拽棒，打將入來救時，魯智深見了，撇下大王，床邊綽了禪杖，著地打將出來。小嘍囉見來得凶猛，發聲喊都走了。劉太公只管叫苦。打鬧裡，那大王爬出房門，奔到門前，摸著空馬，樹上折枝柳條，托地跳在馬背上，把柳條便打那馬，卻跑不去。

大王道：「苦也！畜生也來欺負我。」再看時，原來心慌，不曾解得韁繩，連忙扯斷了，騎著[illegible]馬◆飛走。出得莊門，大罵：「劉太公老驢◆休慌，不怕你飛了！」把馬打上兩柳條，撲喇喇◆地馱了大王上山去。

劉太公扯住魯智深道：「和尚，你苦了老漢一家兒了！」

魯智深說道：「休怪無禮！且取衣服和直裰來，洒家穿了說話。」莊家去房裡取來，智深穿了。

太公道：「我當初只指望你說因緣，勸他回心轉意，誰想你便下拳打他這一頓，定是去報山寨裡大隊強人來殺我家。」

智深道：「太公休慌。俺說與你，洒家不是別人，俺是延安府老种經略相公帳前提轄官，為因打死了人，出家做和尚。休道這兩個鳥人，便是一、二千軍馬來，洒家也不怕他。你們眾人不信時，提俺禪杖看。」莊客們哪裡提得動。智深接過來手裡，一似撚燈草◈一般使起來。

太公道：「師父休要走了去，卻要救護我們一家兒使得！」

智深道：「甚麼閒話，俺死也不走。」

太公道：「且將些酒來師父吃，休得要抵死醉了。」

魯智深道：「洒家一分酒，只有一分本事，十分酒，便有十分的氣力。」

太公道：「恁地時最好。我這裡有的是酒肉，只顧教師父吃。」

◈**樣馬**—沒有鞍轡的馬。　**老驢**—在此為罵人的話。
撲喇喇—象聲詞。禽鳥拍翅聲。
燈草—燈心草的莖，可用做油燈的燈芯。

且說這桃花山大頭領坐在寨裡，正欲差人下山來探聽做女婿的二頭領如何，只見數個小嘍囉氣急敗壞，走到山寨裡叫道：「苦也！苦也！」

大頭領連忙問道：「有甚麼事，慌做一團？」

小嘍囉道：「二哥哥吃打壞了。」

大頭領大驚，正問備細，只見報道：「二哥哥來了。」

大頭領看時，只見二頭領紅巾也沒了，身上綠袍扯得粉碎，下得馬倒在廳前，口裡說道：「哥哥救我一救！」大頭領問道：「怎麼來？」

二頭領道：「兄弟下得山，到他莊上，入進房裡去。叵耐那老驢把女兒藏過了，卻教一個胖和尚躲在女兒床上。我卻不提防，揭起帳子摸一摸，吃那廝揪住，一頓拳頭腳尖，打得一身傷損。那廝見眾人入來救應，放了手，提起禪杖打將出去。因此我得脫了身，拾得性命。哥哥與我做主報仇！」

大頭領道：「原來恁地。你去房中將息，我與你去拿那賊禿來。

喝叫左右：「快備我的馬來，眾小嘍囉都去。」大頭領上了馬，綽槍在手，盡數引了小嘍囉，一齊吶喊下山去了。

再說魯智深正吃酒哩，莊客報道：「山上大頭領盡數都來了。」智深道：「你等休慌。洒家但打翻的，你們只顧縛了，解去官司請賞。取俺的戒刀來。」魯智深把直裰脫了，拽扎起下面衣服，跨了戒刀，大踏步提了禪杖，出到打麥場上。

只見大頭領在火把叢中，一騎馬搶到莊前，馬上挺著長槍，高聲喝道：「那禿驢在哪裡？早早出來決個勝負。」

智深大怒，罵道：「腌臢打脊潑才◈，叫你認得洒家！」掄起禪杖，著地捲將來。那大頭領逼住槍，大叫道：「和尚且休要動手，你的聲音好廝熟，你且通個姓名。」

◈打脊潑才──打脊，鞭打脊背，是宋、元時肉刑的一種。潑才，頑劣無賴的人。這裡是罵人該打的意思。

賺──音同傳。此指詐騙、哄騙。 剪拂──舊時江湖稱下拜行禮。

魯智深道：「洒家不是別人，老种經略相公帳前提轄魯達的便是。如今出了家，做和尚，喚做魯智深。」

那大頭領呵呵大笑，滾鞍下馬，撇了槍，撲翻身便拜道：「哥哥別來無恙，可知二哥著了你手。」

魯智深只道賺◆他，托地跳退數步，把禪杖收住，定睛看時，火把下，認得不是別人，卻是江湖上使槍棒賣藥的教頭打虎將李忠。原來強人下拜，不說此二字，為軍中不利，只喚做剪拂◆，此乃吉利的字樣。

李忠當下剪拂了起來，扶住魯智深道：「哥哥緣何做了和尚？」

智深道：「且和你到裡面說話。」

劉太公見了，又只叫苦：「這和尚原來也是一路！」

魯智深到裡面，再把直裰穿了，和李忠都到廳上敘舊。魯智深坐在正面，喚劉太公出來，那老兒不敢向前。

智深道：「太公休怕，他也是俺的兄弟。」

那老兒見說是兄弟，心裡越慌，又不敢不出來。李忠坐了第二位，太公坐了第三位。

魯智深道：「你二位在此，俺自從渭州三拳打死了鎮關西，逃走到代州雁門縣，因見了洒家齎發他的金老。那老兒不曾回東京去，卻隨個相識，也在雁門縣住。他那個女兒，就與了本處一個財主趙員外。和俺廝見了，好生相敬。

「不想官司追捉得洒家要緊，那員外陪錢送俺去五臺山智真長老處落髮為僧。洒家因兩番酒後，鬧了僧堂，本師長老與俺一封書，教洒家去東京大相國寺，投了智清禪師，討個職事僧做。因為天晚，到這莊上投宿，不想與兄弟相見。卻才◈俺打的那漢是誰？你如何又在這裡？」

李忠道：「小弟自從那日與哥哥在渭州酒樓上同史進三人分散，次日聽得說哥哥打死了鄭屠。我去尋史進商議，他又不知投哪裡去了。

◈卻才——剛才、方才。

「小弟聽得差人緝捕，慌忙也走了，卻從這山下經過。卻才被哥哥打的那漢，先在這裡桃花山紮寨，喚做『小霸王』周通。那時引人下山來和小弟廝殺，被我贏了，他留小弟在山上為寨主，讓第一把交椅，教小弟坐了，以此在這裡落草。」

智深道：「既然兄弟在此，劉太公這頭親事，再也休提。他只有這個女兒，要養終身。不爭◆被你把了去，教他老人家失所。」

太公見說了，大喜，安排酒食出來，管待二位。小嘍囉們每人兩個饅頭，兩塊肉，一大碗酒，都教吃飽了。

太公將出原定的金子、緞疋。魯智深道：「李家兄弟，你與他收了去，這件事都在你身上。」

李忠道：「這個不妨事。且請哥哥去小寨住幾時，劉太公也走一遭。」

太公叫莊客安排轎子，抬了魯智深，帶了禪杖、戒刀、行李。李忠也上了馬，太公也乘了一乘小轎。

卻早天色大明。眾人上山來，智深、太公到得寨前，下了轎子，李忠也下了馬，邀請智深入到寨中，向這聚義廳上，三人坐定。李忠叫請周通出來。周通見了和尚，心中怒道：「哥哥卻不與我報仇，倒請他來寨裡，讓他上面坐！」

李忠道：「兄弟，你認得這和尚麼？」

周通道：「我若認得他時，須不吃他打了。」李忠笑道：「這和尚便是我日常和你說的，三拳打死鎮關西的便是他。」

周通把頭摸一摸，叫聲：「啊呀！」撲翻身便剪拂。

魯智深答禮道：「休怪衝撞。」

三個坐定，劉太公立在面前，魯智深便道：「周家兄弟，你來聽俺說，劉太公這頭親事，你卻不知。他只有這個女兒，養老送終，承祀香火，都在她身上。你若娶了，教他老人家失所，他心裡怕不情願。你依著洒家，把

◆不爭——這裡是如果的意思。

來棄了，別選一個好的。原定的金子、緞疋，將在這裡。你心下如何？」

周通道：「並聽大哥言語，兄弟再不敢登門。」

智深道：「大丈夫作事，卻休要翻悔！」周通折箭為誓◆。劉太公拜謝了，納還金子、緞疋，自下山回莊去了。

李忠、周通殺牛宰馬，安排筵席，管待了數日。引魯智深山前山後觀看景致，果是好座桃花山，生得凶怪，四圍險峻，單單只一條路上去，四下裡漫漫都是亂草。智深看了道：「果然好險隘去處。」

住了幾日，魯智深見李忠、周通不是個慷慨之人，作事慳吝◆，只要下山。兩個苦留，哪裡肯住，只推道：「俺如今既出了家，如何肯落草？」

李忠、周通道：「哥哥既然不肯落草，要去時，我等明日下山，但得多少，盡送與哥哥作路費。」次日，山寨裡一面殺羊宰豬，且做送路筵席，安排整頓，卻將金銀酒器，設放在桌上。

正待入席飲酒，只見小嘍囉報來說：「山下有兩輛車，十數個人來也。」

李忠、周通見報了，點起眾多小嘍囉，只留一兩個伏侍魯智深飲酒。兩個好漢道：「哥哥只顧請自在吃幾杯，我兩個下山去取得財來，就與哥哥送行。」吩咐已罷，引領眾人下山去了。

且說這魯智深尋思道：「這兩個人好生慳吝！現放著有許多金銀，卻不送與俺，直等要去打劫得別人的送與洒家。這個不是把官路當人情◆，只苦別人！洒家且教這廝吃俺一驚。」便喚這幾個小嘍囉近前來篩酒吃。方才吃得兩盞，跳起身來，兩拳打翻兩個小嘍囉，便解搭膊做一塊兒捆了，口裡都塞了些麻核桃◆。便取出包裹打開，沒要緊的都撇了，只拿了桌上金銀酒器，都踏扁了，拴在包裡；胸前度牒袋內，藏了智真長老的書信；

◆**折箭為誓**—把箭折斷發誓，暗示倘若違誓，下場如同此箭。形容意志堅決。
慳吝—吝嗇。慳音千。**麻核桃**—用粗麻繩打的結。
把官路當人情—官路是人人可行的公用道路，把送人上官道行走當做是自己的人情。比喻送空人情，或拿別人的、公家的財物送人情。

跨了戒刀，提了禪杖，頂了衣包，便出寨來。到山後打一望時，都是險峻之處，卻尋思：「洒家從前山去時，一定吃那廝們撞見，不如就此間亂草處滾將下去。」先把戒刀和包裹拴了，望下丟落去，又把禪杖也攛落去。卻把身望下只一滾，骨碌碌直滾到山腳邊，並無傷損。詩曰：

絕險曾無鳥道開，欲行且止自疑猜。
光頭包裹從高下，瓜熟紛紛落蒂來。

當時魯智深從險峻處滾下，跳將起來，尋了包裹，跨了戒刀，拿了禪杖，拽開腳手，取路便走。

再說李忠、周通下到山邊，正迎著那數十個人，各有器械。李忠、周通挺著槍，小嘍囉吶著喊，搶向前來喝道：「兀那客人，會事的留下買路錢。」那客人內有一個便拈著朴刀來鬥李忠，一來一往，一去一回，鬥了十餘合，不分勝負。周通大怒，趕向前來喝一聲，眾小嘍囉一齊都上，那夥客人抵擋不住，轉身便走。

有那走得遲的，盡被搠死七八個。劫了車子財物，和著凱歌，慢慢地上山來。到得寨裡打一看時，只見兩個小嘍囉捆做一塊在亭柱邊，桌子上金銀酒器，都不見了。周通解了小嘍囉，問其備細，魯智深哪裡去了。

小嘍囉說道：「把我兩個打翻捆縛了，捲了若干器皿，都拿了去。」

周通道：「這賊禿不是好人，倒著了那廝手腳！卻從哪裡去了？」團團尋蹤跡，到後山，見一帶荒草平平地都滾倒了。

周通看了道：「這禿驢倒是個老賊！這般險峻山岡，從這裡滾了下去！」

李忠道：「我們趕上去問他討，也羞那廝一場。」

周通道：「罷，罷！賊去了關門，哪裡去趕？便趕得著時，也問他取不

◈會事——明白事理。

成？倘有些不然起來，我和你又敵他不過，後來倒難廝見了。不如罷手，後來倒好相見。我們且自把車子上包裹打開，將金銀緞疋分作三分，我和你各捉一分，一分賞了眾小嘍囉。」

李忠道：「是我不合引他上山，折了你許多東西，我的這一分都與了你。」周通道：「哥哥，我和你同死同生，休恁地計較。」

看官牢記話頭，這李忠、周通，自在桃花山打劫。

再說魯智深離了桃花山，放開腳步，從早晨直走到午後，約莫走下五、六十里多路，肚裡又飢，路上又沒個打火處，尋思：「早起只顧貪走，不曾吃得些東西，卻投哪裡去好？」東觀西望，猛然聽得遠遠地鈴鐸之聲，魯智深聽得道：「好了！不是寺院，便是宮觀，風吹得簷前鈴鐸之聲，洒家且尋去那裡投奔。」

不是魯智深投那個去處，有分教：到那裡斷送了十餘條性命生靈，一把火燒了有名的靈山古蹟。直教：

黃金殿上生紅焰，碧玉堂前起黑煙。

畢竟魯智深投甚麼寺觀來？且聽下回分解。

第六回 九紋龍剪徑赤松林 魯智深火燒瓦罐寺

話說魯智深走過數個山坡，見一座大松林，一條山路。隨著那山路行去，走不得半里，抬頭看時，卻見一所敗落寺院，被風吹得鈴鐸響。

看那山門時，上有一面舊朱紅牌額，內有四個金字，都昏了，寫著「瓦罐之寺」。又行不得四、五十步，過座石橋，再看時，一座古寺，已有年代。入得山門裡，仔細看來，雖是大剎，好生崩損。但見：

鐘樓倒塌，殿宇崩摧。
山門盡長蒼苔，經閣都生碧蘚。
釋迦佛蘆芽穿膝，
渾如在雪嶺之時；

觀世音荊棘纏身，卻似守香山之日。諸天◆壞損，懷中鳥雀營巢；帝釋◆攲斜，口內蜘蛛結網。沒頭羅漢，這法身也受災殃；折臂金剛，有神通如何施展。香積廚中藏兔穴，龍華臺上印狐蹤。

魯智深入得寺來，便投知客寮◆去。只見知客寮門前大門也沒了，四圍壁落全無。智深尋思道：「這個大寺，如何敗落得恁地？」直入方丈前看時，只見滿地都是燕子糞，門上一把鎖鎖著，鎖上盡是蜘蛛網。智深把禪杖就地下搠著，叫道：「過往僧人來投齋。」叫了半日，沒一個答應。回到香積廚下看時，鍋也沒了，灶頭都塌損。智深把包裹解下，放在監齋使者◆面前，提了禪杖，到處尋去。尋到廚房後面一間小屋，見

◆剪徑—指攔路搶劫。　知客寮—寺院接待賓客處。　監齋使者—廟裡廚房供的神。
諸天—諸天指三界二十八天。三界共有二十八天，即欲界六天，色界十八天，無色界四天。
帝釋—佛教的護法神，為忉利天之主。

幾個老和尚坐地，一個個面黃肌瘦。

智深喝一聲道：「你們這和尚，好沒道理！由洒家叫喚，沒一個應。」

那和尚搖手道：「不要高聲。」

智深道：「俺是過往僧人，討頓飯吃，有甚利害？」

老和尚道：「我們三日不曾有飯落肚，哪裡討飯與你吃？」

智深道：「俺是五臺山來的僧人，粥也胡亂請洒家吃半碗。」

老和尚道：「你是活佛去處來的僧，我們合當齋你。爭◆奈我寺中僧眾走散，並無一粒齋糧。老僧等端的餓了三日。」

智深道：「胡說，這等一個大去處，不信沒齋糧。」

老和尚道：「我這裡是個非細◆去處。只因是十方常住◆，被一個雲遊和尚，引著一個道人，來此住持，把常住有的沒的都毀壞了。他兩個無所不為，把眾僧趕出去了。我幾個老的走不動，只得在這裡過，因此沒飯吃。」

智深道：「胡說，量他一個和尚，一個道人，做得甚事，卻不去官府告他？」

老和尚道：「師父，你不知這裡衙門又遠，便是官軍也禁不得的。他這和尚道人好生了得，都是殺人放火的人，如今向方丈後面一個去處安身。」

智深道：「這兩個喚做甚麼？」

老和尚道：「那和尚姓崔，法號道成，綽號『生鐵佛』；道人姓丘，排行小乙，綽號『飛天夜叉◆』。這兩個哪裡似個出家人，只是綠林◆中強賊一般，把這出家影占◆身體。」

智深正問間，猛聞得一陣香來。智深提了禪杖，踅◆過後面打一看時，見一個土灶，蓋著一個草蓋，氣騰騰透將進來。智深揭起看時，煮著一鍋粟米粥。

◆**爭**—這裡同「怎」。 **細**—這裡是小的意思。 **十方常住**—佛教語。指各方都來禮拜的廟宇。

飛天夜叉—佛教的神話。夜叉是天神的名稱，在陸地上的叫做「地夜叉」，在天空中飛行的叫做「天夜叉」。 **影占**—原是占據的意思。此指遮掩、隱蔽。

綠林—西漢末年，王匡等人曾率飢民聚居在綠林山一帶對抗官府。後遂用來泛指聚集山林間反抗官府或搶劫財物的集團。 **踅**—行走，詭祕地轉來轉去。

智深罵道：「你這幾個老和尚沒道理！只說三日沒吃飯，如今現煮一鍋粥，出家人何故說謊？」

那幾個老和尚被智深尋出粥來，只叫得苦，把碗碟、鉢頭、杓子、水桶都搶過了。智深肚飢，沒奈何，見了粥要吃，沒做道理處，只見灶邊破漆春臺，只有些灰塵在上面。智深見了，人急智生，便把禪杖倚了，就灶邊拾把草，把春臺揩抹了灰塵，雙手把鍋掇起來，把粥望春臺只一傾。那幾個老和尚都來搶粥吃，被智深一推一跤，倒的倒了，走的走了。智深卻把手來捧那粥吃。

才吃幾口，那老和尚道：「我等端的三日沒飯吃，卻才去那裡抄化◆得這些粟米，胡亂熬些粥，你又吃我們的。」智深吃五七口，聽得了這話，便撇了不吃。

只聽得外面有人嘲歌◆。智深洗了手，提了禪杖，出來看時，破壁子裡望見一個道人，頭帶皂巾，身穿布衫，腰繫雜色縧，腳穿麻鞋，挑著一擔兒：一頭是個竹籃兒，裡面露些魚尾，並荷葉托著些肉；一頭擔著一瓶酒，也是荷葉蓋著。口裡嘲歌著唱道：「妳在東時我在西，妳無男子我無妻。我無妻時猶閒可，妳無夫時好孤淒。」

那幾個老和尚趕出來，搖著手，悄悄地指與智深道：「這個道人便是飛天夜叉丘小乙。」

智深見指說了，便提著禪杖，隨後跟去。那道人不知智深在後面跟來，只顧走入方丈後牆裡去。智深隨即跟到裡面，看時，見綠槐樹下放著一條桌子，鋪著些盤饌，三個盞子，三雙箸子，當中坐著一個胖和尚，生得眉如漆刷，臉似黑墨，疙瘩的一身橫肉，胸脯下露出黑肚皮來。邊廂坐著一個年幼婦人。那道人把竹籃放下，也來坐地。

智深走到面前，那和尚吃了一驚，跳起身來，便道：「請師兄坐，同吃

◆抄化—乞討、化緣。　嘲歌—隨口唱歌。

一盞。」智深提著禪杖道：「你這兩個如何把寺來廢了？」

那和尚便道：「師兄請坐，聽小僧說。」

智深睜著眼道：「你說！你說！」

那和尚道：「在先敝寺十分好個去處，田莊又廣，僧眾極多，只被廊下那幾個老和尚吃酒撒潑，將錢養女。長老禁約他們不得，又把長老排告了出去。因此把寺來都廢了。僧眾盡皆走散，田土已都賣了。小僧卻和這個道人，新來住持此間，正欲要整理山門，修蓋殿宇。」

智深道：「這婦人是誰？卻在這裡吃酒！」

那和尚道：「師兄容稟：這個娘子，她是前村王有金的女兒。在先她的父親是本寺檀越，如今消乏◆了家私，近日好生狼狽，家間人口都沒了，丈夫又患病，因來敝寺借米。小僧看施主檀越面，取酒相待，別無他意，師兄休聽那幾個老畜生說。」

智深聽了他這篇話，又見他如此小心，便道：「叵耐幾個老僧戲弄洒家！」提了禪杖，再回香積廚來。這幾個老僧方才吃些粥，正在那裡。

看見智深嗔忿地出來，指著老和尚道：「原來是你這幾個壞了常住，猶自在俺面前說謊！」

老和尚們一齊都道：「師兄休聽他說，現今養著一個婦女在那裡。他恰才見你有戒刀、禪杖，他無器械，不敢與你相爭。你若不信時，再去走一遭，看他和你怎地。師兄，你自尋思：他們吃酒吃肉，我們粥也沒得吃，恰才還只怕師兄吃了。」

智深道：「也說得是。」倒提了禪杖，再往方丈後來，見那角門◆卻早關了。

智深大怒，只一腳踢開了，搶入裡面看時，只見那生鐵佛崔道成仗著一條朴刀，從裡面趕到槐樹下來搶智深。智深見了，大吼一聲，掄起手中禪杖，來鬥崔道成。兩個鬥了十四、五合，那崔道成鬥智深不過，只有架隔

◆**消乏**—消耗。　**角門**—在正門左右的側門。

遮攔，掣杖躲閃，抵擋不住，卻待要走。這丘道人見他擋不住，卻從背後拿了條朴刀，大踏步搠將來。

智深正鬥間，忽聽得背後腳步響，卻又不敢回頭看他。不時見一個人影來，知道有暗算的人，叫一聲：「著！」那崔道成心慌，只道著他禪杖，托地跳出圈子外去。

智深恰才回身，正好三個摘腳兒◈廝見。崔道成和丘道人兩個又併了十合之上。

智深一來肚裡無食，二來走了許多路途，三者擋不得他兩個生力◈，只得賣個破綻，拖了禪杖便走。兩個拈著朴刀，直殺出山門外來，智深又鬥了十合，掣了禪杖便走。兩個趕到石橋下，坐在欄杆上，再不來趕。

智深走得遠了，喘息方定，尋思道：「洒家的包裹放在監齋使者面前，只顧走來，不曾拿得；路上又沒一分盤纏，又是飢餓，如何是好？待要回去，又敵他不過；他兩個併我一個，枉送了性命。」信步望前面去，行一步，懶一步。走了幾里，見前面一個大林，都是赤松樹。但見：

虯枝錯落，盤數千條赤腳老龍；怪影參差，立幾萬道紅鱗巨蟒。遠觀卻似判官鬚，近看宛如魔鬼髮。誰將鮮血灑林梢，疑是朱砂鋪樹頂。

魯智深看了道：「好座猛惡林子！」觀看之間，只見樹影裡一個人探頭探腦，望了一望，吐了一口唾，閃入去了。智深道：「俺猜這個撮鳥◈是個剪徑的強人，正在此間等買賣。見洒家是個和尚，他道不利市◈，吐一口唾，走入去了。那廝卻不是鳥晦氣，撞了洒家，洒家又一肚皮鳥氣，正沒處發落，且剝小廝衣裳當酒吃！」提了禪杖，逕搶到松林邊，喝一聲：「兀那林子裡的撮鳥快出來！」那漢子在林子聽得，大笑道：「我晦氣，他倒來惹我！」

◈摘腳兒—指小偷、強盜。　生力—此指精銳的力量。
撮鳥—罵人的話。　不利市—運氣不好，做事不順利。

就從林子裡拿著朴刀，背翻身跳出來，喝一聲：「禿驢！你自當死，不是我來尋你！」

智深道：「教你認得洒家！」掄起禪杖搶那漢。

那漢拈著朴刀來鬥和尚，恰待向前，肚裡尋思道：「這和尚聲音好熟。」

便道：「兀那和尚，你的聲音好熟，你姓甚？」

智深道：「俺且和你鬥三百合，卻說姓名。」那漢大怒，仗手中朴刀來迎禪杖。兩個鬥到十數合，那漢暗暗喝采道：「好個莽和尚！」

又鬥了四五合，那漢叫道：「少歇，我有話說。」

兩個都跳出圈子外來，那漢便問道：「端的姓甚名誰？聲音好熟。」

智深說姓名畢，那漢撇了朴刀，翻身便剪拂，說道：「認得史進麼？」

智深笑道：「原來是史大郎。」兩個再剪拂了，同到林子裡坐定。

智深問道：「史大郎，自渭州別後，你一向在何處？」

史進答道：「自那日酒樓前與哥哥分手，次日聽得哥哥打死了鄭屠，逃走去了。有緝捕的訪知史進和哥哥齎發那唱的金老，因此小弟亦便離了渭州，尋師父王進。直到延州，又尋不著。回到北京，住了幾時，盤纏使盡，以此來在這裡尋些盤纏，不想得遇哥哥。緣何做了和尚？」智深把前面的話，從頭說了一遍。

史進道：「哥哥既是肚飢，小弟有乾肉、燒餅在此。」便取出來教智深吃。史進又道：「哥哥既有包裹在寺內，我和你討去。若還不肯時，一發結果了那廝。」

智深道：「是！」當下和史進吃得飽了，各拿了器械，再回瓦罐寺來。

到寺前，看見那崔道成、丘小乙兩個兀自在橋上坐地。

智深大喝一聲道：「你這廝們，來，來，今番和你鬥個你死我活！」那和尚笑道：「你是我手裡敗將，如何再來敢廝併？」智深大怒，掄起鐵禪杖，奔過橋來。

那生鐵佛生嗔，仗著朴刀，殺下橋去。智深一者得了史進，肚裡膽壯；二乃吃得飽了，那精神氣力，越使得出來。兩個鬥到八九合，崔道成漸漸力怯，只辦得走路；那「飛天夜叉」丘道人見和尚輸了，便仗著朴刀來協助。這邊史進見了，便從樹林子裡跳將出來，大喝一聲：「都不要走！」掀起笠兒，挺著朴刀，來戰丘小乙。四個人兩對廝殺。

智深與崔道成正鬥到間深裡，智深得便處喝一聲：「著！」只一禪杖，把生鐵佛打下橋去。那道人見倒了和尚，無心戀戰，賣個破綻便走。

史進喝道：「哪裡去？」趕上望後心一朴刀，撲地一聲響，道人倒在一邊。史進踏入去，掉轉朴刀，望下面只顧肐肢肐察◆的搠。智深趕下橋去，把崔道成背後一禪杖。可憐兩個強徒，化作南柯一夢。正是：從前作過事，無幸一齊來。

智深、史進把這丘小乙、崔道成兩個屍首都縛了，攛在澗裡。兩個再打入寺裡來，香積廚下那幾個老和尚，因見智深輸了去，怕崔道成、丘小乙來殺他，已自都吊死了。智深、史進直走入方丈後角門內看時，那個擄來的婦人投井而死。直尋到裡面八九間小屋，打將入去，並無一人；只見包裏已拿在彼，未曾打開。魯智深見有了包裹，依原背了。

再尋到裡面，只見床上三四包衣服，史進打開，都是衣裳，包了些金銀，揀好的包了一包袱，背在身上。尋到廚房，見有酒有肉，兩個都吃飽了。灶前縛了兩個火把，撥開火爐，火上點著，焰騰騰的先燒著後面小屋，燒到門前。再縛幾個火把，直來佛殿下後簷，點著燒起來。湊巧風緊，刮刮雜雜◈地火起，竟天價燒起來。智深與史進看著，等了一回，四下火都著了。

二人道：「梁園雖好，不是久戀之家◈，俺二人只好撒開。」二人廝趕著，行了一夜。天色微明，兩個遠遠地望見一簇人家，看來是個村鎮。兩個投那村鎮上來，獨木橋邊，一個小小酒店。但見：

◈肐肢肐察—象聲詞。多形容動刀動槍的聲音。
刮刮雜雜—形容火勢旺盛的樣子。
梁園雖好，不是久戀之家—異鄉雖好，卻不是久留的地方。漢時劉武在開封蓋了一個大宅院，名為梁園，招待各方賓客。梁園雖好，總不是賓客自己的家，不可久戀，因此後來有此諺語。

柴門半掩，布幙低垂。酸醨◆酒甕土林邊，墨畫神仙塵壁上。
村童量酒，想非滌器之相如；醜婦當壚◆，不是當時之卓氏。
牆間大字，村中學究醉時題；架上蓑衣，野外漁郎乘興當。

智深、史進來到村中酒店內，一面吃酒，一面叫酒保買些肉來，借些米來，打火做飯。兩個吃酒，訴說路上許多事務。吃了酒飯，智深便問史進道：「你今投哪裡去？」

史進道：「我如今只得再回少華山，去投奔朱武等三人入了夥，且過幾時，卻再理會。」

智深見說了道：「兄弟也是。」便打開包裹，取些金銀，與了史進。二人拴了包裹，拿了器械，還了酒錢。二人出得店門，離了村鎮，又行不過五七里，到一個三岔路口。

智深道：「兄弟，須要分手。洒家投東京去，你休相送。你打華州，須從這條路去，他日卻得相會。若有個便人◆，可通個信息來往。」史進拜辭了智深，各自分了路，史進去了。只說智深自往東京，在路又行了八九日，早望見東京。入得城來，但見：

千門萬戶，紛紛朱翠交輝；三市六街，濟濟衣冠聚集。鳳閣列九重金玉，龍樓顯一派玻璃。花街柳陌，眾多嬌豔名姬；楚館秦樓，無限風流歌妓。豪門富戶呼盧◈會，公子王孫買笑來。

智深看見東京熱鬧，市井喧譁，來到城中，陪個小心，問人道：「大相國寺在何處？」街坊人答道：「前面州橋便是。」智深提了禪杖便走，早來到寺前。入得山門看時，端的好一座大剎！但見：

山門高聳，梵宇清幽。當頭敕額字分明，兩下金剛形猛烈。

◈**酸醨**──味酸而薄的酒。　**當壚**──賣酒。
便人──順便為人辦事的人。　**呼盧**──一種古代賭博，就像現在的擲骰子。

五間大殿，龍鱗瓦砌碧成行；四壁僧房，龜背磨磚花嵌縫。
鐘樓森立，經閣巍峨。幡竿高峻接青雲，寶塔依稀侵碧漢。
木魚橫掛，雲板◆高懸。佛前燈燭熒煌，爐內香煙繚繞。
幢幡不斷，觀音殿接祖師堂◆；寶蓋相連，水陸會通羅漢院。
時時護法諸天降，歲歲降魔尊者來。

智深進得寺來，東西廊下看時，逕投知客寮內去，道人撞見，報與知客。無移時，知客僧出來，見了智深生得凶猛，提著鐵禪杖，跨著戒刀，背著個大包裹，先有五分懼他。

知客問道：「師兄何方來？」智深放下包裹、禪杖，打個問訊，知客回了問訊。智深說道：「小徒五臺山來，本師智真長老有書在此，著小僧來投上剎智清大師長老處，討個職事僧做。」

知客道：「既是智真大師長老有書札，合當同到方丈裡去。」知客引了智深直到方丈，解開包裹，取出書來，拿在手裡。

知客道：「師兄，你如何不知體面？即目◈長老出來，你可解了戒刀，取出那七條◈、坐具、信香來禮拜長老使得。」

智深道：「你卻何不早說。」隨即解了戒刀，包裹內取出片香一炷、坐具、七條，半晌沒做道理處。知客又與他披了袈裟，教他先鋪坐具。

少刻，只見智清禪師出來，知客向前稟道：「這僧人從五臺山來，有智真禪師書在此。」

智清長老道：「師兄多時不曾有法帖來。」

知客叫智深道：「師兄，快來禮拜長老。」只見智深先把那炷香插在爐內，拜了三拜，將書呈上。智清長老接書拆開看時，中間備細說著魯智深出家緣由，並今下山投托上剎之故，「萬望慈悲收錄，做個職事人員，切不

◈**雲板**—舊時用來召集群眾，或富有的大家族有事通知內宅，有敲擊之用。因其形狀像雲，故稱為「雲板」。　**即目**—現在。　**七條**—就是七條衣。僧人在禮誦、聽講、說戒時穿的一種袈裟。

祖師堂—又作影堂、祖堂。用以安置宗祖、開山、列祖遺像之建築物，稱祖師堂。

可推故。此僧久後必當證果。」

智清長老讀罷來書，便道：「遠來僧人且去僧堂中暫歇，吃些齋飯。」智深謝了，收拾起坐具、七條，提了包裹，拿了禪杖、戒刀，跟著行童去了。

智清長老喚集兩班許多職事僧人，盡到方丈，乃言：「汝等眾僧在此，你看我師兄智真禪師好沒分曉。這個來的僧人，原來是經略府軍官，為因打死了人，落髮為僧。二次在彼鬧了僧堂，因此難著他。你那裡安他不得，卻推來與我。待要不收留他，師兄如此千萬囑咐，不可推故；待要著他在這裡，倘或亂了清規，如何使得？」

知客道：「便是弟子們看那僧人，全不似出家人模樣，本寺如何安著得他？」

都寺便道：「弟子尋思起來，只有酸棗門外退居◈廨宇◈後那片菜園，時常被營內軍健◈們並門外那二十來個破落戶侵害，縱放羊馬，好生囉唣。一個老和尚在那裡住持，哪裡敢管他？何不教智深去那裡住持，倒敢管得下。」

智清長老道：「都寺說得是。」教侍者去僧堂內客房裡，等他吃罷飯，便喚將他來。

侍者去不多時，引著智深到方丈裡。

智清長老道：「你既是我師兄智真大師薦將來我這寺中掛搭◈，做個職事僧人員，我這敝寺有個大菜園，在酸棗門外嶽廟◈間壁，你可去那裡住持管領。每日教種地人納十擔菜蔬，餘者都屬你用度。」

智深便道：「本師智真長老著小僧投大剎，討個職事僧做，卻不教俺做個都寺、監寺，如何教洒家去管菜園？」

首座便道：「師兄，你不省得，你新來掛搭，又不曾有功勞，如何便做得都寺？這管菜園也是個大職事人員了。」

◈**退居**—捨棄不再住人之處。**廨宇**—古代屬於官署的房屋。**軍健**—兵卒。**嶽廟**—祭祀嶽神的廟。
掛搭—遊方僧侶投寺寄住，把隨身用的簡單東西都掛在禪房的掛鉤上，所以叫做掛搭。

智深道：「洒家不管菜園，俺只要做都寺、監寺。」

知客又道：「你聽我說與你：僧門中職事人員，各有頭項◈，且如小僧做個知客，只理會管待往來客官僧眾。至如維那、侍者、書記、首座，這都是清職，不容易得做。都寺、監寺、提點、院主，這個都是掌管常住財物。你才到得方丈，怎便得上等職事？「還有那管藏◈的喚做藏主，管殿的喚做殿主，管閣的喚做閣主，管化緣的喚做化主，管浴堂的喚做浴主，這個都是主事人員，中等職事。還有那管塔的塔頭，管飯的飯頭，管茶的茶頭，管東廁◈的淨頭，與這管菜園的菜頭，這個都是頭事人員，末等職事。假如師兄你管了一年菜園好，便升你做個塔頭；又管了一年好，升你做個浴主；又一年好，才做監寺。」

智深道：「既然如此，也有出身時，洒家明日便去。」

智清長老見智深肯去，就留在方丈裡歇了。當日議定了職事，隨即寫了榜文，先使人去菜園裡退居廨宇內，掛起庫司榜文，明日交割◈。當夜各自散了。

次早，智清長老升法座，押了法帖，委智深管菜園。智深到座前，領了法帖，辭了長老，背上包裹，跨了戒刀，提了禪杖，和兩個送入院的和尚，直來酸棗門外廨宇裡來住持。詩曰：

萍蹤浪跡入東京，行盡山林數十程。
古剎今番經劫火，中原從此動刀兵。
相國寺中重掛搭，種蔬園內且經營。
自古白雲無去住，幾多變化任縱橫。

且說菜園左近，有二、三十個賭博不成才破落戶潑皮，泛常在園內偷盜菜蔬，靠著養身。因來偷菜，看見廨宇門上新掛一道庫司榜文，上說：「大相國寺仰委管菜園僧人魯智深前來住持，自明日為始掌管，並不許閒雜人等入園攪擾。」

◈**頭項**—項目、類別。 **藏**—此指儲存東西的地方。
東廁—廁所。 **交割**—移交時，雙方交代並結清相關事項。

那幾個潑皮看了，便去與眾破落戶商議道：「大相國寺裡差◆一個和尚，甚麼魯智深來管菜園。我們趁他新來，尋一場鬧，一頓打下頭來，教那廝服我們。」

數中一個道：「我有一個道理。他又不曾認得我，我們如何便去尋得鬧？等他來時，誘他去糞窖邊，只做參賀他，雙手搶住腳，翻筋斗，攧那廝下糞窖去，只是小耍他。」

眾潑皮道：「好！好！」商量已定，且看他來。

卻說魯智深來到廨宇退居內房中，安頓了包裹、行李，倚了禪杖，掛了戒刀。那數個種地道人，都來參拜了，但有一應鎖鑰盡行交割。那兩個和尚，同舊住持老和尚相別了，盡回寺去。且說智深出到菜園地上，東觀西望，看那園圃。

只見這二、三十個潑皮，拿著些果盒、酒禮，都嘻嘻的笑道：「聞知和尚新來住持，我們鄰舍街坊都來作慶◆。」智深不知是計，直走到糞窖邊來。那夥潑皮一齊向前，一個來搶左腳，一個便搶右腳，指望來攧智深。只教智深：腳尖起處，山前猛虎心驚；拳頭落時，海內蛟龍喪膽。正是：

方圓一片閒園圃，目下排成小戰場。

那夥潑皮怎的來攧智深？且聽下回分解。

◈差——派遣。音拆。　作慶——賀喜。

第七回

花和尚倒拔垂楊柳
豹子頭誤入白虎堂

話說那酸棗門外三、二十個潑皮破落戶中間，有兩個為頭的，一個叫做「過街老鼠」張三，一個叫做「青草蛇」李四。

這兩個為頭接將來，智深也卻好去糞窖邊，看見這夥人都不走動，只立在窖邊，齊道：「俺特來與和尚作慶。」智深道：「你們既是鄰舍街坊，都來廨宇裡坐地。」張三、李四便拜在地上，不肯起來，只指望和尚來扶他，便要動手。

智深見了，心裡早疑忌道：「這夥人不三不四，又不肯近前來，莫不要攧洒家？那廝卻是倒來捋虎鬚，俺且走向前去，教那廝看洒家手腳！」智深大踏步近眾人面前來。

那張三、李四便道：「小人兄弟們特來參拜師父。」口裡說，便向前去，一個來搶左腳，一個來搶右腳。智深不等他占身◆，右腳早起，騰的把李四先踢下糞窖裡去。張三恰待走，智深左腳早起，兩個潑皮都踢在糞窖裡掙扎。後頭那二、三十個破落戶驚得目瞪口呆，都待要走。

智深喝道：「一個走的，一個下去；兩個走的，兩個下去！」眾潑皮都不敢動彈。

只見那張三、李四在糞窖裡探起頭來。原來那座糞窖沒底似深，兩個一身臭屎，頭髮上蛆蟲盤滿，立在糞窖裡叫道：「師父饒恕我們！」

智深喝道：「你那眾潑皮，快扶那鳥上來，我便饒你眾人。」眾人打一救，攙到葫蘆架邊，臭穢不可近前。

智深呵呵大笑道：「兀那蠢物，你且去菜園池子裡洗了來，和你眾人說

◆占身——近身。

話。」兩個潑皮洗了一回，眾人脫件衣服，與他兩個穿了。

智深叫道：「都來廨宇裡坐地說話。」

智深先居中坐了，指著眾人道：「你那夥鳥人，休要瞞洒家！你等都是甚麼鳥人，來這裡戲弄洒家！」

那張三、李四並眾夥伴一齊跪下，說道：「小人祖居在這裡，都只靠賭博討錢為生。這片菜園是俺們衣飯碗，大相國寺裡幾番使錢，要奈何我們不得。師父卻是哪裡來的長老，恁地了得！相國寺裡不曾見有師父，今日我等情願伏侍。」

智深道：「洒家是關西延安府老种經略相公帳前提轄官，只為殺的人多，因此情願出家，五臺山來到這裡。洒家俗姓魯，法名智深。休說你這三、二十個人值甚麼，便是千軍萬馬隊中，俺敢直殺得入去出來！」眾潑皮喏喏連聲，拜謝了去。智深自來廨宇裡房內，收拾整頓歇臥。

次日，眾潑皮商量湊些錢物，買了十瓶酒，牽了一個豬來請智深。都在廨宇安排了，請魯智深居中坐了，兩邊一帶，坐定那二、三十潑皮飲酒。智深道：「甚麼道理叫你眾人們壞鈔◆？」

眾人道：「我們有福，今日得師父在這裡與我等眾人做主。」智深大喜。吃到半酣裡，也有唱的，也有說的，也有拍手的，也有笑的。正在那裡喧哄，只聽得門外老鴉哇哇的叫。

眾人有叩齒◆的，齊道：「赤口◆上天，白舌◆入地。」

智深道：「你們做甚麼鳥亂？」

眾人道：「老鴉叫，怕有口舌。」

智深道：「哪裡取這話？」

那種地道人笑道：「牆角邊綠楊樹上新添了一個老鴉巢，每日只聒到晚。」眾人道：「把梯子去上面拆了那巢便了。」

◆**壞鈔**—花錢、破費。　**赤口**、**白舌**—指由口舌招來的是非。

叩齒—傳說在向神禱告之前，要把上下牙齒不住地對擊，這個禱告才有效。

有幾個道：「我們便去。」智深也乘著酒興，都到外面看時，果然綠楊樹上一個老鴉巢。

眾人道：「把梯子上去拆了，也得耳根清淨。」

李四便道：「我與你盤上去，不要梯子。」智深相了一相，走到樹前，把直裰脫了，用右手向下，把身倒繳◆著，卻把左手拔住上截，把腰只一趁，將那株綠楊樹帶根拔起。

眾潑皮見了，一齊拜倒在地，只叫：「師父非是凡人，正是真羅漢！身體無千萬斤氣力，如何拔得起？」

智深道：「打甚鳥緊？明日都看洒家演武使器械。」眾潑皮當晚各自散了。

從明日為始，這二、三十個破落戶見智深匾匾的伏◆，每日將酒肉來請智深，看他演武使拳。

過了數日，智深尋思道：「每日吃他們酒食多矣，洒家今日也安排些還席◆。」叫道人去城中買了幾般果子，沽了兩三擔酒，殺翻一口豬，一腔羊。那時正是三月盡，天氣正熱。

智深道：「天色熱！」叫道人綠槐樹下鋪了蘆席，請那許多潑皮團團坐定。大碗斟酒，大塊切肉，叫眾人吃得飽了，再取果子吃，酒又吃得正濃。眾潑皮道：「這幾日見師父演拳，不曾見師父使器械，怎得師父教我們看一看也好。」

智深道：「說得是。」便去房內取出渾鐵禪杖，頭尾長五尺，重六十二斤。眾人看了，盡皆吃驚，都道：「兩臂膊沒水牛大小氣力，怎使得動？」智深接過來，颼颼的使動，渾身上下沒半點兒參差。眾人看了，一齊喝采。

智深正使得活泛◆，只見牆外一個官人◆看見，喝采道：「端的使得好！」

◆**倒繳**—彎下軀體。　**匾匾的伏**—指服服貼貼。
還席—受人邀宴後，設酒席回請對方。
活泛—隨機應變、靈活。　**官人**—對男子的敬稱。

智深聽得，收住了手，看時，只見牆缺邊立著一個官人。怎生打扮？但見：

頭戴一頂青紗抓角兒頭巾，腦後兩個白玉圈連珠鬢環。
身穿一領單綠羅團花戰袍，腰繫一條雙搭尾龜背銀帶。
穿一對磕瓜頭朝樣皂靴，手中執一把摺疊紙西川扇子。

那官人生得豹頭環眼，燕頷虎鬚，八尺長短身材，三十四、五年紀。口裡道：「這個師父，端的非凡，使得好器械！」

眾潑皮道：「這位教師◆喝采，必然是好。」

智深問道：「那軍官是誰？」

眾人道：「這官人是八十萬禁軍槍棒教頭林武師，名喚林沖。」

智深道：「何不就請來廝見？」那林教頭便跳入牆來，兩個就槐樹下相見了，一同坐地。

林教頭便問道：「師兄何處人氏？法諱◆喚做甚麼？」

智深道：「洒家是關西魯達的便是。只為殺的人多，情願為僧，年幼時也曾到東京，認得令尊林提轄。」林沖大喜，就當結義智深為兄。

智深道：「教頭今日緣何到此？」

林沖答道：「恰才與拙荊◈一同來間壁嶽廟裡還香願。林沖聽得使棒，看得入眼，著女使錦兒自和荊婦去廟裡燒香，林沖就只此間相等，不想得遇師兄。」

智深道：「洒家初到這裡，正沒相識，得這幾個大哥每日相伴；如今又得教頭不棄，結為弟兄，十分好了。」便叫道人再添酒來相待。

恰才飲得三杯，只見女使錦兒慌慌急急，紅了臉，在牆缺邊叫道：「官人，休要坐地！娘子在廟中和人合口◈！」

林沖連忙問道：「在哪裡？」

◈**教師**─舊時教授武術或戲劇歌藝的人。 **法諱**─敬詞。稱出家人的法名。
拙荊─古人對外人提及或介紹自己的妻子時，謙稱為內子、內人、拙荊等。
合口─鬥嘴、吵架。

錦兒道：「正在五嶽樓下來，撞見個奸詐不及的，把娘子攔住了不肯放。」

林沖慌忙道：「卻再來望師兄，休怪，休怪！」

林沖別了智深，急跳過牆缺，和錦兒逕奔嶽廟裡來，搶到五嶽樓看時，見了數個人，拿著彈弓、吹筒◈、粘竿◈，都立在欄杆邊；胡梯上一個年小的後生，獨自背立著，把林沖的娘子攔著道：「妳且上樓去，和妳說話。」

林沖娘子紅了臉道：「清平世界，是何道理，把良人調戲？」

林沖趕到跟前，把那後生肩胛只一扳過來，喝道：「調戲良人妻子，當得何罪？」恰待下拳打時，認得是本管◈高太尉螟蛉之子◈高衙內。

原來高俅新發跡，不曾有親兒，無人幫助，因此過房這阿叔高三郎兒子在房內為子。本是叔伯弟兄，卻與他做乾兒子，因此高太尉愛惜他。那廝在東京倚勢豪強，專一愛淫垢◈人家妻女。京師人懼怕他權勢，誰敢與他爭口，叫他做「花花太歲」。

有詩為證：

臉前花現醜難親，心裡花開愛婦人。
撞著年庚不順利，方知太歲是凶神。

當時林沖扳將過來，卻認得是本管高衙內，先自手軟了。高衙內說道：「林沖，干你甚事！你來多管！」原來高衙內不曉得她是林沖的娘子，若還曉得時，也沒這場事。見林沖不動手，他發這話。

眾多閑漢見鬧，一齊攏來勸道：「教頭休怪，衙內不認得，多有衝撞。」林沖怒氣未消，一雙眼睜著瞅那高衙內。眾閑漢勸了林沖，和哄高衙內出廟上馬去了。

◆吹筒——一種捕捉蟲鳥的工具。
粘竿——頂端塗有黏劑，立在田野中捕鳥的竿子。　本管——直屬長官。
螟蛉之子——指義子，俗稱乾兒子、乾女兒，與收養人無血親關係。　淫垢——姦汙。

林沖將引妻小並使女錦兒，也轉出廊下來。只見智深提著鐵禪杖，引著那二、三十個破落戶，大踏步搶入廟來。

林沖見了，叫道：「師兄哪裡去？」智深道：「我來幫你廝打！」

林沖道：「原來是本官高太尉的衙內，不認得荊婦，時間無禮。林沖本待要痛打那廝一頓，太尉面上須不好看。自古道：『不怕官，只怕管。』林沖不合吃著他的請受，權且讓他這一次。」

智深道：「你卻怕他本官太尉，洒家怕他甚鳥？俺若撞見那撮鳥時，且教他吃洒家三百禪杖了去！」

林沖見智深醉了，便道：「師兄說得是。林沖一時被眾人勸了，權且饒他。」

智深道：「但有事時，便來喚洒家與你去。」

眾潑皮見智深醉了，扶著道：「師父，俺們且去，明日再得相會。」

智深提著禪杖道：「阿嫂休怪，莫要笑話。阿哥，明日再得相會。」

智深相別，自和潑皮去了。林沖領了娘子並錦兒，取路回家，心中只是鬱鬱不樂。

且說這高衙內引了一班兒閑漢，自見了林冲娘子，又被他衝散了，心中好生著迷，怏怏不樂，回到府中納悶。過了三兩日，眾多閑漢都來伺候，見衙內心焦，沒撩沒亂◆，眾人散了。數內有一個幫閑的，喚做「乾鳥頭」富安，理會得高衙內意思，獨自一個到府中伺候。見衙內在書房中閒坐，那富安走近前去道：「衙內近日面色清減，心中少樂，必然有件不悅之事。」

高衙內道：「你如何省得？」富安道：「小子一猜便著。」

衙內道：「你猜我心中甚事不樂？」

富安道：「衙內是思想那『雙木』的。這猜如何？」

衙內笑道：「你猜得是，只沒個道理得她。」

◆**本官**—指本部門的主管官員，即頂頭上司。　**荊婦**—對人謙稱自己的妻子。**請受**—糧餉、薪俸。　**沒撩沒亂**—指沒有情緒。

富安道：「有何難哉？衙內怕林沖是個好漢，不敢欺他，這個無傷。他現在帳下聽使喚，大請大受，怎敢惡了太尉？輕則便刺配了他，重則害了他性命。小閑尋思有一計，使衙內能夠得她。」

高衙內聽得，便道：「自見了許多好女娘，不知怎的只愛她，心中著迷，鬱鬱不樂。你有甚見識，能勾她時，我自重重的賞你。」

富安道：「門下知心腹的陸虞候陸謙，他和林沖最好，明日衙內躲在陸虞候樓上深閣擺下些酒食，卻叫陸謙去請林沖出來吃酒，教他直去樊樓上深閣裡吃酒。小閑便去他家，對林沖娘子說道：『你丈夫教頭和陸謙吃酒，一時重氣，悶倒在樓上，叫娘子快去看哩！』賺得她來到樓上。婦人家水性，見了衙內這般風流人物，再著些甜話兒調和她，不由她不肯。小閑這一計如何？」

高衙內喝采道：「好計！就今晚著人去喚陸虞候來吩咐了。」原來陸虞候家只在高太尉家隔壁巷內。次日，商量了計策，陸虞候一時聽允，也沒奈何，只要衙內歡喜，卻顧不得朋友交情。

且說林沖連日悶悶不已，懶上街去。巳牌時，聽得門首有人叫道：「教頭在家麼？」林沖出來看時，卻是陸虞候，慌忙道：「陸兄何來？」

陸謙道：「特來探望兄，何故連日街前不見？」

林沖道：「心裡悶，不曾出去。」

陸謙道：「我同兄長去吃三杯解悶。」

林沖道：「少坐拜茶。」兩個吃了茶起身。

陸虞候道：「阿嫂，我同兄長到家去吃三杯。」

林沖娘子趕到布簾下叫道：「大哥，少飲早歸。」

林沖與陸謙出得門來，街上閒走了一回。陸虞候道：「兄長，我們休家去，只就樊樓內吃兩杯。」當時兩個上到樊樓內，占個閣兒，喚酒保◈吩咐，叫取兩瓶上色好酒，稀奇果子按酒。

◈**小閑**—幫閑的人的自稱，有卑下的意思。　**尋思**—反覆思考。
樊樓—宋時東京一座有名的酒樓。　**女娘**—對婦女的通稱。　**重氣**—暈眩，呼吸困難。
水性—比喻易變。　**酒保**—此指酒家的侍者。

兩個敘說閒話，林沖嘆了一口氣，陸虞候道：「兄長何故嘆氣？」

林沖道：「賢弟不知，男子漢空有一身本事，不遇明主，屈沉在小人之下，受這般腌臢的氣！」

陸虞候道：「如今禁軍中雖有幾個教頭，誰人及得兄長的本事？太尉又看承得好，卻受誰的氣？」林沖把前日高衙內的事告訴陸虞候一遍。

陸虞候道：「衙內必不認得嫂子。兄長休氣，只顧飲酒。」

林沖吃了八九杯酒，因要小遺◆，起身道：「我去淨手了來。」

林沖下得樓來，出酒店門，投東小巷內去淨了手，回身轉出巷口，只見女使錦兒叫道：「官人尋得我苦，卻在這裡！」

林沖慌忙問道：「做甚麼？」

錦兒道：「官人和陸虞候出來，沒半個時辰，只見一個漢子慌慌急急奔來家裡，對娘子說道：『我是陸虞候家鄰舍。你家教頭和陸謙吃酒，只見教頭一口氣不來，便撞倒了！』叫娘子且快來看視。娘子聽得，連忙央間壁王婆看了家，和我跟那漢子去，直到太尉府前小巷內一家人家。上至樓上，只見桌子上擺著些酒食，不見官人。恰待下樓，只見前日在嶽廟裡囉唣娘子的那後生出來道：『娘子少坐，妳丈夫來也。』錦兒慌慌下得樓時，只聽得娘子在樓上叫『殺人』。因此，我一地裡◆尋官人不見，正撞著賣藥的張先生道：『我在樊樓前過，見教頭和一個人入去吃酒。』因此特奔到這裡。官人快去！」

林沖見說，吃了一驚，也不顧女使錦兒，三步做一步跑到陸虞候家，搶到胡梯◆上，卻關著樓門，只聽得娘子叫道：「清平世界，如何把我良人妻子關在這裡！」

又聽得高衙內道：「娘子，可憐見救俺！便是鐵石人，也告得回轉！」

林沖立在胡梯上叫道：「大嫂開門！」那婦人聽得是丈夫聲音，只顧來開

◆**小遺**—小便、排尿。　**一地裡**—到處。　**胡梯**—指扶梯、樓梯。

門。高衙內吃了一驚，斡◆開了樓窗，跳牆走了。

林沖上得樓上，尋不見高衙內，問娘子道：「不曾被這廝玷汙了？」

娘子道：「不曾。」林沖把陸虞候家打得粉碎，將娘子下樓，出得門外看時，鄰舍兩邊都閉了門。女使錦兒接著，三個人一處歸家去了。

林沖拿了一把解腕尖刀◆，逕奔到樊樓前，去尋陸虞候，也不見了。卻回來他門前等了一晚，不見回家，林沖自歸。

娘子勸道：「我又不曾被他騙了，你休得胡做。」

林沖道：「叵耐這陸謙畜生！我和你如兄若弟，你也來騙我！只怕不撞見高衙內，也照管著他頭面！」娘子苦勸，哪裡肯放他出門。陸虞候只躲在太尉府內，亦不敢回家。林沖一連等了三日，並不見面。府前人見林沖面色不好，誰敢問他。

第四日飯時候，魯智深逕尋到林沖家相探，問道：「教頭如何連日不見面？」

林沖答道：「小弟少冗，不曾探得師兄。既蒙到我寒家，本當草酌三杯，爭奈一時不能周備。且和師兄一同上街閒玩一遭，市沽兩盞如何？」智深道：「最好。」兩個同上街來，吃了一日酒，又約明日相會。自此每日與智深上街吃酒，把這件事都放慢了。正是：

丈夫心事有親朋，談笑酣歌散鬱蒸。

只有女人愁悶處，深閨無語病難興。

且說高衙內自從那日在陸虞候家樓上吃了那驚，跳牆脫走，不敢對太尉說知，因此在府中臥病，陸虞候和富安兩個來府裡望衙內，見他容顏不好，精神憔悴，陸謙道：「衙內何故如此精神少樂？」衙內道：「實不瞞你們說：我為林沖老婆，兩次不能夠得她，又吃他那一

◈斡——旋轉。這裡指推移。　解腕尖刀——日常應用的小佩刀，尖長背厚，刃薄柄短。

驚，這病越添得重了。眼見得半年三個月性命難保！」

二人道：「衙內且寬心，只在小人兩個身上，好歹要共那婦人完聚，只除她自縊死了便罷。」正說間，府裡老都管◈也來看衙內病證。只見：

不癢不痛，渾身上或寒或熱；沒撩沒亂，滿腹中又飽又飢。
白晝忘餐，黃昏廢寢。
對爺娘怎訴心中恨，見相識難遮臉上羞。

那陸虞候和富安見老都管來問病，兩個商量道：「只除……恁的。」等候老都管看病已了出來，兩個邀老都管僻靜處說道：「若要衙內病好，只除教太尉得知，害了林沖性命，方能夠得他老婆和衙內在一處，這病便得好。若不如此，一定送了衙內性命。」

老都管道：「這個容易，老漢今晚便稟太尉得知。」

兩個道：「我們已有了計，只等你回話。」

老都管至晚來見太尉說道：「衙內不害別的證，卻害林沖的老婆。」

高俅道：「幾時見了他的渾家？」

都管稟道：「便是前月二十八日在嶽廟裡見來，今經一月有餘。」又把陸虞候設的計，備細說了。

高俅道：「如此因為他渾家，怎地害他？我尋思起來，若為惜林沖一個人時，須送了我孩兒性命。卻怎生是好─」

都管道：「陸虞候和富安有計較◆。」

高俅道：「既是如此，教喚二人來商議。」老都管隨即喚陸謙、富安入到堂裡，唱了喏。

高俅問道：「我這小衙內的事，你兩個有甚計較？救得我孩兒好了時，我自抬舉你二人。」

陸虞候向前稟道：「恩相在上，只除……如此如此使得。」

高俅見說了，喝采道：「好計！你兩個明日便與我行。」不在話下。

◆都管─僕役的統領、總管。　計較─原意是斤斤較量，這裡作計議解釋。

再說林沖每日和智深吃酒，把這件事不記心了。那一日，兩個同行到閱武坊巷口，見一條大漢，頭戴一頂抓角兒頭巾，穿一領舊戰袍，手裡拿著一口寶刀，插著個草標兒，立在街上，口裡自言自語說道：「不遇識者，屈沉◈了我這口寶刀。」

林沖也不理會，只顧和智深說著話走。那漢又跟在背後道：「好口寶刀，可惜不遇識者！」林沖只顧和智深走著，說得入港◈。

那漢又在背後說道：「偌大一個東京，沒一個識得軍器的！」

林沖聽得說，回過頭來，那漢颼的把那口刀掣將出來，明晃晃的奪人眼目。林沖合當有事，猛可地◈道：「將來看！」那漢遞將過來，林沖接在手內，同智深看了。但見：

清光奪目，冷氣侵人；遠看如玉沼春冰，近看似瓊臺瑞雪。

花紋密布，如豐城獄內飛來；紫氣橫空，似楚昭夢中收得。

太阿巨闕應難比，莫邪干將亦等閒。

當時林沖看了，吃了一驚，失口道：「好刀！你要賣幾錢？」
那漢道：「索價三千貫，實價二千貫。」
林沖道：「值是值二千貫，只沒個識主。你若一千貫肯時，我買你的。」
那漢道：「我急要些錢使，你若端的◆要時，饒你五百貫，實要一千五百貫。」
林沖道：「只是一千貫，我便買了。」
那漢嘆口氣道：「金子做生鐵賣了！罷，罷！一文也不要少了我的。」
林沖道：「跟我來家中取錢還你。」
回身卻與智深道：「師兄，且在茶房裡少待，小弟便來。」
智深道：「洒家且回去，明日再相見。」
林沖別了智深，自引了賣刀的那漢，到家去取錢與他，就問那漢道：

◆屈沉—此指埋沒。　**入港**—交談投機。　**猛可地**—可，語助詞。猛可地，相當於猛然地。
端的—果真、確實。

「你這口刀哪裡得來？」

那漢道：「小人祖上留下。因為家道消乏，沒奈何，將出來賣了。」

林沖道：「你祖上是誰？」

那漢道：「若說時，辱沒殺人！」林沖再也不問。

那漢得了銀兩自去了。林沖把這口刀翻來覆去看了一回，喝采道：「端的好把刀！高太尉府中有一口寶刀，胡亂不肯教人看。我幾番借看，也不肯將出來。今日我也買了這口好刀，慢慢和他比試。」林沖當晚不落手看了一晚，夜間掛在壁上。未等天明，又去看那刀。

次日巳牌時分，只聽得門首有兩個承局◈叫道：「林教頭，太尉鈞旨，道你買一口好刀，就叫你將去比看，太尉在府裡專等。」

林沖聽得說道：「又是甚麼多口的報知了！」兩個承局催得林沖穿了衣服，拿了那口刀，隨這兩個承局來。

一路上，林沖道：「我在府中不認得你。」

兩個人說道：「小人新近參隨。」
卻早來到府前，進得到廳前。林沖立住了腳，兩個又道：「太尉在裡面後堂內坐地。」轉入屏風至後堂，又不見太尉。
林沖又住了腳，兩個又道：「太尉直在裡面等你，叫引教頭進來。」又過了兩三重門，到一個去處，一周遭都是綠欄杆。兩個又引林沖到堂前，說道：「教頭，你只在此少待，等我入去稟太尉。」
林沖拿著刀，立在簷前，兩個人自入去了，一盞茶時，不見出來。林沖心疑，探頭入簾看時，只見簷前額上有四個青字，寫道「白虎節堂◈」。林沖猛省道：「這節堂是商議軍機大事處，如何敢無故輒入？」急待回身，只聽得靴履響，腳步鳴，一個人從外面入來。林沖看時，不是別人，

◈承局——官府裡的差役。
白虎節堂——白虎堂為古代軍機重地，相當於現代的軍備司令部，任何人不經允許，不得攜帶武器進入。節，古代大將出征時天子所授的軍權象徵。

卻是本管高太尉。林沖見了，執刀向前聲喏。

太尉喝道：「林沖，你又無呼喚，安敢輒入白虎節堂？你知法度否？你手裡拿著刀，莫非來刺殺下官？有人對我說，你兩三日前，拿刀在府前伺候，必有歹心！」

林沖躬身稟道：「恩相，恰才蒙兩個承局呼喚林沖，將刀來比看。」

太尉喝道：「承局在哪裡？」

林沖道：「他兩個已投堂裡去了。」

太尉道：「胡說！甚麼承局，敢進我府堂裡去！左右與我拿下這廝！」說猶未了，旁邊耳房裡走出二十餘人，把林沖橫推倒拽，恰似皂雕◈追紫燕，渾如猛虎啖羊羔。

高太尉大怒道：「你既是禁軍教頭，法度也還不知道。因何手執利刃，故入節堂，欲殺本官？」叫左右把林沖推下，不知性命如何。不因此等，有分教：大鬧中原，縱橫海內。直教：

農夫背上添心號◈，漁父舟中插認旗◈。

畢竟看林沖性命如何？且聽下回分解。

◈**皂鵰**——烏鵰，俗稱小花皂鵰或花鵰。體形比蒼鷹大，全身黑褐色。鵰同「鵰」。

心號——軍士的號衣，胸前背部做上符號字樣，故名心號。

認旗——認軍旗。如書中提及的「風流雙槍將」、「河北玉麒麟」的旗子。

第八回

林教頭刺配滄州道　魯智深大鬧野豬林

話說當時太尉喝叫左右排列軍校，拿下林沖要斬，林沖大叫冤屈。太尉道：「你來節堂有何事務？現今手裡拿著利刃，如何不是來殺下官？」

林沖告道：「太尉不喚，如何敢見？有兩個承局望堂裡去了，故賺林沖到此。」

太尉喝道：「胡說！我府中哪有承局？這廝不服斷遣◆！」

喝叫左右：「解去開封府，吩咐滕府尹好生推問，勘理明白處決。就把這刀封了去！」左右領了鈞旨，監押林沖投開封府來，恰好府尹坐衙未退。但見：

緋羅繳壁◈，紫綬桌圍。當頭額掛朱紅，四下簾垂斑竹。
官僚守正，戒石上刻御製四行；令史謹嚴，漆牌中書低聲二字。
提轄官能掌機密，客帳司專管牌單。吏兵沉重，節級嚴威。
執藤條祗候立階前，持大杖離班分左右。
戶婚詞訟，斷時有似玉衡◈明；鬥毆是非，判處恰如金鏡照。
雖然一郡宰臣官，果是四方民父母。
直使囚從冰上立，盡教人向鏡中行，
說不盡許多威儀，似塑就一堂神道。

高太尉幹人◈把林沖押到府前，跪在階下，將太尉言語對滕府尹說了，將上太尉封的那把刀，放在林沖面前。府尹道：「林沖，你是個禁軍教頭，如何不知法度，手執利刃，故入節堂？這是該死的罪犯！」

◈斷遣—處分、調度差遣。　繳壁—牆帷。　玉衡—北斗七星中的第五星，泛指北斗星。
幹人—府吏、辦事員。

林沖告道：「恩相明鏡◈，念林沖負屈銜冤！小人雖是粗鹵的軍漢，頗識些法度，如何敢擅入節堂？為是前月二十八日，林沖與妻到嶽廟還香願，正迎見高太尉的小衙內，把妻子調戲，被小人喝散了。次後又使陸虞候賺小人吃酒，卻使富安來騙林沖妻子到陸虞候家樓上調戲，亦被小人趕去，是把陸虞候家打了一場。兩次雖不成姦，皆有人證。

「次日，林沖自買這口刀，今日太尉差兩個承局來家呼喚林沖，叫將刀來府裡比看。因此，林沖同二人到節堂下。兩個承局進堂裡去了，不想太尉從外面進來，設計陷害林沖。望恩相做主。」

府尹聽了林沖口詞◈，且叫與了回文◈，一面取刑具枷杻◈來枷了，推入牢裡監下。林沖家裡自來送飯，一面使錢。林沖的丈人張教頭亦來買上告下◈，使用財帛。

正值有個當案孔目◈，姓孫，名定，為人最鯁直◈，十分好善，只要周全人，因此人都喚做孫佛兒。他明知道這件事，轉轉宛宛◈在府上說知就裡◈

，稟道：「此事果是屈了林沖，只可周全他。」

府尹道：「他做下這般罪，高太尉批仰定罪，定要問他『手執利刃，故入節堂，殺害本官』，怎周全得他？」

孫定道：「這南衙開封府，不是朝廷的，是高太尉家的？」

府尹道：「胡說！」

孫定道：「誰不知高太尉當權，倚勢豪強，更兼他府裡無般不做，但有人小小觸犯，便發來開封府，要殺便殺，要剮便剮，卻不是他家官府？」

府尹道：「據你說時，林沖事怎的方便他，施行斷遣？」

孫定道：「看林沖口詞，是個無罪的人，只是沒拿那兩個承局處。如今著他招認做『不合腰懸利刃，誤入節堂』，脊杖二十，刺配遠惡軍州。」

◈**明鏡**—比喻見解清晰。　**口詞**—訴訟關係人受審時，與案情有關的陳述。　**回文**—回覆的公文。

枷杻—刑具。枷音家，套在頸上的。杻音醜，即手銬。　**孔目**—舊時掌管文書檔案的小官。

買上告下—以錢財賄賂官署上下的人，以求開脫。　**鯁直**—正直。鯁音耿。

轉轉宛宛—婉轉、委婉的意思。　**就裡**—內情、原因的意思。

滕府尹也知這件事了，自去高太尉面前再三稟說林沖口詞。高俅情知理短◆，又礙府尹，只得准了。就此日，府尹回來升廳，叫林沖，除了長枷，斷了二十脊杖，喚個文筆匠刺了面頰，量地方遠近，該配滄州牢城。當廳打一面七斤半團頭鐵葉護身枷釘了，貼上封皮，押了一道牒文◆，差兩個防送公人◆監押前去。

兩公人是董超、薛霸。二人領了公文，押送林沖出開封府來，只見眾鄰舍並林沖的丈人張教頭都在府前接著，同林沖兩個公人到州橋下酒店裡坐定。林沖道：「多得孫孔目維持，這棒不毒，因此走動得。」

張教頭叫酒保安排按酒果子，管待兩個公人。酒至數杯，只見張教頭將出銀兩，齎發他兩個防送公人已了。

林沖執手對丈人說道：「泰山◆在上，年災月厄，撞了高衙內，吃了一場屈官司。今日有句話說，上稟泰山：自蒙泰山錯愛，將令嬡◆嫁事小人，已至三載，不曾有半些兒差池。雖不曾生半個兒女，未曾面紅耳赤，半點相爭。今小人遭這場橫事，配去滄州，生死存亡未保。「娘子在家，小人心去不穩，誠恐高衙內威逼這頭親事。況兼青春年少，休為林沖誤了前程。卻是林沖自行主張，非他人逼迫；小人今日就高鄰◈在此，明白立紙休書，任從改嫁，並無爭執。如此林沖去得心穩，免得高衙內陷害。」

張教頭道：「賢婿，甚麼言語！你是天年不齊◈，遭了橫事，又不是你作將出來的。今日權且去滄州躲災避難，早晚天可憐見◈，放你回來時，依舊夫妻完聚。老漢家中也頗有些過活，便取了我女家去，並錦兒，不揀怎的，三年五載，養贍得她；又不叫她出入，高衙內便要見，也不能夠。休要憂心，都在老漢身上。你在滄州牢城，我自頻頻寄書並衣服與你。休得要胡思亂想，只顧放心去。」

◈**理短**—理由不足。 **牒文**—官府文書。 **防送公人**—押送犯人的差役。
泰山—岳父的別稱。 **令嫒**—敬稱他人的女兒。 **高鄰**—敬詞。稱呼鄰居。
天年不齊—命運不好，流年不利。 **天可憐見**—承蒙神明的垂憐和庇佑。

林沖道：「感謝泰山厚意。只是林沖放心不下，枉自兩相耽誤。泰山可憐見林沖，依允小人，便死也瞑目。」張教頭哪裡肯應承。眾鄰舍亦說行不得。林沖道：「若不依允小人之時，林沖便掙扎◆得回來，誓不與娘子相聚。」

張教頭道：「既然恁地時，權且由你寫下，我只不把女兒嫁人便了。」當時叫酒保尋個寫文書的人來，買了一張紙來。那人寫，林沖說道是：

東京八十萬禁軍教頭林沖，為因身犯重罪，斷配滄州，去後存亡不保。有妻張氏年少，情願立此休書，任從改嫁，永無爭執。委是自行情願，即非相逼。

恐後無憑，立此文約為照。

年　月　日

林沖當下看人寫了，借過筆來，去年月下押個花字◆，打個手模◆。正在閣裡寫了，欲付與泰山收時，只見林沖的娘子，號天哭地叫將來。女使錦兒抱著一包衣服，一路尋到酒店裡。

林沖見了，起身接著道：「娘子，小人有句話說，已稟過泰山了。為是林沖年災月厄，遭這場屈事，今去滄州，生死不保，誠恐誤了娘子青春。今已寫下幾字在此，萬望娘子休等小人，有好頭腦◈，自行招嫁，莫為林沖誤了賢妻。」

那娘子聽罷，哭將起來，說道：「丈夫，我不曾有半些兒占玷汙，如何把我休了！」林沖道：「娘子，我是好意，恐怕日後兩下相誤，賺了妳。」張教頭便道：「我兒放心，雖是女婿恁的主張，我終不成下得◈將妳來再嫁人！這事且由他放心去。他便不來時，我也安排妳一世的終身盤費◈，只教妳守志便了。」

那婦人聽得說，心中哽咽，又見了這封書，一時哭倒聲絕在地，未知五臟如何，先見四肢不動，但見：

◈**掙扎**—此指勉強支撐。　**花字**—在文書、契約上所簽的字。
手模—按在憑證上的指紋。即手印。　**頭腦**—指人物。　**下得**—忍心、捨得。

荊山玉損◆，可惜數十年結髮成親；寶鑒花殘，枉費九十日東君匹配。
花容倒臥，有如西苑芍藥倚朱欄；檀口無言，一似南海觀音來入定。
小園昨夜東風惡，吹折江梅就地橫。

林沖與泰山張教頭救得起來，半晌方才甦醒，兀自哭不住。林沖把休書與教頭收了，眾鄰舍亦有婦人來勸林沖娘子，攙扶回去。

張教頭囑咐林沖道：「你顧前程去，掙扎回來廝見。你的老小，我明日便取回去，養在家裡，待你回來完聚。你但放心去，不要掛念，如有便人，千萬頻頻寄些書信來。」林沖起身謝了，拜辭泰山並眾鄰舍，背了包裹，隨著公人去了。張教頭同鄰舍取路回家，不在話下

且說兩個防送公人把林沖帶來使臣◆房裡寄了監，董超、薛霸各自回家收拾行李。只說董超正在家裡拴束包裹，只見巷口酒店裡酒保來說道：「董端公，一位官人在小人店中請說話。」

董超道：「是誰？」酒保道：「小人不認得，只叫請端公便來。」原來宋時的公人，都稱呼「端公」。當時董超便和酒保逕到店中閣兒內看時，見坐著一個人，頭戴頂萬字頭巾，身穿領皂紗背子，下面皂靴淨襪。見了董超，慌忙作揖道：「端公請坐。」董超道：「小人自來不曾拜識尊顏，不知呼喚有何使令？」那人道：「請坐，少間便知。」董超坐在對席，酒保一面鋪下酒盞、菜蔬、果品、按酒都搬來擺了一桌。那人問道：「薛端公在何處住？」董超道：「只在前邊巷內。」那人喚酒保問了底腳◆：「與我去請將來。」酒保去了一盞茶時，只見請得薛霸到閣兒裡。

◆**荊山玉損**──荊山所產的玉石，即和氏璧。楚人和氏得玉璞於荊山，進獻楚王，初不為王所信，致雙足被刖，直到文王時方從玉璞中得到美玉。見《韓非子．和氏》。後比喻資質美好。「荊山玉損」在此喻美玉受到傷害。

盤費──開銷、支用。　**使臣**──宋朝稱專管緝捕罪犯的武官。　**底腳**──住址。

董超道：「這位官人請俺說話。」薛霸道：「不敢動問大人高姓？」

那人又道：「少刻便知，且請飲酒。」三人坐定，一面酒保篩酒。

酒至數杯，那人去袖子裡取出十兩金子，放在桌上，說道：「二位端公各收五兩，有些小事煩及。」

二人道：「小人素不認得尊官，何故與我金子？」

那人道：「二位莫不投滄州去？」

董超道：「小人兩個奉本府差遣，監押林沖直到那裡。」

那人道：「既是如此，相煩二位。我是高太尉府心腹人陸虞候便是。」

董超、薛霸喏喏連聲，說道：「小人何等樣人，敢共對席。」

陸謙道：「你二位也知林沖和太尉是對頭。今奉著太尉鈞旨，教將這十兩金子送與二位。望你兩個領諾。不必遠去，只就前面僻靜去處，把林沖結果了，就彼處討紙回狀回來便了。若開封府但有話說，太尉自行吩咐，並不妨事。」

董超道：「卻怕使不得。開封府公文，只叫解活的去，卻不曾教結果◈了他。亦且本人年紀又不高大，如何做得這緣故？倘有些兜搭◈，恐不方便。」

薛霸道：「老董，你聽我說：高太尉便叫你我死，也只得依他。莫說使這官人又送金子與俺。你不要多說，和你分了罷，落得做人情，日後也有照顧俺處。前頭有的是大松林猛惡去處，不揀怎的，與他結果了罷。」

當下薛霸收了金子，說道：「官人放心，多是五站路，少便兩程，便有分曉。」陸謙大喜道：「還是薛端公真是爽利！明日到地了時，是必◈揭取林沖臉上金印◈回來做表證，陸謙再包辦二位十兩金子相謝。專等好音，切不可相誤。」

原來宋時但是犯人徙流遷徙的，都臉上刺字，怕人恨怪，只喚做打金印。三個人又吃了一會酒，陸虞候算了酒錢，三人出酒肆來，各自分手。

◈**結果**─此指殺了。　**兜搭**─麻煩、牽涉。　**是必**─務必。　**金印**─此指林沖臉上的刺字。

只說董超、薛霸將金子分受入己，送回家中，取了行李包裹，拿了水火棍◆，便來使臣房裡取了林沖，監押上路。當日出得城來，離城三十里多路歇了。宋時途路上客店人家，但是公人監押囚人來歇，不要房錢。當下董、薛二人帶林沖到客店裡，歇了一夜。

第二日天明，起來打火，吃了飲食，投滄州路上來。時遇六月天氣，炎暑正熱，林沖初吃棒時，倒也無事。次後三兩日間，天道◆盛熱，棒瘡卻發，又是個新吃棒的人，路上一步挨一步走不動。

薛霸道：「好不曉事，此去滄州二千里有餘的路，你這般樣走，幾時得到？」林沖道：「小人在太尉府裡折了些便宜◆，前日方才吃棒，棒瘡舉發。這般炎熱，上下◆只得擔待一步。」

董超道：「你自慢慢的走，休聽咭咶◆。」

薛霸一路上喃喃咄咄◆的口裡埋冤叫苦，說道：「卻是老爺們晦氣，撞著你這個魔頭！」看看天色又晚，但見：

火輪低墜，玉鏡將懸。遙觀野炊俱生，近睹柴門半掩。

僧投古寺，雲林時見鴉歸；漁傍陰涯，風樹猶聞蟬噪。急急牛羊來熱坂，勞勞驢馬息蒸途。

當晚三個人投村中客店裡來，到得房內，兩個公人放了棍棒，解下包裹。林沖也把包來解了，不等公人開口，去包裡取些碎銀兩，央店小二買些酒肉，糴些米來◆，安排盤饌，請兩個防送公人坐了吃。董超、薛霸又添酒來，把林沖灌得醉了，和枷倒在一邊。薛霸去燒一鍋百沸滾湯，提將來，傾在腳盆內，叫道：「林教頭，你也洗了腳好睡。」林沖掙得起來，被枷礙了，曲身不得。

薛霸便道：「我替你洗。」林沖忙道：「使不得。」

◆**水火棍**——役吏所用一半紅色、一半黑色的硬木短棍。**天道**——此指天氣。道讀輕聲。

折了些便宜——折，虧損的意思。折了些便宜，是說吃了些虧。

上下——本指天地。古人多用做父母的代用語，宋時用做對「公人」的尊稱。

咭咶——絮叨、嘮叨。**喃喃咄咄**——形容自言自語說個不停。**糴些米來**——買些米糧來。糴音狄。

薛霸道：「出路人哪裡計較得許多！」林沖不知是計，只顧伸下腳來，被薛霸只一按，按在滾湯裡。

林沖叫一聲：「哎也！」急縮得起時，泡得腳面紅腫了。

林沖道：「不消生受！」

薛霸道：「只見罪人伏侍公人，哪曾有公人伏侍罪人。好意叫他洗腳，顛倒嫌冷嫌熱，卻不是好心不得好報！」口裡喃喃的罵了半夜，林沖哪裡敢回話，自去倒在一邊。他兩個潑了這水，自換些水，去外邊洗了腳收拾。

睡到四更，同店人都未起，薛霸起來燒了麵湯，安排打火做飯吃。林沖起來暈了，吃不得，又走不動。薛霸拿了水火棍，催促動身。董超去腰裡解下一雙新草鞋，耳朵並索兒卻是麻編的，叫林沖穿。林沖看時，腳上滿面都是燎漿泡◈，只得尋覓舊草鞋穿，哪裡去討，沒奈何，只得把新草鞋穿上。叫店小二算過酒錢，兩個公人帶了林沖出店，卻是五更天氣。

林沖走不到三二里，腳上泡被新草鞋打破了，鮮血淋漓，正走不動，聲喚不止。薛霸罵道：「走便快走，不走便大棍搠將起來！」

林沖道：「上下方便，小人豈敢怠慢，俄延◈程途，其實是腳疼走不動。」董超道：「我扶著你走便了。」攙著林沖，只得又挨了四五里路。看看正走不動了，早望見前面煙籠霧鎖，一座猛惡林子，但見：

枯蔓層層如雨腳，喬枝鬱鬱似雲頭。

不知天日何年照，惟有冤魂不斷愁。

這座猛惡林子，有名喚做「野豬林」，此是東京去滄州路上第一個險峻去處。宋時這座林子內，但有些冤仇的，使用些錢與公人，帶到這裡，不知結果了多少好漢。今日這兩個公人帶林沖奔入這林子裡來。

董超道：「走了一五更，走不得十里路程，似此，滄州怎的得到！」

薛霸道：「我也走不得了，且就林子裡歇一歇。」三個人奔到裡面，解下

◈**燎漿泡**——皮膚因燙傷或火傷而引起的水泡。 **俄延**——拖延、耽擱。

行李包裹，都搬在樹根頭。

林沖叫聲：「啊也！」靠著一株大樹便倒了。

只見董超薛霸道：「行一步，等一步，倒走得我困倦起來，且睡一睡卻行。」放下水火棍，便倒在樹邊，略略閉得眼，從地下叫將起來。

林沖道：「上下做甚麼？」

董超、薛霸道：「俺兩個正要睡一睡，這裡又無關鎖，只怕你走了，我們放心不下，以此睡不穩。」

林沖答道：「小人是個好漢，官司既已吃了，一世也不走。」

薛霸道：「哪裡信得你說？要我們心穩，須得縛一縛。」

林沖道：「上下要縛便縛，小人敢道怎的？」薛霸腰裡解下索子來，把林沖連手帶腳和枷緊緊的綁在樹上。

同董超兩個跳將起來，轉過身來，拿起水火棍，看著林沖說道：「不是俺要結果你，自是前日來時，有那陸虞候傳著高太尉鈞旨，教我兩個到這裡結果你，立等金印回去回話。便多走得幾日，也是死數。只今日就這裡，倒做成我兩個回去快些。休得要怨我弟兄兩個，只是上司差遣，不由自己。你須精細◆著，明年今日是你周年。我等已限定日期，亦要早回話。」

林沖見說，淚如雨下，便道：「上下，我與你二位往日無仇，近日無冤，你二位如何救得小人，生死不忘！」

董超道：「說甚麼閒語！救你不得！」薛霸便提起水火棍來，望著林沖腦袋上劈將來，可憐豪傑束手就死。正是：

萬里黃泉無旅店，三魂今夜落誰家。

畢竟林沖性命如何？且聽下回分解。

◆精細──此指清楚、明白。

第九回

柴進門招天下客
林沖棒打洪教頭

話說當時薛霸雙手舉起棍來，望林沖腦袋上便劈下來。

說時遲，那時快，薛霸的棍恰舉起來，只見松樹背後雷鳴也似一聲，那條鐵禪杖飛將來，把這水火棍一隔，丟去九霄雲外。

跳出一個胖大和尚來，喝道：「洒家在林子裡聽你多時！」兩個公人看那和尚時，穿一領皂布直裰，跨一口戒刀，提起禪杖，掄起來打兩個公人。林沖方才閃開眼看時，認得是魯智深。

林沖連忙叫道：「師兄不可下手，我有話說。」智深聽得，收住禪杖。兩個公人呆了半晌，動彈不得。

林沖道：「非干他兩個事，盡是◈高太尉使陸虞候吩咐他兩個公人，要害我性命。他兩個怎不依他。你若打殺他兩個，也是冤屈。」

魯智深扯出戒刀，把索子都割斷了，便扶起林沖，叫：「兄弟，俺自從和你買刀那日相別之後，洒家憂得你苦。自從你受官司，俺又無處去救你。打聽得你斷配滄州，洒家在開封府前又尋不見。

「卻聽得人說監◈在使臣房內，又見酒保來請兩個公人，說道：『店裡一位官人尋說話。』以此洒家疑心，放你不下。恐這廝們路上害你，俺特地跟將來。見這兩個撮鳥帶你入店裡去，洒家也在那裡歇。夜間聽得那廝兩個做神做鬼◈，把滾湯賺了你腳。那時俺便要殺這兩個撮鳥，卻被客店裡人多，恐防救了。洒家見這廝們不懷好心，越放你不下。

「你五更裡出門時，洒家先投奔這林子裡來，等殺這廝兩個撮鳥。他倒

◈**盡是**—全是。 **監**—此指拘禁、收押。 **做神做鬼**—裝模作樣。

來這裡害你，正好殺這廝兩個！」

林沖勸道：「既然師兄救了我，你休害他兩個性命。」魯智深喝道：「你這兩個撮鳥！洒家不看兄弟面時，把你這兩個都剁做肉醬！且看兄弟面皮，饒你兩個性命。」就那裡插了戒刀，喝道：「你這兩個撮鳥，快攙兄弟，都跟洒家來！」提了禪杖先走。

兩個公人哪裡敢回話，只叫：「林教頭救俺兩個！」依前背上包裹，提了水火棍，扶著林沖。又替他拿了包裹，一同跟出林子來。行得三四里路程，見一座小小酒店在村口，四個人入來坐下。

看那店時，但見：

前臨驛路，後接溪村。數株桃柳綠陰濃，幾處葵榴紅影亂。門外森森麻麥，窗前猗猗◆荷花。輕輕酒旆舞薰風，短短蘆帘遮酷日。壁邊瓦甕，白泠泠◆滿貯村醪◆；架上磁瓶，香噴噴新開社醞。

白髮田翁親滌器，紅顏村女笑當壚。

當下四人在村酒店中坐下，喚酒保買五七斤肉，打兩角酒來吃，回◈些麵來打餅。酒保一面整治，把酒來篩。兩個公人道：「不敢拜問師父在哪個寺裡住持？」智深笑道：「你兩個撮鳥問俺住處做甚麼？莫不去教高俅做甚麼奈何洒家？別人怕他，俺不怕他。洒家若撞著那廝，教他吃三百禪杖。」兩個公人哪裡敢再開口。吃了些酒肉，收拾了行李，還了酒錢，出離了村店。林沖問道：「師兄，今投哪裡去？」魯智深道：「殺人須見血，救人須救徹。洒家放你不下，直送兄弟到滄州。」兩個公人聽了，暗暗地道：「苦也！卻是壞了我們的勾當，轉去時怎回話！」且只得隨順他，一處行路。有詩為證：

◈**猗猗**—柔美的樣子。猗音依。　**白泠泠**—形容純淨潔白的液體。泠音玲。　**村醪**—村酒。醪，本指酒釀，引申為濁酒。　**回**—買進。

最恨奸謀欺白日，獨持義氣薄黃金。
迢遙不畏千程路，辛苦惟存一片心。

自此途中被魯智深要行便行，要歇便歇，哪裡敢扭◈他？好便罵，不好便打。兩個公人不敢高聲，只怕和尚發作。行了兩程，討了一輛車子，林沖上車將息，三個跟著車子行著。兩個公人懷著鬼胎◈，各自要保性命，只得小心隨順著行。魯智深一路買酒買肉，將息◈林沖，那兩個公人也吃。遇著客店，早歇晚行，都是那兩個公人打火做飯，誰敢不依他？

二人暗商量：「我們被這和尚監押定了，明日回去，高太尉必然奈何俺！」

薛霸道：「我聽得大相國寺菜園廨宇裡新來了個僧人，喚做魯智深，想來必是他。回去實說，俺要在野豬林結果他，被這和尚救了，一路護送到滄州，因此下手不得。捨著還了他十兩金子，著陸謙自去尋這和尚便了。我和你只要躲得身上乾淨。」

董超道：「也說得是。」兩個暗暗商量了不題。

話休絮煩。被智深監押不離，行了十七、八日，近滄州只有七十來里路程。一路去都有人家，再無僻靜處了。魯智深打聽得實了，就松林裡少歇。

智深對林沖道：「兄弟，此去滄州不遠了。前路都有人家，別無僻靜去處，洒家已打聽實了。俺如今和你分手，異日再得相見。」

林沖道：「師兄回去，泰山處可說知。防護之恩，不死當以厚報。」

魯智深又取出一、二十兩銀子與林沖，把三二兩與兩個公人道：「你兩個撮鳥，本是路上砍了你兩個頭，兄弟面上，饒你兩個鳥命。如今沒多路了，休生歹心。」

兩個道：「再怎敢？皆是太尉差遣。」

◈扭—此指違逆、不順從。　**懷著鬼胎**—比喻心中藏有不可告人的詭計、念頭。

將息—此處是照顧的意思。

接了銀子，卻待分手，魯智深看著兩個公人道：「你兩個撮鳥的頭，硬似這松樹麼？」二人答道：「小人頭是父母皮肉，包著些骨頭。」智深掄起禪杖，把松樹只一下，打得樹有二寸深痕，齊齊折了。喝一聲道：「你兩個撮鳥，但有歹心，教你頭也與這樹一般！」

擺著手，拖了禪杖，叫聲：「兄弟保重！」自回去了。董超、薛霸都吐出舌頭來，半晌◆縮不入去。

林沖道：「上下，俺們自去罷。」

兩個公人道：「好個莽和尚，一下打折了一株樹。」

林沖道：「這個值得甚麼？相國寺一株柳樹，連根也拔將出來。」

二人只把頭來搖，方才得知是實。三人當下離了松林，行到晌午，早望見官道上一座酒店。但見：

古道孤村，路傍酒店。

楊柳岸，曉垂錦旆；蓮花蕩，風拂青帘。

劉伶仰臥畫床前，李白醉眠描壁上。
社醞壯農夫之膽，村醪助野叟之容。
神仙玉佩曾留下，卿相金貂◆也當來。

三個人入酒店裡來，林沖讓兩個公人上首坐了。董、薛二人，半日方才得自在。只見那店裡有幾處座頭◆，三五個篩酒的酒保，都手忙腳亂，搬東搬西。林沖與兩個公人坐了半個時辰，酒保並不來問。林沖等得不耐煩，把桌子敲著說道：「你這店主人好欺客，見我是個犯人，便不來睬著，我須不白吃你的，是甚道理？」主人說道：「你這原來不知我的好意。」林沖道：「不賣酒肉與我，有甚好意？」店主人道：「你不知俺這村中有個大財主，姓柴名進，此間稱為柴大官

◆半晌──一會兒。　金貂──古代侍從貴臣的帽飾。　座頭──坐位。

人，江湖上都喚做『小旋風』，他是大周柴世宗子孫。自陳橋讓位，太祖武德皇帝敕賜與他誓書鐵券在家中，誰敢欺負他？專一招接天下往來的好漢，三、五十個養在家中，常常囑咐我們酒店裡：『如有流配來的犯人，可叫他投我莊上來，我自資助他。』我如今賣酒肉與你，吃得面皮紅了，他道你自有盤纏，便不助你。我是好意。」

林沖聽了，對兩個公人道：「我在東京教軍時，常常聽得軍中人傳說柴大官人名字，卻原來在這裡。我們何不同去投奔他？」

董超、薛霸尋思道：「既然如此，有甚虧了我們處？」

就便收拾包裹，和林沖問道：「酒店主人，柴大官人莊在何處？我等正要尋他。」

店主人道：「只在前面，約過三二里路，大石橋邊轉彎抹角，那個大莊院便是。」

林沖等謝了店主人，三個出門，果然三二里，見座大石橋。過得橋來，一條平坦大路，早望見綠柳陰中顯出那座莊院。四下一周遭一條澗河，兩岸邊都是垂楊大樹，樹陰中一遭粉牆。轉彎來到莊前，看時，好個大莊院！但見：

門迎黃道◈，山接青龍◈。萬枝桃綻武陵溪，千樹花開金谷苑。聚賢堂上，四時◈有不謝奇花；百卉廳前，八節◈賽長春佳景。堂懸敕額金牌，家有誓書鐵券。朱甍碧瓦◈，掩映著九級高堂◈；畫棟雕梁，真乃是三微精舍。不是當朝勳戚第，也應前代帝王家。

◈**誓書鐵券**——始於漢代，是天子頒發給功臣、重臣的憑證，類似現代的勳章獎章。

黃道、青龍——舊時以星象來推算吉凶，謂青龍、明堂、金匱、天德、玉堂、司命六個星宿是吉神，六辰值日之時，諸事皆宜，不避凶忌，稱為「黃道吉日」。

四時八節——四時，指春、夏、秋、冬四季。八節，指立春、立夏、立秋、立冬、春分、秋分、夏至、冬至八個節氣。四時八節泛指一年四季各節氣。

朱甍碧瓦——形容屋宇富麗堂皇。甍音蒙，指屋脊。

九級高堂——借指朝廷。語本《漢書．賈誼傳》：「人主之尊譬如堂，羣臣如陛，眾庶如地。故陛九級上，廉遠地，則堂高。」

三個人來到莊上，見那條闊板橋上，坐著四五個莊客，都在那裡乘涼。三個人來到橋邊，與莊客施禮罷，林沖說道：「相煩大哥報與大官人知道：京師有個犯人，送配牢城，姓林的求見。」

莊客齊道：「你沒福，若是大官人在家時，有酒食錢財與你，今早出獵去了。」

林沖道：「不知幾時回來？」

莊客道：「說不定，敢怕投東莊去歇，也不見得。許你不得◈。」

林沖道：「如此是我沒福，不得相遇，我們去罷。」別了眾莊客，和兩個公人再回舊路，肚裡好生愁悶。行了半里多路，只見遠遠的從林子深處，一簇人馬飛奔莊上來，但見：

人人俊麗，個個英雄。數十匹駿馬嘶風，兩三面繡旗弄日。

粉青氈笠，似倒翻荷葉高擎；絳色紅纓，如爛熳蓮花亂插。

飛魚袋◈內，高插著裝金雀畫細輕弓；

獅子壺◈中，整攢著點翠鵰翎端正箭。

牽幾隻趕獐細犬◈，擎數對拿兔蒼鷹。
穿雲俊鶻頓絨絛，脫帽錦雕尋護指。
標槍鋒利，就鞍邊微露寒光；畫鼓團圞，向馬上時聞響震。
鞍邊拴繫，無非天外飛禽；馬上擎抬，盡是山中走獸。
好似晉王臨紫塞◈，渾如漢武到長楊◈。

那簇人馬飛奔莊上來，中間捧著一位官人，騎一匹雪白捲毛馬。馬上那人，生得龍眉鳳目，皓齒朱唇，三牙掩口髭鬚，三十四、五年紀。頭戴一頂皂紗轉角簇花巾，身穿一領紫繡團胸繡花袍，腰繫一條玲瓏嵌寶玉環縧，

◈**許你不得**——這裡是「莊主不在，不好擅自定奪」的意思。
飛魚袋——一種裝弓箭的袋子。
獅子壺——綴有獅子圖像的箭壺。　**細犬**——一種中國古老的狩獵犬種。
晉王臨紫塞——李克用鎮壓黃巢農民起義，功封晉王，踞山西省一帶。據說秦漢築長城所用之土為紫色，所以長城的關卡叫紫塞。
漢武到長楊——長楊即長楊宮，秦時所建，因廣植垂楊，故名。漢武帝常在這裡狩獵。

足穿一雙金線抹綠皂朝靴。帶一張弓，插一壺箭，引領從人，都到莊上來。

林沖看了，尋思道：「敢是柴大官人麼？」又不敢問他，只自肚裡躊躇。只見那馬上年少的官人縱馬前來問道：「這位帶枷的是甚人？」

林沖慌忙躬身答道：「小人是東京禁軍教頭，姓林名沖，為因惡了高太尉，尋事發下開封府，問罪斷遣，刺配此滄州。聞得前面酒店裡說，這裡有個招賢納士好漢柴大官人，因此特來相投。不期緣淺，不得相遇。」

那官人滾鞍下馬，飛近前來，說道：「柴進有失迎迓！」

就草地上便拜。林沖連忙答禮。那官人攜住林沖的手，同行到莊上來。那莊客們看見，大開了莊門，柴進直請到廳前。兩個敘禮罷，柴進說道：「小可久聞教頭大名，不期今日來踏賤地，足稱平生渴仰之願。」

林沖答道：「微賤林沖，聞大人貴名，傳播海宇，誰人不敬？不想今日因得罪犯，流配來此，得識尊顏，宿生萬幸。」柴進再三謙讓，林沖坐了客席；董超、薛霸也一帶坐了。

跟柴進的伴當◈，各自牽了馬，去院後歇息，不在話下。

柴進便喚莊客，叫將酒來。不移時，只見數個莊客托出一盤肉、一盤餅，溫一壺酒；又一個盤子，托出一斗白米，米上放著十貫錢，都一發將出來。柴進見了道：「村夫不知高下，教頭到此，如何恁地輕意◈！快將進去。先把果盒酒來，隨即殺羊相待。快去整治！」

林沖起身謝道：「大官人，不必多賜，只此十分夠了。」

柴進道：「休如此說。難得教頭到此，豈可輕慢。」

莊客不敢違命，先捧出果盒酒來。柴進起身，一面手執三杯。林沖謝了柴進，飲酒罷，兩個公人一同飲了。柴進道：「教頭請裡面少坐。」

柴進隨即解了弓袋箭壺，就請兩個公人一同飲酒。

◈惡—得罪、冒犯。惡音勿。　迎迓—迎接。　小可—自稱的謙詞。
伴當—舊時指跟隨著做伴的僕人或夥伴。後也泛指同伴。
輕意—輕忽怠慢。

柴進當下坐了主席，林沖坐了客席，兩個公人在林沖肩下，敘說些閒話，江湖上的勾當，不覺紅日西沉。安排得酒食果品海味，擺在桌上，抬在各人面前。

柴進親自舉杯，把了三巡，坐下叫道：「且將湯來吃。」吃得一道湯，五七杯酒，只見莊客來報道：「教師來也。」柴進道：「就請來一處坐地相會亦好，快抬一張桌來。」林沖起身看時，只見那個教師入來，歪戴著一頂頭巾，挺著脯子，來到後堂。林沖尋思道：「莊客稱他做教師，必是大官人的師父。」急急躬身唱喏道：「林沖謹參。」那人全不睬著，也不還禮。林沖不敢抬頭。

柴進指著林沖對洪教頭道：「這位便是東京八十萬禁軍教頭林武師林沖的便是，就請相見。」

林沖聽了，看著洪教頭便拜。那洪教頭說道：「休拜，起來。」卻不躬身答禮。

柴進看了，心中好不快意。林沖拜了兩拜，起身讓洪教頭坐。洪教頭亦不相讓，走去上首便坐。柴進看了，又不喜歡。林沖只得肩下坐了，兩個公人亦就坐了。

洪教頭便問道：「大官人今日何故厚禮管待配軍？」

柴進道：「這位非比其他的，乃是八十萬禁軍教頭。師父如何輕慢？」

洪教頭道：「大官人只因好習槍棒，往往流配軍人都來倚草附木◆，皆道我是槍棒教師，來投莊上，誘些酒食錢米。大官人如何忒認真？」林沖聽了，並不做聲。

柴進說道：「凡人不可易相，休小覷他。」

洪教頭怪這柴進說「休小覷他」，便跳起身來道：「我不信他！他敢和我使一棒看，我便道他是真教頭！」

◆脯子——胸部肉。　倚草附木——投靠。指依仗他人的權勢地位。

柴進大笑道：「也好，也好。林武師，你心下如何？」

林沖道：「小人卻是不敢。」

洪教頭心中忖量道：「那人必是不會，心中先怯了。」因此越來惹林沖使棒。柴進一來要看林沖本事，二者要林沖贏他，滅那廝嘴。

柴進道：「且把酒來吃著，待月上來也罷。」

當下又吃過了五七杯酒，卻早月上來了，照見廳堂裡面，如同白日。

柴進起身道：「二位教頭較量一棒。」

林沖自肚裡尋思道：「這洪教頭必是柴大官人師父，不然我一棒打翻了他，須不好看。」

柴進見林沖躊躇，便道：「此位洪教頭也到此不多時，此間又無對手。林武師休得要推辭，小可也正要看二位教頭的本事。」

柴進說這話，原來只怕林沖礙柴進的面皮，不肯使出本事來。林沖見柴進說開就裡，方才放心。

只見洪教頭先起身道：「來，來，來！和你使一棒看！」一齊都哄出堂後空地上。莊客拿一束棍棒來，放在地下。洪教頭先脫了衣裳，拽扎起裙子，掣條棒，使個旗鼓◆，喝道：「來，來，來！」

柴進道：「林武師，請較量一棒。」

林沖道：「大官人，休要笑話。」就地也拿了一條棒起來道：「師父請教。」洪教頭看了，恨不得一口水吞了他。林沖拿著棒，使出山東大擂◆。打將入來。洪教頭把棒就地下鞭了一棒，來搶林沖。兩個教頭就明月地下交手，真個好看。怎見是山東大擂？但見：

山東大擂，河北夾槍◆。

大擂棒是鰍魚穴內噴來，夾槍棒是巨蟒窠中竄出。

◆**使個旗鼓**—使槍棍的架式。　**山東大擂**—一種棒術套路，以劈打掃掠為主。
河北夾槍—七分槍法三分棍法，以拿戳為主。

大擂棒似連根拔怪樹，夾槍棒如遍地捲枯藤。
兩條海內搶珠龍，一對巖前爭食虎。

兩個教頭在月明地上交手，使了四五合棒，只見林沖托地跳出圈子外來，叫一聲：「少歇！」
柴進道：「教頭如何不使本事？」林沖道：「小人輸了。」
柴進道：「未見二位較量，怎便是輸了？」
林沖道：「小人只多這具枷，因此，權當輸了。」
柴進道：「是小可一時失了計較。」
大笑著道：「這個容易。」便叫莊客取十兩銀子，當時將至。
柴進對押解兩個公人道：「小可大膽，相煩二位下顧，權把林教頭枷開了，明日牢城營內但有事務，都在小可身上，白銀十兩相送。」
董超、薛霸見了柴進人物軒昂，不敢違他，落得做人情，又得了十兩銀子，亦不怕他走了。薛霸隨即把林沖護身枷開了。

柴進大喜道：「今番兩位教師再試一棒。」

洪教頭見他卻才棒法怯了，肚裡平欺他，提起棒卻待要使。柴進叫道：「且住！」叫莊客取出一錠銀來，重二十五兩。無一時，至面前。柴進乃言：「二位教頭比試，非比其他，這錠銀子，權為利物◆。若是贏的，便將此銀子去。」柴進心中只要林沖把出本事來，故意將銀子丟在地下。洪教頭深怪林沖來，又要爭這個大銀子，又怕輸了銳氣，把棒來盡心使個旗鼓，吐個門戶◆，喚做「把火燒天勢」。

林沖想道：「柴大官人心裡只要我贏他！」也橫著棒，使個門戶，吐個勢，喚做「撥草尋蛇勢」。

洪教頭喝一聲：「來，來，來！」便使棒蓋將入來。林沖望後一退，洪教頭趕入一步，提起棒，又復一棒下來。林沖看他腳步已亂了，便把棒從地

◆下顧──請人給予照顧的客套話。　利物──彩頭。　門戶──武術上指架式。

下一跳，洪教頭措手不及，就那一跳裡，和身一轉，那棒直掃著洪教頭臁兒骨◆上，撇了棒，撲地倒了。柴進大喜，叫快將酒來把盞。眾人一齊大笑。洪教頭哪裡掙扎起來，眾莊客一頭笑著，扶了洪教頭，羞顏滿面，自投莊外去了。柴進攜住林沖的手，再入後堂飲酒，叫將利物來，送還教師。林沖哪裡肯受，推托不過，只得收了。正是：

欺人意氣總難堪，冷眼旁觀也不甘。
請看受傷並折利，方知驕傲是羞慚。

柴進留林沖在莊上，一連住了幾日，每日好酒好食相待。又住了五七日，兩個公人催促要行。柴進又置席面◆相待送行，又寫兩封書，吩咐林沖道：「滄州大尹◆也與柴進好，牢城管營◆、差撥◆，亦與柴進交厚。可將這兩封書去下，必然看覷◆教頭。」即捧出二十五兩一錠大銀，送與林沖，又將銀五兩齎發兩個公人，吃了一夜酒。次日天明，吃了早飯，叫莊客挑了三個的行李，林沖依舊帶上枷，辭了柴進便行。

柴進送出莊門作別，吩咐道：「待幾日小可自使人送冬衣來與教頭。」林沖謝道：「如何報謝大官人？」兩個公人相謝了。

三人取路投滄州來，將及午牌時候，已到滄州城裡，雖是個小去處，亦有六街三市。逕到州衙裡下了公文，當廳引林沖參見了州官大尹，當下收了林沖，押了回文，一面帖下，判送牢城營內來。兩個公人自領了回文，相辭了，回東京去，不在話下。

只說林沖送到牢城營內來，看那牢城營時，但見：

門高牆壯，地闊池深。天王堂◈畔，兩行細柳綠垂煙；點視廳◈前，一簇喬松青潑黛。

◈**臁兒骨**—脛骨。**席面**—筵席。**大尹**—對府縣行政長官的稱呼。**差撥**—差役。**看覷**—看顧、照料。

管營—古代邊遠地區管理徙流充軍罪犯服役的官吏。**點視廳**—點驗犯人的大廳。

天王堂—相傳唐天寶七年，安西守城將領奏有毗沙門天王現形助守，於是命令各道節鎮，在州府城西北角各立天王像。後來軍營內也設立天王堂。

來往的，盡是咬釘嚼鐵漢；出入的，無非瀝血剖肝人。

滄州牢城營內收管林沖，發在單身房裡，聽候點視。卻有那一般的罪人，都來看覷他，對林沖說道：「此間管營、差撥，十分害人，只是要詐人錢物。若有人情錢物送與他時，便覷的你好；若是無錢，將你撇在土牢裡，求生不生，求死不死。若得了人情，入門便不打你一百殺威棒◆，只說有病，把來寄下；若不得人情時，這一百棒打得七死八活◆。」

林沖道：「眾兄長如此指教，且如要使錢，把多少與他？」

眾人道：「若要使得好時，管營把五兩銀子與他，差撥也得五兩銀子送他，十分好了。」

正說之間，只見差撥過來問道：「哪個是新來配軍？」

林沖見問，向前答應道：「小人便是。」

那差撥不見他把錢出來，變了面皮，指著林沖罵道：「你這個賊配軍，見我如何不下拜？卻來唱喏！你這廝可知在東京做出事來，見我還是大刺刺的。我看這賊配軍，滿臉都是餓紋◆，一世也不發跡！打不死、拷不殺的頑囚！你這把賊骨頭，好歹落在我手裡，教你粉骨碎身！少間叫你便見功效！」把林沖罵得一佛出世◆，哪裡敢抬頭應答。眾人見罵，各自散了。

林沖等他發作過了，去取五兩銀子，陪著笑臉告道：「差撥哥哥，些小薄禮，休言輕微。」

差撥看了道：「你教我送與管營和俺的，都在裡面？」

林沖道：「只是送與差撥哥哥的。另有十兩銀子，就煩差撥哥哥送與管營。」

◆**殺威棒**—舊時犯人收監前，常先施以棒打，使其懾服。
七死八活—形容痛苦狼狽，半死不活的樣子。
餓紋—相術上認為人鼻翼兩旁的法令紋，如延伸入口者，命當餓死，故稱此種紋為「餓紋」。
一佛出世—常與「二佛涅槃」或「二佛生天」連用。指死去活來。

差撥見了，看著林沖笑道：「林教頭，我也聞你的好名字，端的是個好男子！想是高太尉陷害你了。雖然目下暫時受苦，久後必然發跡。據你的大名，這表人物，必不是等閒之人，久後必做大官。」

林沖笑道：「皆賴差撥照顧。」

差撥道：「你只管放心。」又取出柴大官人的書禮，說道：「相煩老哥將這兩封書下一下。」

差撥道：「既有柴大官人的書，煩惱做甚？這一封書值一錠金子。我一面與你下書，少間管營來點你，要打一百殺威棒時，你便只說你一路患病，未曾痊可。我自來與你支吾◆，要瞞生人的眼目。」

林沖道：「多謝指教。」差撥拿了銀子並書，離了單身房，自去了。

林沖嘆口氣道：「『有錢可以通神』，此語不差。端的有這般的苦處。」

原來差撥落◆了五兩銀子，只將五兩銀子並書來見管營，備說林沖是個好漢，柴大官人有書相薦，在此呈上。已是高太尉陷害，配他到此，又無十分大事。

管營道：「況是柴大官人有書，必須要看顧他。」便教喚林沖來見。

且說林沖正在單身房裡悶坐，只見牌頭叫道：「管營在廳上叫喚新到罪人林沖來點名。」林沖聽得叫喚，來到廳前。

管營道：「你是新到犯人，太祖武德皇帝留下舊制，新入配軍，須吃一百殺威棒。左右，與我馱起來！」

林沖告道：「小人於路感冒風寒，未曾痊可，告寄打。」

牌頭道：「這人現今有病，乞賜憐恕。」

管營道：「果是這人症候在身，權且寄下，待病痊可卻打。」

差撥道：「現今天王堂看守的，多時滿了，可教林沖去替換他。」就廳上押了帖文，差撥領了林沖，單身房裡取了行李，來天王堂交替。

◈支吾——應付、對付。　落——留下。

差撥道：「林教頭，我十分周全你。教看天王堂時，這是營中第一樣省氣力的勾當，早晚只燒香掃地便了。你看別的囚徒，從早起直做到晚，尚不饒他；還有一等無人情的，撥他在土牢裡，求生不生，求死不死。」

林沖道：「謝得照顧。」

又取三二兩銀子與差撥道：「煩望哥哥一發周全，開了項上枷更好。」差撥接了銀子，便道：「都在我身上。」連忙去稟了管營，就將枷也開了。

林沖自此在天王堂內，安排宿食處。每日只是燒香掃地，不覺光陰早過了四、五十日。那管營、差撥得了賄賂，日久情熟，由他自在，亦不來拘管他。柴大官人又使人來送冬衣並人事與他。那滿營內囚徒，亦得林沖救濟。

話不絮煩。時遇冬深將近，忽一日，林沖巳牌時分，偶出營前閒走。正行之間，只聽得背後有人叫道：「林教頭，如何卻在這裡？」

林沖回頭過來看時，見了那人。有分教：

林沖火煙堆裡，爭些斷送餘生；
風雪途中，幾被傷殘性命。
畢竟林沖見了的是甚人？且聽下回分解。

第一〇回

林教頭風雪山神廟　陸虞候火燒草料場

話說當日林沖正閒走間，忽然背後人叫，回頭看時，卻認得是酒生兒◆李小二。

當初在東京時，多得林沖看顧；後來不合偷了店主人家財，被捉住了，要送官司問罪，又得林沖主張陪話，救了他免送官司，又與他陪了些錢財，方得脫免。京中安不得身，又虧林沖齎發他盤纏，於路投奔人，不意今日卻在這裡撞見。

林沖道：「小二哥◆，你如何也在這裡？」

李小二便拜道：「自從得恩人救濟，齎發小人，一地裡◆投奔人不著。迤邐不想來到滄州，投托一個酒店主人，姓王，留小人在店中做過賣◈。因見小人勤謹，安排的好菜蔬，調和的好汁水◈，來吃的人都喝采，以此買賣順當。主人家有個女兒，就招了小人做女婿。如今丈人、丈母都死了，只剩得小人夫妻兩個，權在營前開了個茶酒店。因討錢過來，遇見恩人。恩人不知為何事在這裡？」

林沖指著臉上道：「我因惡了高太尉，生事陷害，受了一場官司，刺配到這裡。如今叫我管天王堂，未知久後如何。不想今日在此見你。」

李小二就請林沖到家裡坐定，叫妻子出來拜了恩人。

兩口兒歡喜道：「我夫妻二人正沒個親眷，今日得恩人到來，便是從天降下。」

林沖道：「我是罪囚，恐怕玷辱你夫妻兩個。」

◈酒生兒──舊時指賣酒的人或酒店的侍者。
小二哥──店鋪中打雜的僕役。　一地裡──到處。
過賣──堂倌，酒食店裡照料座兒的夥計。　汁水──汁液，湯水。

李小二道：「誰不知恩人大名！休恁地說。但有衣服，便拿來家裡漿洗縫補。」當時款待林沖酒食，至夜送回天王堂，次日又來相請。因此林沖得店小二家來往，不時間送湯送水來營裡，與林沖吃。林沖因見他兩口兒恭敬孝順，常把些銀兩與他做本錢。

且把閒話休題，只說正話。迅速光陰，卻早冬來。林沖的綿衣裙襖，都是李小二渾家整治縫補。忽一日，李小二正在門前安排菜蔬下飯，只見一個人閃將進來，酒店裡坐下，隨後又一人閃入來。看時，前面那個人是軍官打扮，後面這個走卒模樣，跟著也來坐下。

李小二入來問道：「可要吃酒？」只見那個人將出一兩銀子與李小二道：「且收放櫃上，取三四瓶好酒來。客到時，果品酒饌只顧將來，不必要問。」

李小二道：「官人請甚客？」

那人道：「煩你與我去營裡請管營、差撥兩個來說話。問時，你只說有個官人請說話，商議些事務。專等，專等。」

李小二應承了，來到牢城裡，先請了差撥；同到管營家中請了管營，都到酒店裡。只見那個官人和管營、差撥兩個講了禮。管營道：「素不相識，動問◆官人高姓大名？」那人道：「有書在此，少刻便知。且取酒來。」

李小二連忙開了酒，一面鋪下菜蔬、果品、酒饌，那人叫討副勸盤◆來，把了盞，相讓坐了。小二獨自一個攛梭◆也似伏侍不暇。那跟來的人討了湯桶◆，自行盪酒，約計吃過十數杯，再討了按酒，鋪放桌上。

只見那人說道：「我自有伴當盪酒，不叫你休來。我等自要說話。」

◆**動問**—請問。 **勸盤**—勸酒時用來放酒杯的盤子。 **攛梭**—不停的穿梭。攛音汆。

湯桶—宋人飲酒，尤其在冬季，多要溫熱後才飲。將酒倒入專門溫酒用的鏇子當中，再置入盛有滾湯開水的湯桶裡，由於鏇子是肚大兩頭小，加上酒精密度小於水，故而在湯桶裡不會傾斜翻倒，不需多久，冷酒就被盪熱了。

李小二應了，自來門首叫老婆道：「大姐，這兩個人來得不尷尬◆。」

老婆道：「怎麼的不尷尬？」

小二道：「這兩個人語言聲音是東京人。初時又不認得管營，向後我將按酒入去，只聽得差撥口裡吶出一句『高太尉』三個字來。這人莫不與林教頭身上有些干礙？我自在門前理會，妳且去閣子背後聽說甚麼。」

老婆道：「你去營中尋林教頭來認他一認。」

李小二道：「妳不省得。林教頭是個性急的人，摸不著便要殺人放火。倘或叫得他來看了，正是前日說的甚麼陸虞候，他肯便罷，做出事來，須連累了我和妳。妳只去聽一聽，再理會。」

老婆道：「說得是。」

便入去聽了一個時辰，出來說道：「他那三四個交頭接耳說話，正不聽得說甚麼。只見那一個軍官模樣的人，去伴當懷裡取出一帕子物事，遞與管營和差撥，帕子裡面的，莫不是金銀。只見差撥口裡說道：『都在我身上，好歹要結果他性命。』」

正說之時，閣子裡叫：「將湯來。」李小二急去裡面換湯時，看見管營手裡拿著一封書。小二換了湯，添些下飯，又吃了半個時辰，算還了酒錢，管營、差撥先去了。次後那兩個低著頭也去了。

轉背不多時，只見林沖走將入店裡來，說道：「小二哥，連日好買賣。」李小二慌忙道：「恩人請坐，小二卻待正要尋恩人，有些要緊話說。」正是：

謀人動念震天門，悄語低言號六軍。
豈獨隔牆原有耳，滿前神鬼盡知聞。

當下林沖問道：「甚麼要緊的事？」

◈不尷尬—尷尬本為吳方言詞彙，通常是說人遇到的一種處境，讓人感覺很難為情。此指神色、態度不自然。

李小二請林沖到裡面坐下，說道：「卻才有個東京來的尷尬人，在我這裡請管營、差撥吃了半日酒。差撥口裡吶出『高太尉』三個字來，小人心下疑惑。又著渾家聽了一個時辰，他卻交頭接耳，說話都不聽得。臨了只見差撥口裡應道：『都在我兩個身上，好歹要結果了他。』那兩個把一包金銀遞與管營、差撥。又吃一回酒，各自散了。不知甚麼樣人，小人心疑，只怕在恩人身上有些妨礙。」

林沖道：「那人生得什麼模樣？」李小二道：「五短身材，白淨面皮，沒甚髭鬚，約有三十餘歲。那跟的也不長大，紫棠色面皮。」

林沖聽了大驚道：「這三十歲的正是陸虞候。那潑賤賊，敢來這裡害我！休要撞著我，只教他骨肉為泥！」

李小二道：「只要提防他便了。豈不聞古人言：『吃飯防噎，走路防跌。』」

林沖大怒，離了李小二家。先去街上買把解腕尖刀，帶在身上。前街後巷，一地裡去尋。李小二夫妻兩個捏著兩把汗。當晚無事。次日天明起來，洗漱罷，帶了刀，又去滄州城裡城外，小街夾巷，團團尋了一日。牢城營裡，都沒動靜。

林沖又來對李小二道：「今日又無事。」

小二道：「恩人，只願如此。只是自放仔細便了。」林沖自回天王堂，過了一夜，街上尋了三五日，不見消耗◆，林沖也自心下慢了。

到第六日，只見管營叫喚林沖到點視廳上，說道：「你來這裡許多時，柴大官人面皮，不曾抬舉◆得你，此間東門外十五里有座大軍草場，每月但是納草納料的，有些常例錢◆取覓。原尋一個老軍看管，如今我抬舉你去替那老軍來守天王堂，你在那裡尋幾貫盤纏。你可和差撥便去那裡交割。」

◆**吃飯防噎，走路防跌**—形容處事小心謹慎。 **消耗**—音信。
抬舉—獎勵、提拔。 **常例錢**—按慣例收取的小費。

林沖應道：「小人便去。」當時離了營中，逕到李小二家，對他夫妻兩個說道：「今日管營撥我去大軍草料場管事，卻如何？」

李小二道：「這個差使，又好似天王堂。那裡收草料時，有些常例錢鈔。往常不使錢時，不能夠這差使。」

林沖道：「卻不害我，倒與我好差使，正不知何意？」

李小二道：「恩人，休要疑心，只要沒事便好了。只是小人家離得遠了，過幾時挪工夫來望恩人。」就在家裡安排幾杯酒，請林沖吃了。

話不絮煩，兩個相別了。

林沖自到天王堂取了包裹，帶了尖刀，拿了條花槍，與差撥一同辭了管營，兩個取路投草料場來。正是嚴冬天氣，彤雲密布，朔風漸起，卻早紛紛揚揚捲下一天大雪來。那雪早下得密了，但見：

凜凜嚴凝霧氣昏，空中祥瑞降紛紛。

須臾四野難分路，頃刻千山不見痕。
銀世界，玉乾坤，望中隱隱接崑崙。
若還下到三更後，彷彿填平玉帝門。

林沖和差撥兩個在路上，又沒買酒吃處，早來到草料場外。看時，一周遭有些黃土牆，兩扇大門。推開看裡面時，七八間草屋做著倉廒◆，四下裡都是馬草堆，中間兩座草廳。到那廳裡，只見那老軍在裡面向火◆。差撥說道：「管營差這個林沖來替你回天王堂看守，你可即便交割。」老軍拿了鑰匙，引著林沖吩咐道：「倉廒內自有官司封記。這幾堆草，一堆堆都有數目。」老軍都點見了堆數，又引林沖到草廳上，老軍收拾行李，臨了說道：「火盆、鍋子、碗碟都借與你。」

◆倉廒——指儲藏糧食的處所。　向火——近火取暖。

林沖道：「天王堂內，我也有在那裡。你要，便拿了去。」老軍指壁上掛一個大葫蘆，說道：「你若買酒吃時，只出草場，投東大路去二三里，便有市井。」老軍自和差撥回營裡來。

只說林沖就床上放了包裹被臥，就坐下生些焰火起來。屋邊有一堆柴炭，拿幾塊來生在地爐裡。仰面看那草屋時，四下裡崩壞了，又被朔風吹撼，搖振得動。

林沖道：「這屋如何過得一冬？待雪晴了，去城中喚個泥水匠來修理。」向了一回火，覺得身上寒冷，尋思：「卻才老軍所說二里路外有那市井，何不去沽些酒來吃？」便去包裹裡取些碎銀子，把花槍挑了酒葫蘆，將火炭蓋了，取氈笠子戴上，拿了鑰匙出來，把草廳門拽上。出到大門首，把兩扇草場門反拽上鎖了，帶了鑰匙，信步投東。

雪地裡踏著碎瓊亂玉，迤邐背著北風而行。那雪正下得緊，行不上半里多路，看見一所古廟，林沖頂禮道：「神明庇佑，改日來燒紙錢。」又行了一回，望見一簇人家，林沖住腳看時，見籬笆中挑著一個草帚兒在露天裡。林沖逕到店裡，主人問道：「客人哪裡來？」

林沖道：「你認得這個葫蘆麼？」

主人看了道：「這葫蘆是草料場老軍的。」

林沖道：「原來如此。」

店主道：「既是草料場看守大哥，且請少坐。天氣寒冷，且酌三杯，權當接風。」店家切一盤熟牛肉，燙一壺熱酒，請林沖吃。

又自買了些牛肉，又吃了數杯。就又買了一葫蘆酒，包了那兩塊牛肉，留下些碎銀子。把花槍挑著酒葫蘆，懷內揣了牛肉，叫聲相擾，便出籬笆門，仍舊迎著朔風回來。看那雪，到晚越下得緊了。古時有個書生，做了一個詞，單題那貧苦的恨雪：

廣莫嚴風◈刮地，這雪兒下得正好。

◈**廣莫風**——廣莫風，是中國古代八風之一，亦即北風。

扯絮撏綿◆，裁幾片大如栲栳◆。
見林間竹屋茅茨，爭些兒被它壓倒。
富室豪家，卻言道壓瘴猶嫌少。
向的是獸炭紅爐，穿的是綿衣絮襖。
手拈梅花，唱道國家祥瑞，不念貧民些小。
高臥有幽人，吟詠多詩草。

再說林沖踏著那瑞雪，迎著北風，飛也似奔到草場門口開了鎖，入內看時，只叫得苦。原來天理昭然，佑護善人義士。因這場大雪，救了林沖的性命。那兩間草廳，已被雪壓倒了。

林沖尋思：「怎地好？」放下花槍、葫蘆在雪裡。恐怕火盆內有火炭延燒起來，搬開破壁子，探半身入去摸時，火盆內火種都被雪水浸滅了。

林沖把手床上摸時，只拽得一條絮被。林沖鑽將出來，見天色黑了，尋思：「又沒把火處，怎生安排？」想起：「離了這半里路上，有一古廟，可以安身。我且去那裡宿一夜，等到天明，卻作理會。」把被捲了，花槍挑著酒葫蘆，依舊把門拽上，鎖了，望那廟裡來。

入得廟門，再把門掩上，旁邊正有一塊大石頭，掇將過來，靠了門。入得裡面看時，殿上塑著一尊金甲山神，兩邊一個判官，一個小鬼，側邊堆著一堆紙。團團看來，又沒鄰舍，又無廟主。

林沖把槍和酒葫蘆放在紙堆上，將那條絮被放開；先取下氈笠子，把身上雪都抖了，把上蓋白布衫脫將下來，早有五分濕了，和氈笠放在供桌上；把被扯來蓋了半截下身。卻把葫蘆冷酒提來慢慢地吃，就將懷中牛肉下酒。

正吃時，只聽得外面必必剝剝地爆響。林沖跳起身來，就壁縫裡看時，

◆扯絮撏棉——形容雪花紛飛的樣子。撏音尋。
栲栳——由柳條編成的容器，形狀像斗，也叫笆斗。栲栳因考老。

只見草料場裡火起，刮刮雜雜的燒著。但見：

雪欺火勢，草助火威。偏愁草上有風，更訝雪中送炭。

赤龍鬥躍，如何玉甲◈紛紛；粉蝶爭飛，遮莫火蓮焰焰。

初疑炎帝縱神駒，此方芻牧；又猜南方逐朱雀，遍處營巢。

誰知是白地裡起災殃，也須信暗室中開電目。

看這火，能教烈士無明髮；對這雪，應使奸邪心膽寒。

當時林沖便拿了花槍，卻待開門來救火，只聽得外面有人說將話來。林沖就伏門邊聽時，是三個人腳步響，直奔廟裡來。用手推門，卻被石頭靠住了，推也推不開。三人在廟簷下立地看火。

數內一個道：「這條計好麼？」

一個應道：「端的虧管營、差撥兩位用心！回到京師，稟過太尉，都保你二位做大官。這番張教頭沒得推故◈了！」

那人道：「林沖今番直吃我們對付了，高衙內這病必然好了。」

又一個道：「張教頭那廝，三回五次托人情去說：『你的女婿沒了。』張教頭越不肯應承。因此衙內病患看看重了。太尉特使俺兩個央浼二位幹這件事，不想而今完備了。」

又一個道：「小人直爬入牆裡去，四下草堆上，點了十來個火把，待走哪裡去？」那一個道：「這早晚燒個八分過了。」

又聽得一個道：「便逃得性命時，燒了大軍草料場，也得個死罪。」

又一個道：「我們回城裡去罷。」

一個道：「再看一看，拾得他一兩塊骨頭回京，府裡見太尉和衙內時，也道我們也能會幹事。」

林沖聽那三個人時，一個是差撥，一個是陸虞候，一個是富安。自思道：「天可憐見林沖，若不是倒了草廳，我準定被這廝們燒死了。」

◆玉甲──鱗甲的美稱。 推故──藉故推託。

輕輕把石頭掇開，挺著花槍，左手拽開廟門，大喝一聲：「潑賊哪裡去？」三個人都急要走時，驚得呆了，正走不動。林沖舉手，肐察的一槍，先搠倒差撥。

陸虞候叫聲：「饒命！」嚇得慌了手腳，走不動。

那富安走不到十來步，被林沖趕上，後心只一槍，又搠倒了。翻身回來，陸虞候卻才行得三四步，林沖喝聲道：「好賊，你待哪裡去！」劈胸只一提，丟翻在雪地上。

把槍搠在地裡，用腳踏住胸膊，身邊取出那口刀來，便去陸謙臉上擱著，喝道：「潑賊！我自來又和你無甚麼冤仇，你如何這等害我？正是殺人可恕，情理難容！」

陸虞候告道：「不干小人事，太尉差遣，不敢不來！」

林沖罵道：「奸賊，我與你自幼相交，今日倒來害我，怎不干你事？且吃我一刀！」把陸謙上身衣服扯開，把尖刀向心窩裡只一剜◆，七竅迸出血來，將心肝提在手裡。

回頭看時，差撥正爬將起來要走。林沖按住喝道：「你這廝原來也恁的歹！且吃我一刀！」又早把頭割下來，挑在槍上。回來把富安、陸謙頭都割下來，把尖刀插了，將三個人頭髮結做一處，提入廟裡來，都擺在山神面前供桌上。再穿了白布衫，繫了搭膊，把氈笠子帶上，將葫蘆裡冷酒都吃盡了。被與葫蘆都丟了不要，提了槍，便出廟門投東去。走不到三五里，早見近村人家都拿著水桶、鈎子來救火。林沖道：「你們快去救應，我去報官了來。」提著槍只顧走，有詩為證：

天理昭昭不可誣，莫將奸惡作良圖。
若非風雪沽村酒，定被焚燒化朽枯。

◆剜——用刀挖取。

自謂冥中施計毒，誰知暗裡有神扶。

最憐萬死逃生地，真是魁奇偉丈夫。

那雪越下得猛，林沖投東走了兩個更次，身上單寒，當不過那冷。在雪地裡看時，離得草料場遠了。只見前面疏林深處，樹木交雜，遠遠地數間草屋，被雪壓著，破壁縫裡透出火光來。林沖逕投那草屋來。推開門，只見那中間坐著一個老莊客，周圍坐著四、五個小莊家向火。地爐裡面焰焰地燒著柴火。

林沖走到面前叫道：「眾位拜揖，小人是牢城營差使人，被雪打濕了衣裳，借此火烘一烘，望乞方便。」

莊客道：「你自烘便了，何妨礙！」林沖烘著身上濕衣服，略有些乾，只見火炭邊煨著一個甕兒，裡面透出酒香。

林沖便道：「小人身邊有些碎銀子，望煩回些酒吃。」

老莊客道：「我們每夜輪流看米囤◆，如今四更天氣正冷，我們這幾個吃尚且不夠，哪得回與你。休要指望！」

林沖又道：「胡亂只回三兩碗與小人擋寒。」

老莊客道：「你那人休纏，休纏！」

林沖聞得酒香，越要吃，說道：「沒奈何，回些罷。」

眾莊客道：「好意著你烘衣裳向火，便來要酒吃！去便去，不去時，將來吊在這裡！」

林沖怒道：「這廝們好無道理！」把手中槍看著塊焰焰著的火柴頭，望老莊家臉上只一挑將起來，又把槍去火爐裡只一攪，那老莊家的髭鬚焰焰的燒著，眾莊客都跳將起來。林沖把槍桿亂打，老莊家先走了；莊家們都動彈不得，被林沖趕打一頓，都走了。

林沖道：「都去了，老爺快活吃酒！」土炕上卻有兩個椰瓢，取一個下來，傾那甕酒來，吃了一會，剩了一半。提了槍，出門便走。一步高一步

◆米囤──米簍子。

低，踉踉蹌蹌，捉腳不住。

走不過一里路，被朔風一掉，隨著那山澗邊倒了，哪裡掙得起來。大凡醉人一倒，便起不得。當時林沖醉倒在雪地上。

卻說眾莊客引了二十餘人，拖槍拽棒，都奔草屋下看時，不見了林沖。卻尋著蹤跡趕將來，只見倒在雪地裡，花槍丟在一邊。眾莊客一齊上，就地拿起林沖來，將一條索縛了。趁五更時分，把林沖解投一個去處來。那去處不是別處，有分教：蓼兒洼內，前後擺數千隻戰艦艨艟；水滸寨中，左右列百十個英雄好漢。正是：

說時殺氣侵人冷，講處悲風透骨寒。

畢竟看林沖被莊客解投甚處來？且聽下回分解。

第一一回

朱貴水亭施號箭
林沖雪夜上梁山

話說「豹子頭」林沖當夜醉倒在雪裡地上，掙扎不起，被眾莊客向前綁縛了，解送來一個莊院。

只見一個莊客從院裡出來，說道：「大官人未起，眾人且把這廝高吊起在門樓◆下！」看天色曉來，林沖酒醒，打一看時，果然好個大莊院。

林沖大叫道：「甚麼人敢吊我在這裡？」

那莊客聽得叫，手拿柴棍，從門裡走出來，喝道：「你這廝還自好口◆！」

那個被燒了髭鬚的老莊客說道：「休要問他，只顧打！等大官人起來，好生推問！」眾莊客一齊上，林沖被打，掙扎不得，只叫道：「不妨事，我有分辯處！」

只見一個莊客來叫道：「大官人來了。」林沖看時，只見個官人，背叉著手，行將出來，至廊下，問道：「你等眾打甚麼人？」

眾莊客答道：「昨夜捉得個偷米賊人。」

那官人向前來看時，認得是林沖，慌忙喝退莊客，親自解下，問道：「教頭緣何被吊在這裡？」眾莊客看見，一齊走了。

林沖看時，不是別人，卻是「小旋風」柴進，連忙叫道：「大官人救我！」

柴進道：「教頭為何到此，被村夫恥辱？」

林沖道：「一言難盡！」兩個且到裡面坐下，把這火燒草料場一事，備細告訴。

柴進聽罷道：「兄長如此命蹇◆！今日天假其便，但請放心。這裡是小弟

◆**門樓**—門上似樓牌的頂。 **好口**—在此是好勇鬥狠的意思。 **命蹇**—命運不好，時機不佳。

的東莊，且住幾時，卻再商量。」叫莊客取一籠◆衣裳出來，叫林沖徹裡至外都換了。請去暖閣坐地，安排酒食杯盤款待。自此林沖只在柴進東莊上住了五七日，不在話下。

卻說滄州牢城營裡管營首告：林沖殺死差撥、陸虞候、富安等三人，放火延燒大軍草料場。州尹大驚，隨即押了公文帖，仰緝捕人員將帶做公的，沿鄉歷邑，道店村坊，四處張掛，出三千貫信賞錢，捉拿正犯林沖。看看挨捕甚緊，各處村坊講動了。

且說林沖在柴大官人東莊上，聽得個信息緊急，俟候柴進回莊，林沖便說道：「非是大官人不留小人，只因官司追捕甚緊，排家◆搜捉，倘或尋到大官人莊上，猶恐負累大官人不好。既蒙大官人仗義疏財，求借林沖些小盤纏，投奔他處棲身，異日不死，當效犬馬之報。」

柴進道：「既是兄長要行，小人有個去處，作書一封與兄長前去。」正是：

豪傑蹉跎運未通，行藏隨處被牢籠。
不因柴進修書薦，焉得馳名水滸中。

林沖道：「若得大官人如此周濟，教小人安身立命。只不知投何處去？」柴進道：「是山東濟州管下一個水鄉，地名梁山泊，方圓八百餘里，中間是宛子城、蓼兒洼。如今有三個好漢在那裡紮寨。為頭的喚做『白衣秀士』王倫，第二個喚做『摸著天』杜遷，第三個喚做『雲裡金剛』宋萬。「那三個好漢，聚集著七八百小嘍囉，打家劫舍。多有做下彌天大罪的人，都投奔那裡躲災避難，他都收留在彼。三位好漢，亦與我交厚，常寄書緘來。我今修一封書與兄長，去投那裡入夥，如何？」

林沖道：「若得如此顧盼，最好！」

◆**籠**──箱籠，盛衣服的器具。　**排家**──挨家挨戶。

柴進道：「只是滄州道口現今官司張掛榜文，又差兩個軍官在那裡搜檢，把住道口，兄長必用從那裡經過……」

柴進低頭一想道：「再有個計策，送兄長過去。」

林沖道：「若蒙周全，死而不忘。」

柴進當日先叫莊客背了包裹出關去等。柴進卻備了三、二十匹馬，帶了弓箭旗槍，駕了鷹鵰，牽著獵狗，一行人馬都打扮了，卻把林沖雜在裡面，一齊上馬，都投關外。卻說把關軍官坐在關上，看見是柴大官人，卻都認得。原來這軍官未襲職時，曾到柴進莊上，因此識熟。

軍官起身道：「大官人又去快活！」

柴進下馬問道：「二位官人緣何在此！」

軍官道：「滄州太尹行移文書，畫影圖形，捉拿犯人林沖，特差某等在此守把。但有過往客商，一一盤問，才放出關。」

柴進笑道：「我這一夥人內中間夾帶著林沖，你緣何不認得？」

軍官也笑道：「大官人是識法度的，不到得◆肯夾帶了出去。請尊便上馬。」

柴進又笑道：「只恁地相托得過，拿得野味回來相送。」作別了，一齊上馬出關去了。行得十四、五里，卻見先去的莊客在那裡等候。柴進叫林沖下了馬，脫去打獵的衣服，卻穿上莊客帶來的自己衣裳，繫了腰刀，戴上紅纓氈笠，背上包裹，提了袞刀◆，相辭柴進，拜別了便行。只說那柴進一行人上馬，自去打獵，到晚方回，依舊過關送些野味與軍官，回莊上去了，不在話下。

且說林沖與柴大官人別後，上路行了十數日，時遇暮冬天氣，彤雲密布，朔風緊起，又見紛紛揚揚，下著滿天大雪。行不到二十餘里，只見滿地如銀。昔金完顏亮有篇詞，名《百字令》，單題著大雪，壯那胸中殺氣：

◆不到得——不會、不至於。　**袞刀**——狹長而有長柄的大刀。

天丁◈震怒，掀翻銀海，散亂珠箔。
六出奇花飛滾滾，平填了山中丘壑。
皓虎癲狂，素麟猖獗，掣斷珍珠索。
玉龍酣戰，鱗甲滿天飄落。
誰念萬里關山，征夫僵立，縞帶霑旗腳。
色映戈矛，光搖劍戟，殺氣橫戎幕。
貔虎豪雄，偏裨英勇，共與談兵略。
須拚一醉，看取碧空寥廓。

話說林沖踏著雪只顧走，看看天色冷得緊切，漸漸晚了。遠遠望見枕溪靠湖一個酒店，被雪漫漫地壓著。但見：

銀迷草舍，玉映茅簷。數十株老樹杈枒，三五處小窗關閉。
疏荊籬落，渾如膩粉輕鋪；黃土繞牆，卻似鉛華布就。
千團柳絮飄簾幕，萬片鵝毛舞酒旗。

林沖看見，奔入那酒店裡來，揭開蘆簾，拂身入去，倒側身看時，都是座頭。揀一處坐下，倚了衮刀，解放包裹，抬了氈笠，把腰刀也掛了。只見一個酒保來問道：「客官打多少酒？」

林沖道：「先取兩角酒來。」酒保將個桶兒打兩角酒，將來放在桌上。

林沖又問道：「有甚麼下酒？」

酒保道：「有生熟牛肉、肥鵝、嫩雞。」

林沖道：「先切二斤熟牛肉來。」酒保去不多時，將來鋪下一大盤牛肉，數盤菜蔬，放個大碗，一面篩酒。林沖吃了三四碗酒，只見店裡一個人背叉著手，走出來門前看雪。

那人問酒保道：「甚麼人吃酒？」林沖看那人時，頭戴深簷暖帽，身穿貂鼠皮襖，腳著一雙獐皮窄靿靴，身材長大，相貌魁宏，雙拳骨臉，三叉黃鬚，只把頭來仰著看雪。

◆天丁——天神，天兵。

林沖叫酒保只顧篩酒。林沖說道：「酒保，你也來吃碗酒。」酒保吃了一碗。

林沖問道：「此間去梁山泊還有多少路？」

酒保答道：「此間要去梁山泊，雖只數里，卻是水路，全無旱路。若要去時，須用船去，方才渡得到那裡。」

林沖道：「你可與我覓隻船兒。」

酒保道：「這般大雪，天色又晚了，哪裡去尋船隻？」

林沖道：「我多與你些錢，央你覓隻船來，渡我過去。」

酒保道：「卻是沒討處。」

林沖尋思道：「這般卻怎的好？」

又吃了幾碗酒，悶上心來，驀然想起：「我先在京師做教頭，每日六街三市遊玩吃酒，誰想今日被高俅這賊坑陷了我這一場，文了面，直斷送到這裡，閃得我有家難奔，有國難投，受此寂寞！」因感傷懷抱，問酒保借筆硯來，乘著一時酒興，向那白粉壁上寫下八句道：

仗義是林沖，為人最樸忠。
江湖馳譽望，京國顯英雄。
身世悲浮梗，功名類轉蓬。
他年若得志，威鎮泰山東！

撇下筆，再取酒來。正飲之間，只見那個穿皮襖的漢子走向前來，把林沖劈腰揪住，說道：「你好大膽！你在滄州做下彌天大罪，卻在這裡！現今官司出三千貫信賞錢捉你，卻是要怎地？」

林沖道：「你道我是誰？」

那漢道：「你不是『豹子頭』林沖？」林沖道：「我自姓張。」

那漢笑道：「你莫胡說，現今壁上寫下名字，你臉上文著金印，如何要賴得過？」林沖道：「你真個要拿我？」

那漢笑道：「我卻拿你做甚麼？你跟我進來，到裡面和你說話。」那漢放了手，林沖跟著，到後面一個水亭上，叫酒保點起燈來，和林沖施禮，對面坐下。

那漢問道：「卻才見兄長只顧問梁山泊路頭，要尋船去，那裡是強人山寨，你待要去做甚麼？」

林沖道：「實不相瞞：如今官司追捕小人緊急，無安身處，特投這山寨裡好漢入夥，因此要去。」

那漢道：「雖然如此，必有個人薦兄長來入夥。」

林沖道：「滄州橫海郡故友舉薦將來。」

那漢道：「莫非『小旋風』柴進麼？」林沖道：「足下何以知之？」

那漢道：「柴大官人與山寨中大王頭領交厚，常有書信往來。」原來王倫當初不得第之時，與杜遷投奔柴進，多得柴進留在莊子上，住了幾時。臨起身，又齎發盤纏銀兩，因此有恩。

林沖聽了，便拜道：「有眼不識泰山，願求大名。」

那漢慌忙答禮，說道：「小人是王頭領手下耳目，姓朱，名貴，原是沂州沂水縣人氏，江湖上但叫小弟做『旱地忽律』。山寨裡教小弟在此間開酒店為名，專一探聽往來客商經過。但有財帛者，便去山寨裡報知。「但是孤單客人到此，無財帛的，放他過去；有財帛的，來到這裡，輕則蒙汗藥◈麻翻，重則登時結果，將精肉片為羓子◈，肥肉煎油點燈。卻才見兄長只顧問梁山泊路頭，因此不敢下手。

「次後見寫出大名來，曾有東京來的人，傳說兄長的豪傑，不期今日得會。既有柴大官人書緘相薦，亦是兄長名震寰海，王頭領必當重用。」隨即安排魚肉、盤饌、酒餚，到來相待。兩個在水亭上，吃了半夜酒。

林沖道：「如何能夠船來渡過去？」

朱貴道：「這裡自有船隻，兄長放心。且暫宿一宵，五更卻請起來同往。」當時兩個各自去歇息。

◈路頭—路程。　蒙汗藥—內服後使人失去知覺的藥。　羓子—乾肉。羓音巴。

睡到五更時分，朱貴自來叫林沖起來，洗漱罷，再取三五杯酒相待，吃了些肉食之類。此時天尚未明，朱貴到水亭上把盒子開了，取出一張鵲畫弓◆，搭上那一枝響箭，覷著對港敗蘆折葦裡面射將去。

林沖道：「此是何意？」

朱貴道：「此是山寨裡的號箭◆，少頃便有船來。」沒多時，只見對過蘆葦泊裡，三五個小嘍囉搖著一隻快船過來，逕到水亭下。朱貴當時引了林沖，取了刀仗、行李下船。小嘍囉把船搖開，望泊子裡去奔金沙灘來。林沖看時，見那八百里梁山水泊，果然是個陷人去處！但見：

山排巨浪，水接遙天。
亂蘆攢萬隊刀槍，怪樹列千層劍戟。
濠邊鹿角，俱將骸骨攢成；寨內碗瓢，盡使骷髏做就。
剝下人皮蒙戰鼓，截來頭髮做韁繩。
阻擋官軍，有無限斷頭港陌；遮攔盜賊，是許多絕徑林巒。

鵝卵石疊疊如山，苦竹槍森森似雨。
斷金亭上愁雲起，聚義廳前殺氣生。

當時小嘍囉把船搖到金沙灘岸邊，朱貴同林沖上了岸。小嘍囉背了包裹，拿了刀仗，兩個好漢上山寨來。那幾個小嘍囉，自把船搖到小港裡去了。林沖看岸上時，兩邊都是合抱的大樹，半山裡一座斷金亭子◆。再轉將過來，見座大關，關前擺著槍刀劍戟，弓弩戈矛，四邊都是檑木砲石。小嘍囉先去報知。

二人進得關來，兩邊夾道遍擺著隊伍旗號。又過了兩座關隘，方才到寨門口。林沖看見四面高山，三關雄壯，團團圍定，中間裡鏡面也似一片平

◆**鵲畫弓**——飾以鵲形的弓。　**斷金亭子**——綠林聚義的人為表團結一心所建的亭子。
號箭——約定暗號的響箭。這種箭有一個中空、有眼的裝置，射出時能發出響聲，所以又叫響箭、鳴鏑。

地，可方三五百丈；靠著山口，才是正門，兩邊都是耳房。朱貴引著林沖來到聚義廳上，中間交椅上坐著一個好漢，正是白衣秀士王倫，左邊交椅上坐著摸著天杜遷，右邊交椅坐著雲裡金剛宋萬。朱貴、林沖向前聲喏了。

林沖立在朱貴側邊，朱貴便道：「這位是東京八十萬禁軍教頭，姓林，名沖，綽號豹子頭。因被高太尉陷害，刺配滄州，那裡又被火燒了大軍草料場。爭奈殺死三人，逃走在柴大官人家，好生相敬。因此特寫書來，舉薦入夥。」

林沖懷中取書遞上，王倫接來拆開看了，便請林沖來坐第四位交椅，朱貴坐了第五位。一面叫小嘍囉取酒來，把了三巡，動問柴大官人近日無恙。林沖答道：「每日只在郊外獵較◆樂情◆。」

王倫動問了一回，驀然尋思道：「我卻是個不及第的秀才，因鳥氣合著杜遷來這裡落草，續後宋萬來，聚集這許多人馬伴當。我又沒十分本事，杜遷、宋萬武藝也只平常。如今不爭添了這個人，他是京師禁軍教頭，必然好武藝。倘若被他識破我們手段，他須占強，我們如何迎敵？不若只是一怪，推卻事故，發付他下山去便了，免致後患。只是柴進面上卻不好看，忘了日前之恩，如今也顧他不得。」正是：

未同豪氣豈相求，縱遇英雄不肯留。
秀士自來多嫉妒，豹頭空嘆覓封侯。

當下王倫叫小嘍囉一面安排酒食，整理筵宴，請林沖赴席，眾好漢一同吃酒。將次席終，王倫叫小嘍囉把一個盤子，托出五十兩白銀、兩匹紵絲來。王倫起身說道：「柴大官人舉薦將教頭來敝寨入夥，爭奈小寨糧食缺少，屋宇不整，人力寡薄，恐日後誤了足下，亦不好看。略有些薄禮，望乞笑留，尋個大寨安身歇馬，切勿見怪。」

◈獵較——春秋時代，每有狩獵便奪取禽獸以供祭祀。後泛指打獵。　樂情——指消遣。

林沖道：「三位頭領容覆：小人千里投名，萬里投主，憑托柴大官人面皮，逕投大寨入夥。林沖雖然不才，望賜收錄。當以一死向前，並無諂佞，實為平生之幸，不為銀兩齎發而來，乞頭領照察。」

王倫道：「我這裡是個小去處，如何安著得你。休怪，休怪。」

朱貴見了，便諫道：「哥哥在上，莫怪小弟多言。山寨中糧食雖少，近村遠鎮可以去借；山場水泊，木植廣有，便要蓋千間房屋，卻也無妨。這位是柴大官人力舉薦來的人，如何教他別處去？抑且柴大官人自來與山上有恩，日後得知不納此人，須不好看。這位又是有本事的人，他必然來出氣力。」

杜遷道：「山寨中哪爭他一個！哥哥若不收留，柴大官人知道時見怪，顯得我們忘恩背義。日前多曾虧了他，今日薦個人來，便恁推卻，發付他去！」

宋萬也勸道：「柴大官人面上，可容他在這裡做個頭領也好。不然，見得我們無義氣，使江湖上好漢見笑。」

王倫道：「兄弟們不知，他在滄州雖是犯了彌天大罪，今日上山，卻不知心腹。倘或來看虛實，如之奈何？」

林沖道：「小人一身犯了死罪，因此來投入夥，何故相疑？」

王倫道：「既然如此，你若真心入夥，把一個投名狀來。」

林沖便道：「小人頗識幾字，乞紙筆來便寫。」

朱貴笑道：「教頭你錯了。但凡好漢們入夥，須要納投名狀，是教你下山去殺得一個人，將頭獻納，他便無疑心。這個便謂之投名狀。」

林沖道：「這事也不難。林沖便下山去等，只怕沒人過。」

王倫道：「與你三日限。若三日內有投名狀來，便容你入夥；若三日內沒時，只得休怪。」林沖應承了，自回房中宿歇，悶悶不已。

正是：

愁懷鬱鬱苦難開，可恨王倫忒弄乖。

明日早尋山路去，不知哪個送頭來。

當夜席散，朱貴相別下山，自去守店。林沖到晚取了刀仗、行李，小嘍囉引去客房內歇了一夜。次日早起來，吃些茶飯，帶了腰刀，提了朴刀，叫一個小嘍囉領路下山，把船渡過去，在僻靜小路上等候客人過往。從朝至暮，等了一日，並無一個孤單客人經過。林沖悶悶不已，和小嘍囉再過渡來，回到山寨中。

王倫問道：「投名狀何在？」

林沖答道：「今日並無一個過往，以此不曾取得。」

王倫道：「你明日若無投名狀時，也難在這裡了。」林沖再不敢答應，心內自己不樂，來到房中，討些飯吃了，又歇了一夜。

次日清早起來，和小嘍囉吃了早飯，拿了朴刀，又下山來。

小嘍囉道：「俺們今日投南山路去等。」

兩個來到林子裡潛伏等候，並不見一個客人過往。伏到午牌時候，一夥客人約有三百餘人，結蹤而過。林沖又不敢動手，看他過去。又等了一歇，看看天色晚來，又不見一個客人過。林沖對小嘍囉道：「我恁地晦氣，等了兩日，不見一個孤單客人過往，如何是好？」

小嘍囉道：「哥哥且寬心，明日還有一日限，我和哥哥去東山路上等候。」當晚依舊上山。

王倫說道：「今日投名狀如何？」林沖不敢答應，只嘆了一口氣。

王倫笑道：「想是今日又沒了。我說與你三日限，今已兩日了。若明日再無，不必相見了，便請挪步下山，投別處去。」林沖回到房中，端的是心內好悶，有《臨江仙》詞一篇云：

悶似蛟龍離海島，愁如猛虎困荒田，悲秋宋玉淚漣漣。
江淹初去筆，項羽恨無船。
高祖滎陽遭困厄，昭關伍相受憂煎，曹公赤壁火連天。
李陵臺上望，蘇武陷居延。

當晚林沖仰天長嘆道：「不想我今日被高俅那賊陷害，流落到此，天地也不容我，直如此命蹇時乖◆！」

過了一夜，次日天明起來，討些飯食吃了，打拴那包裹，撇在房中。跨了腰刀，提了朴刀，又和小嘍囉下山過渡，投東山路上來。林沖道：「我今日若還取不得投名狀時，只得去別處安身立命。」兩個來到山下東路林子裡潛伏等候，看看日頭中了，又沒一個人來。

時遇殘雪初晴，日色明朗，林沖提著朴刀對小嘍囉道：「眼見得又不濟事了。不如趁早，天色未晚，取了行李，只得往別處去尋個所在。」

小校用手指道：「好了！兀的不是一個人來？」林沖看時，叫聲：「慚愧！」只見那個人遠遠在山坡下望見行來。林沖待他來得較近，林沖把朴刀桿剪了一下，驀地跳將出來。那漢子見了林沖，叫聲：「啊也！」撇了擔子，轉身便走。林沖趕將去，哪裡趕得上，那漢子閃過山坡去了。

林沖道：「你看，我命苦麼！來了三日，甫能等得一個人來，又吃他走了。」

小校道：「雖然不殺得人，這一擔財帛，可以抵擋。」

林沖道：「你先挑了上山去，我再等一等。」小嘍囉先把擔兒挑出林去。

只見山坡下轉出一個大漢來，林沖見了，說道：「天賜其便！」只見那人挺著朴刀，大叫如雷，喝道：「潑賊，殺不盡的強徒，將俺行李哪裡去？洒家正要捉你這廝們，倒來拔虎鬚。」飛也似踴躍將來。林沖見他來得勢猛，也使步迎他。不是這個人來鬥林沖，有分教：

梁山泊內，添幾個弄風◈白額大蟲◈；

水滸寨中，輳◈幾隻跳澗金睛猛獸。

畢竟來與林沖鬥的，正是甚人？且聽下回分解。

◈**命蹇時乖**—運氣不順，時機不好。**弄風**—搞把戲騙人。

大蟲—老虎的別稱。**輳**—聚集。輳音湊。

第一二回

梁山泊林沖落草
汴京城楊志賣刀

話說林沖打一看時，只見那漢子頭戴一頂范陽氈笠◆，上撒著一托紅纓；穿一領白緞子征衫，繫一條縱線縧，下面青白間道行纏◆，抓著褲子口，獐皮襪，帶毛牛膀靴。跨口腰刀，提條朴刀。生得七尺五、六身材，面皮上老大一搭青記，腮邊微露些少赤鬚。把氈笠子掀在背梁上，坦開胸脯，帶著抓角兒軟頭巾，挺手中朴刀，高聲喝道：「你那潑賊，將俺行李財帛哪裡去了？」

林沖正沒好氣，哪裡答應，睜圓怪眼，倒豎虎鬚，挺著朴刀，搶將來鬥那個大漢。此時殘雪初晴，薄雲方散，溪邊踏一片寒冰，岸畔湧兩條殺氣，一往一來，鬥到三十來合，不分勝敗。

兩個又鬥了十數合，正鬥到分際◈，只見山高處叫道：「兩位好漢不要鬥了！」林沖聽得，驀地跳出圈子外來。

兩個收住手中朴刀，看那山頂上時，卻是白衣秀士王倫和杜遷、宋萬並許多小嘍囉，走下山來，將船渡過了河，說道：「兩位好漢，端的好兩口朴刀，神出鬼沒！這個是俺的兄弟豹子頭林沖。青面漢，你卻是誰？願通姓名。」

那漢道：「洒家是三代將門之後，五侯楊令公之孫，姓楊名志。流落在此關西。年紀小時曾應過武舉，做到殿司制使官。

◈**范陽氈笠**—氈布密不透風，可保暖防護。范陽即現在的涿州。**行纏**—禪僧於行腳時所繫用之腳絆。又作行滕、腳絆。**分際**—相當的時候。

「道君因蓋萬歲山◆，差一般十個制使去太湖邊搬運花石綱◆，赴京交納。不想洒家時乖運蹇，押著那花石綱，來到黃河裡，遭風打翻了船，失陷了花石綱，不能回京走任，逃去他處避難。如今赦了俺們罪犯，洒家今來收的一擔兒錢物，待回東京去樞密院使用，再理會本身的勾當。打從這裡經過，顧請莊家挑那擔兒，不想被你們奪了。可把來還洒家，如何？」

王倫道：「你莫不是綽號喚做『青面獸』的？」

楊志道：「洒家便是。」

王倫道：「既然是楊制使，就請到山寨吃三杯水酒，納還行李如何？」

楊志道：「好漢既然認得洒家，便還了俺行李，更強似請吃酒。」

王倫道：「制使，小可數年前到東京應舉時，便聞制使大名。今日幸得相見，如何教你空去？且請到山寨少敘片時，並無他意。」

楊志聽說了，只得跟了王倫一行人等過了河，上山寨來。就叫朱貴同上山寨相會，都來到寨中聚義廳上。左邊一帶四把交椅，卻是王倫、杜遷、宋萬、朱貴；右邊一帶兩把交椅，上首楊志，下首林沖，都坐定了。王倫叫殺羊置酒，安排筵宴，款待楊志，不在話下。

話休絮煩。酒至數杯，王倫心裡想道：「若留林沖，實形容得我們不濟，不如我做個人情，並留了楊志，與他作敵。」因指著林沖對楊志道：「這個兄弟，他是東京八十萬禁軍教頭，喚做豹子頭林沖。因這高太尉那廝安不得好人，把他尋事刺配滄州，那裡又犯了事，如今也新到這裡。卻才制使要上東京勾當，不是王倫糾合制使，小可兀自棄文就武，來此落草。制使又是有罪的人，雖經赦宥，難復前職。抑且高俅那廝現掌軍權，他如何肯容你？不如只就小寨歇馬，大秤分金銀，

◈**萬歲山**──宋徽宗大徵工役，在東京堆造一座大山，取名艮嶽，也叫萬歲山。為裝飾此山，向南方搜括奇花異石，搬運前往。當時人民遭受極大騷擾，破家、死亡者甚眾。

花石綱──花石綱是運送奇花異石的特殊運輸交通名稱。「綱」意指一個運輸團隊，往往是十艘船稱一「綱」。由於花石船隊所過之處，當地百姓要供應錢穀和民役；有的地方甚至為了讓船隊通過，拆毀橋梁，鑿壞城郭，往往讓百姓苦不堪言。

大碗吃酒肉，同做好漢，不知制使心下主意若何？」

楊志答道：「重蒙眾頭領如此帶攜，只是洒家有個親眷，現在東京居住。前者官事連累了他，不曾酬謝得。今日欲要投那裡走一遭，望眾頭領還了洒家行李。如不肯還，楊志空手也去了。」

王倫笑道：「既是制使不肯在此，如何敢勒逼入夥？且請寬心住一宵，明日早行。」楊志大喜。當日飲酒到一更方歇，各自去歇息了。

次日早起來，又置酒與楊志送行。吃了早飯，眾頭領叫一個小嘍囉，把昨夜擔兒挑了，一齊都送下山來，到路口與楊志作別。叫小嘍囉渡河，送出大路。眾人相別了，自回山寨。王倫自此方才肯教林沖坐第四位，朱貴坐第五位。從此五個好漢在梁山泊打家劫舍，不在話下。

只說楊志出了大路，尋個莊家挑了擔子，發付小嘍囉自回山寨。楊志取路，不數日，來到東京。入得城來，尋個客店安歇下；莊客交還擔兒，與了些銀兩，自回去了。楊志到店中放下行李，解了腰刀、朴刀，叫店小二將些碎銀子買些酒肉吃了。

過數日，央人來樞密院打點，理會本等◈的勾當，將出那擔兒內金銀財物，買上告下，再要補殿司府制使職役。把許多東西都使盡了，方才得申文書，引去見殿帥高太尉。

來到廳前，那高俅把從前歷事文書都看了，大怒道：「既是你等十個制使去運花石綱，九個回到京師交納了，偏你這廝把花石綱失陷了！又不來首告，倒又在逃，許多時捉拿不著。今日再要勾當，雖經赦宥所犯罪名，難以委用！」把文書一筆都批倒了，將楊志趕出殿帥司府來。

楊志悶悶不已，回到客店中，思量：「王倫勸俺，也見得是。只為洒家清白姓字，不肯將父母遺體來玷汙了。指望把一身本事，邊庭上一槍一刀，博

◈本等——本來、原來。

個封妻蔭子，也與祖宗爭口氣，不想又吃這一閃！高太尉，你忒毒害，恁地刻薄！」

心中煩惱了一回。在客店裡又住幾日，盤纏都使盡了。正是：

花石綱原沒紀綱，奸邪到底困忠良。

早知廊廟當權重，不若山林聚義長。

楊志尋思道：「卻是怎地好？只有祖上留下這口寶刀，從來跟著洒家，如今事急無措，只得拿去街上貨賣得千百貫錢鈔，好做盤纏，投往他處安身。」當日將了寶刀，插了草標◆兒，上市去賣，走到馬行街◆內，立了兩個時辰，並無一個人問。將立到晌午時分，轉來到天漢州橋熱鬧處去賣。楊志立未久，只見兩邊的人都跑入河下巷內去躲。

楊志看時，只見都亂攛，口裡說道：「快躲了，大蟲來也！」

楊志道：「好作怪！這等一片錦城池，卻哪得大蟲來！」當下立住腳看時，只見遠遠地黑凜凜◆一大漢，吃得半醉，一步一攧撞將來。楊志看那人時，形貌生得粗陋。但見：

面目依稀似鬼，身材彷彿如人。
枒杈怪樹，變為疙瘩形骸；臭穢枯樁，化作腌臢魍魎。
渾身遍體，都生滲滲瀨瀨◈沙魚皮；
夾腦連頭，盡長拳拳彎彎鬈螺髮。
胸前一片緊頑皮，額上三條強拗皺。

原來這人是京師有名的破落戶潑皮，叫做「沒毛大蟲」牛二，專在街上撒潑、行凶、撞鬧。連為幾頭官司，開封府也治他不下，以此滿城人見那廝來都躲了。

◈**草標**—插在貨品上，表示要出售的草稈。
馬行街—宋代馬行街一帶，夾道都是藥鋪子。東京蚊蟲很多，唯獨馬行街沒有。馬行街夜市，酒樓極繁盛，燒燈尤壯觀，詩人常吟詠此地的燈火輝煌。
黑凜凜—面目醜黑、高大魁梧的樣子。　**滲滲瀨瀨**—液體慢慢地透入或漏出。

卻說牛二搶到楊志面前，就手裡把那口寶刀扯將出來，問道：「漢子，你這刀要賣幾錢？」

楊志道：「祖上留下寶刀，要賣三千貫。」

牛二喝道：「甚麼鳥刀，要賣許多錢！我三十文買一把，也切得肉，切得豆腐。你的鳥刀有甚好處，叫做寶刀！」

楊志道：「洒家的須不是店上賣的白鐵刀，這是寶刀。」

牛二道：「怎的喚做寶刀？」

楊志道：「第一件，砍銅剁鐵，刀口不捲；第二件，吹毛得過；第三件，殺人刀上沒血。」

牛二道：「你敢剁銅錢麼？」楊志道：「你便將來，剁與你看。」

牛二便去州橋下香椒鋪裡討了二十文當三錢◈，一垛兒將來放在州橋欄杆上，叫楊志道：「漢子，你若剁得開時，我還你三千貫。」那時看的人雖然不敢近前，向遠遠地圍住了望。

楊志道：「這個值得甚麼？」把衣袖捲起，拿刀在手，看的較準，只一刀，把銅錢剁做兩半。眾人都喝采。

牛二道：「喝甚麼鳥采！你且說第二件是甚麼？」

楊志道：「吹毛得過。若把幾根頭髮望刀口上只一吹，齊齊都斷。」

牛二道：「我不信。」

自把頭上拔下一把頭髮，遞與楊志：「你且吹我看。」楊志左手接過頭髮，照著刀口上盡氣力一吹，那頭髮都做兩段，紛紛飄下地來。

眾人喝采，看的人越多了。牛二又問：「第三件是甚麼？」

楊志道：「殺人刀上沒血。」牛二道：「怎麼殺人刀上沒血？」

楊志道：「把人一刀砍了，並無血痕，只是個快。」

◈二十文當三錢——當三錢，是宋時一種制錢，一個錢當三個錢用的。二十文指二十個。

牛二道：「我不信，你把刀來剁一個人我看。」

楊志道：「禁城之中，如何敢殺人？你不信時，取一隻狗來殺與你看。」

牛二道：「你說殺人，不曾說殺狗！」

楊志道：「你不買便罷，只管纏人做甚麼？」

牛二道：「你將來我看！」

楊志道：「你只顧沒了當◆！洒家又不是你撩撥的！」

牛二道：「你敢殺我？」

楊志道：「和你往日無冤，昔日無仇，一物不成，兩物現在◆，沒來由殺你做甚麼？」

牛二緊揪住楊志說道：「我偏要買你這口刀。」

楊志道：「你要買，將錢來。」牛二道：「我沒錢。」

楊志道：「你沒錢，揪住洒家怎地？」牛二道：「我要你這口刀。」

楊志道：「我不與你。」牛二道：「你好男子，剁我一刀。」楊志大怒，把牛二推了一跤。牛二爬將起來，鑽入楊志懷裡。

楊志叫道：「街坊鄰舍，都是證見：楊志無盤纏，自賣這口刀，這個潑皮強奪洒家的刀，又把俺打。」街坊人都怕這牛二，誰敢向前來勸。

牛二喝道：「你說我打你，便打殺！直甚麼！」口裡說，一面揮起右手，一拳打來，楊志霍地躲過，拿著刀搶入來，一時性起，望牛二顙根上搠個著，撲地倒了。楊志趕入去，把牛二胸脯上又連搠了兩刀，血流滿地，死在地上。

楊志叫道：「洒家殺死這個潑皮，怎肯連累你們！潑皮既已死了，你們都來同洒家去官府裡出首。」坊隅◈眾人慌忙攏來，隨同楊志逕投開封府出首。正值府尹坐衙，楊志拿著刀，和地方鄰舍眾人都上廳來，一齊跪下，把刀放在面前。

◈**沒了當**——沒完沒了、歪纏不休。**一物不成，兩物現在**——謂買賣不成功，但雙方錢物仍在，俱無損失。**坊隅**——街坊、坊巷。

楊志道：「小人原是殿司制使，為因失陷花石綱，削去本身職役，無有盤纏，將這口刀在街貨賣，不期被個潑皮破落戶牛二強奪小人的刀，又用拳打小人。因此一時性起，將那人殺死。眾鄰舍都是證見。」眾人亦替楊志告說，分訴了一回。

府尹道：「既是自行前來出首，免了這廝入門的款打◈。」且叫取一面長枷◈枷了。

差兩員相官帶了仵作行人，監押楊志並眾鄰舍一干人犯，都來天漢州橋邊登場◈檢驗了，疊成文案。眾鄰舍都出了供狀保放，隨衙聽候，當廳發落。將楊志於死囚牢裡監守。但見：

推臨獄內，擁入牢門。

黃鬚節級◈，麻繩準備吊繃揪◈；黑面押牢，木匣安排牢鎖鐐。

殺威棒，獄卒斷時腰痛。撒子角◈，囚人見了心驚。

休言死去見閻王，只此便如真地獄。

且說楊志押到死囚牢裡，眾多押牢◆、禁子◆、節級見說楊志殺死沒毛大蟲牛二，都可憐他是個好男子，不來問他取錢，又好生看覷他。天漢州橋下眾人，為是楊志除了街上害人之物，都斂些盤纏，湊些銀兩來與他送飯，上下又替他使用。

推司也覷他是個首身的好漢，又與東京街上除了一害，牛二家又沒苦主，把款狀◆都改得輕了。三推六問，卻招做「一時鬥毆殺傷，誤傷人命」。待了六十日限滿，當廳推司稟過府尹，將楊志帶出廳前，除了長枷，斷了二十脊杖，喚個文墨匠人刺了兩行金印，迭配北京大名府留守司充軍。那口寶刀沒官◆入庫。

◆**款打**—古時對捕獲的罪犯，先打一頓，作為下馬威，稱為「款打」。
長枷—舊時重犯解審或流徙時所帶的枷。最初只有長短之分，後來徙流罪者枷重二十斤，死罪者枷重二十五斤。　**登場**—當場。　**綳揪**—指項圈。
節級—都頭指揮使之下的下級軍官。宋代武官職依職級由高到低為都教頭、教頭、提轄、節級。
撒子角—即拶子。一種刑具。用繩子穿著五條小木棍，施刑時套在指上收緊。拶音攢。
押牢—宋元時稱管理監獄之人。　**禁子**—舊稱看守罪犯的獄卒。
款狀—記錄案情的文書。泛指一般文件、書信。　**沒官**—沒收入官。沒音莫。

當廳押了文牒，差兩個防送公人，免不得是張龍、趙虎，把七斤半鐵葉子盤頭護身枷釘了，吩咐兩個公人，便教監押上路。天漢州橋那幾個大戶科斂◈些銀兩錢物，等候楊志到來，請他兩個公人一同到酒店裡吃了些酒食，把出銀兩，齎發兩位防送公人，說道：「念楊志是個好漢，與民除害；今去北京，路途中望乞二位上下照覷，好生看他一看。」

張龍、趙虎道：「我兩個也知他是好漢，亦不必你眾位吩咐，但請放心。」楊志謝了眾人，其餘多的銀兩，盡送與楊志做盤纏，眾人各自散了。

話裡只說楊志同兩個公人來到原下的客店裡，算還了房錢、飯錢，取了原寄的衣服、行李，安排些酒食請了兩位公人，尋醫士贖◈了幾個棒瘡的膏藥，貼了棒瘡，便同兩個公人上路。三個望北京進發，五里單牌十里雙牌◈，逢州過縣，買些酒肉，不時間請張龍、趙虎同吃。三個在路，夜宿旅館，曉行驛道，不數日來到北京，入得城中，尋個客店安下。

原來北京大名府留守司，上馬管軍，下馬管民，最有權勢。那留守喚做梁中書，諱世傑；他是東京當朝太師蔡京的女婿。當日是二月初九日，留守升廳，兩個公人解楊志到留守司廳前，呈上開封府公文。梁中書看了。原在東京時，也曾認得楊志，當下一見了，備問情由。

楊志便把高太尉不容復職，使盡錢財，將寶刀貨賣，因而殺死牛二的實情，通前一一告稟了。梁中書聽得大喜，當廳就開了枷，留在廳前聽用。押了批回與兩個公人，自回東京了，不在話下。

只說楊志自在梁中書府中早晚殷勤聽候使喚。梁中書見他勤謹，有心要抬舉他，欲要遷他做個軍中副牌，月支一分請受。只恐眾人不服，因此傳下號令，教軍政司告示大小諸將人員，來日都要出東郭門教場中去演武試藝。

◆科斂—按定例分派捐款斂財。 贖—此指購買。
五里單牌，十里雙牌—古代驛路旁記里數之標誌。

當晚梁中書喚楊志到廳前，梁中書道：「我有心要抬舉你做個軍中副牌，月支一分請受，只不知你武藝如何？」楊志稟道：「小人應過武舉出身，曾做殿司府制使職役。這十八般武藝，自小習學。今日蒙恩相抬舉，如撥雲見日一般，楊志若得寸進，當效銜環背鞍之報。」梁中書大喜，賜與一副衣甲。當夜無事。

次日天曉，時當二月中旬，正值風和日暖。梁中書早飯已罷，帶領楊志上馬，前遮後擁，往東郭門來。到得教場中，大小軍卒並許多官員接見。就演武廳前下馬，到廳上，正面撒著一把渾銀交椅，坐下。左右兩邊，齊臻臻地排著兩行官員，指揮使、團練使、正制使、統領使、牙將、校尉、正牌軍、副牌軍。前後周圍，惡狠狠地列著百員將校。正將臺上立著兩個都監：一個喚做「李天王」李成，一個喚做「聞大刀」聞達，二人皆有萬夫不當之勇，統領著許多軍馬，一齊都來朝著梁中書呼三聲喏。卻早將臺上豎起一面黃旗來，將臺兩邊，左右列著三、五十對金鼓手，一齊發起擂鼓來。品◆了三通畫角，發了三通擂鼓，教場裡面誰敢高聲。又見將臺上豎起一面淨平旗來，前後五軍，一齊整肅。將臺上把一面引軍紅旗麾動，只見鼓聲響處，五百軍列成兩陣，軍士各執器械在手。將臺上又把白旗招動，兩陣馬軍齊齊地都立在面前，各把馬勒住。

梁中書傳下令來，叫喚副牌軍周謹向前聽令。右陣裡周謹聽得呼喚，躍馬到廳前，跳下馬，插了槍，暴雷也似聲個大喏。

梁中書道：「著副牌軍施逞本身武藝。」周謹得了將令，綽槍上馬，在演武廳前，左盤右旋，右盤左旋，將手中槍使了幾路，眾人喝采。

梁中書道：「叫東京對撥來的軍健楊志。」楊志轉過廳前，唱個大喏。

梁中書道：「楊志，我知你原是東京殿司府制使軍官，犯罪配來此間。

◆齊臻臻──整齊的樣子。　惡狠狠──非常凶惡的樣子。　品──吹奏樂器。

即目盜賊猖狂，國家用人之際，你敢與周謹比試武藝高低？如若贏得，便遷你充其職役。」

楊志道：「若蒙恩相差遣，安敢有違鈞旨。」梁中書叫取一匹戰馬來，教甲仗庫◆隨行官吏應付軍器，教楊志披掛上馬，與周謹比試。楊志去廳後把取來衣甲穿了，拴束罷，帶了頭盔、弓箭、腰刀，手拿長槍上馬，從廳後跑將出來。

梁中書看了道：「著楊志與周謹先比槍。」

周謹怒道：「這個賊配軍敢來與我交槍！」誰知惱犯了這個好漢，來與周謹鬥武。不因這番比試，有分教：

楊志在萬馬叢中聞姓字，千軍隊裡奪頭功。

畢竟楊志與周謹比試，引出甚麼人來？且聽下回分解。

◆甲仗庫——古代貯藏兵器的倉庫。

第一三回

青面獸北京鬥武
急先鋒東郭爭功

話說當時周謹、楊志兩個勒馬在於旗下，正欲出戰交鋒，只見兵馬都監聞達喝道：「且住！」

自上廳來稟覆梁中書道：「覆恩相：論這兩個比試武藝，雖然未見本事高低，槍刀本是無情之物，只宜殺賊剿寇，今日軍中自家比試，恐有傷損，輕則殘疾，重則致命，此乃於軍不利。可將兩根槍去了槍頭，各用氈片包裹，地下蘸了石灰，再各上馬，都與皂衫◆穿著。但是槍尖廝搠，如白點多者，當輸。」

梁中書道：「言之極當。」隨即傳令下去。兩個領了言語，向這演武廳後去了槍尖，都用氈片包了，縛成骨朵◆，身上各換了皂衫，各用槍去石灰桶裡蘸了石灰，再各上馬，出到陣前。

那周謹躍馬挺槍，直取楊志；這楊志也拍戰馬，拈手中槍，來戰周謹。兩個在陣前，來來往往，番番復復，攪做一團，扭做一塊。鞍上人鬥人，坐下馬鬥馬，兩個鬥了四、五十合。看周謹時，恰似打翻了豆腐的，斑斑點點，約有三、五十處；看楊志時，只有左肩胛下一點白。

梁中書大喜，叫喚周謹上廳看了跡，道：「前官參你做個軍中副牌，量你這般武藝，如何南征北討，怎生做得正請受的副牌？」教楊志替此人職役。管軍兵馬都監李成上廳稟覆梁中書道：「周謹槍法生疏，弓馬熟嫻，不爭◆把他來逐了職事，恐怕慢了軍心。再教周謹與楊

◆**皂衫**——黑色短袖單衣。　不爭——若是。
骨朵——古時守衛人拿的一種長柄儀仗兵器，頭端形如金瓜、大蒜。這裡是説改造過的長槍形同骨朵。

志比箭，如何？」

梁中書道：「言之極當。」再傳下將令來，叫楊志與周謹比箭。

兩個得了將令，都扎了槍，各開了弓箭。楊志就弓袋內取出那張弓來，扣得端正，擎了弓，跳上馬，跑到廳前，立在馬上，欠身稟覆道：「恩相，弓箭發處，事不容情，恐有傷損，乞請鈞旨。」

梁中書道：「武夫比試，何慮傷殘？但有本事，射死勿論。」楊志得令，回到陣前。李成傳下言語，叫兩個比箭好漢，各關與一面遮箭牌，防護身體。兩個各領遮箭防牌，綰在臂上。

楊志說道：「你先射我三箭，後卻還你三箭。」周謹聽了，恨不得把楊志一箭射個透明。楊志終是個軍官出身，識破了他手段，全不把他為事。怎見得兩個比箭：

這個曾向山中射虎，那個慣從風裡穿楊。

彀◈滿處，兔狐喪命；箭發時，鵰鶚魂傷。

較藝術，當場比並；施手段，對眾揄揚。一個磨鍬解，實難抵擋；一個閃身解，不可提防。頃刻內要觀勝負，霎時間便見存亡。

當時將臺上早把青旗麾動，楊志拍馬望南邊去，周謹縱馬趕來，將轡繩搭在馬鞍鞽上，左手拿著弓，右手搭上箭，拽得滿滿地望楊志後心颼地一箭。楊志聽得背後弓弦響，霍地一閃，去鐙◈裡藏身，那枝箭早射個空。周謹見一箭射不著，卻早慌了，再去壺中急取第二枝箭來，搭上弓弦，覷得楊志較親，望後心再射一箭。楊志聽得第二枝箭來，卻不去鐙裡藏身，那枝箭風也似來，楊志那時也取弓在手，用弓梢只一撥，那枝箭滴溜溜撥下草地裡去了。

周謹見第二枝箭又射不著，心裡越慌。楊志的馬早跑到教場盡頭，霍地

◈彀——拉滿弓，準備射箭。 鐙——掛在馬鞍兩旁，讓騎馬的人踏腳用的東西。鐙音鄧。

把馬一兜，那馬便轉身望正廳上走回來。周謹也把馬只一勒，那馬也跑回，就勢裡趕將來。去那綠茸茸芳草地上，八個馬蹄翻盞撒鈸◆相似，勃喇喇◆地風團兒也似般走。

周謹再取第三枝箭，搭在弓弦上，扣得滿滿地，盡平生氣力，眼睜睜地看看楊志後心窩上，只一箭射將來。楊志聽得弓弦響，扭回身，就鞍上把那枝箭只一綽◆，綽在手裡。便縱馬入演武廳前，撇下周謹的箭。

梁中書見了大喜，傳下號令，卻叫楊志也射周謹三箭。將臺上又把青旗麾動，周謹撇了弓箭，拿了防牌在手，拍馬望南而走。楊志在馬上把腰只一縱，略將腳一拍，那馬潑喇喇的便趕。楊志先把弓虛扯一扯，周謹在馬上聽得腦後弓弦響，扭轉身來，便把防牌來迎，卻早接個空。

周謹尋思道：「那廝只會使槍，不會射箭。等他第二枝箭再虛詐時，我便喝住了他，便算我贏了。」周謹的馬早到教場南盡頭，那馬便轉望演武廳來。楊志的馬見周謹馬跑轉來，那馬也便回身。

楊志早去壺中掣出一枝箭來，搭弓在弦上，心裡想道：「射中他後心窩，必至傷了他性命。他和我又沒冤仇，洒家只射他不致命處便了。」左手如托泰山，右手如抱嬰孩，弓開如滿月，箭去似流星。說時遲，那時快，一箭正中周謹左肩。周謹措手不及，翻身落馬。那匹空馬直跑過演武廳背後去了。眾軍卒自去救那周謹去了。

梁中書見了大喜，叫軍政司便呈文案來，教楊志截替了周謹職役。楊志喜氣洋洋，下了馬，便向廳前來拜謝恩相，充其職役。正是：

得罪幽燕作配兵，當場比試死相爭。
能將一箭穿楊手，奪得牌軍半職榮。

不想階下左邊轉上一個人來叫道：「休要謝職，我和你兩個比試！」楊志看那人時，身材七尺以上長短，面圓耳大，唇闊口方，腮邊一部落

◆**翻盞撒鈸**—形容馬蹄騰疾的樣子。　**勃喇喇**—狀聲詞。形容馬蹄聲。　**綽**—抓取。

腮鬍鬚，威風凜凜，相貌堂堂，直到梁中書面前聲了喏，稟道：「周謹患病未痊，精神不在，因此誤輸與楊志。小將不才，願與楊志比試武藝，若如小將折半點便宜與楊志，休教截替周謹，便教楊志替了小將職役，雖死而不怨。」梁中書看時，不是別人，卻是大名府留守司正牌軍索超。為是他性急，撮鹽入火◆，為國家面上，只要爭氣，當先廝殺，以此人都叫他做「急先鋒」。

李成聽得，便下將臺來，直到廳前稟覆道：「相公，這楊志既是殿司制使，必然好武藝，雖和周謹不是對手，正好與索正牌比試武藝，便見優劣。」

梁中書聽了，心中想道：「我指望一力要抬舉楊志，眾將不服。一發等他贏了索超，他們也死而無怨，卻無話說。」

梁中書隨即喚楊志上廳問道：「你與索超比試武藝如何？」

楊志稟道：「恩相將令，安敢有違。」

梁中書道：「既然如此，你去廳後換了裝束，好生披掛。」教甲仗庫隨行官吏取應用軍器給與，就叫：「牽我的戰馬借與楊志騎，小心在意，休覷得等閒。」楊志謝了，自去結束。

卻說李成吩咐索超道：「你卻難比別人，周謹是你徒弟，先自輸了。你若有些疏失，吃他把大名府軍官都看得輕了。我有一匹慣曾上陣的戰馬，並一副披掛，都借與你，小心在意，休教折了銳氣。」索超謝了，也自去結束。

梁中書起身，走出階前來，從人移轉銀交椅，直到月臺◈欄杆邊放下。梁中書坐定，左右只候兩行，喚打傘的撐開那把銀葫蘆頂茶褐羅三簷涼傘來，蓋定在梁中書背後。

◈**撮鹽入火**—撮取鹽巴放入火中，則燃燒更為爆烈。比喻性情急躁。
月臺—露天的平臺，猶如今之陽臺。

將臺上傳下將令，早把紅旗招動。兩邊金鼓齊鳴，發一通擂；去那教場中兩陣內，各放了個炮。炮響處，索超跑馬入陣內，藏在門旗下；楊志也從陣裡跑馬入軍中，直到門旗背後。將臺上又把黃旗招動，又發了一通擂，兩軍齊吶一聲喊。教場中誰敢做聲，靜蕩蕩的。再一聲鑼響，扯起淨平白旗。兩下眾官沒一個敢走動胡言說話，靜靜地立著。

將臺上又把青旗招動，只見第三通戰鼓響處，去那左邊陣內門旗下，看看分開。鸞鈴響處，閃出正牌軍索超，直到陣前，兜住馬，拿軍器在手，果是英雄！但見：

頭戴一頂熟鋼獅子盔，腦後斗大來一顆紅纓；
身披一副鐵葉攢成鎧甲，腰繫一條鍍金獸面束帶，前後兩面青銅護心鏡；
上籠著一領緋紅團花袍，上面垂兩條綠絨縷領帶；
下穿一雙斜皮氣跨靴，左帶一張弓，右懸一壺箭，
手裡橫著一柄金蘸斧。坐下李都監那匹慣戰能征雪白馬。

看那馬時，又是一匹好馬。但見：

兩耳如同箸，雙睛凸似金鈴。色按庚辛◆，彷彿南山白額虎；毛堆膩粉◆，如同北海玉麒麟。衝得陣，跳得溪，喜戰鼓，性如君子；負得重，走得遠，慣嘶風，必是龍媒◆。勝如伍相梨花馬，賽過秦王白玉駒。

左陣上急先鋒索超兜住馬，掗◆著金蘸斧，立馬在陣前。右邊陣內門旗下，看看分開，鸞鈴響處，楊志提手中槍出馬，直至陣前，勒住馬，橫著槍在手，果是勇猛！但見：

頭戴一頂鋪霜耀日鑌鐵盔，上撒著一把青纓；身穿一副鈎嵌梅花榆葉甲，繫一條紅絨打就勒甲絲，前後獸面掩心；

◆色按庚辛——庚辛指太白星。此處說白馬毛色既白且亮。膩粉——脂粉。此處形容色光澤滑膩。龍媒——駿馬。掗——揮動。

上籠著一領白羅生色花袍，垂著條紫絨飛帶；腳登一雙黃皮襯底靴。一張皮靶弓，數根鑿子箭◆，手中挺著渾鐵點鋼槍。騎的是梁中書那匹火塊赤千里嘶風馬。看那馬時，又是匹無敵的好馬。但見：

騣◆分火焰，尾擺朝霞。渾身亂掃胭脂，兩耳對攢紅葉。侵晨臨紫塞，馬蹄迸四點寒星；日暮轉沙堤，就地滾一團火塊。休言火德神駒，真乃壽亭赤兔。疑是南宮來猛獸，渾如北海出驪龍。

右陣上青面獸楊志拈手中槍，勒坐下馬，立於陣前。兩邊軍將暗暗地喝采，雖不知武藝如何，先見威風出眾。

正南上旗牌官拿著銷金「令」字旗，驟馬而來，喝道：「奉相公鈞旨，教你兩個俱各用心，如有虧誤處，定行責罰。若是贏時，多有重賞。」二人得令，縱馬出陣，到教場中心，兩馬相交，二般兵器並舉。索超忿怒，掄手中大斧，拍馬來戰楊志。

楊志逞威，拈手中神槍來迎索超。兩個在教場中間，將臺前面，二將相交，各賭平生本事。一來一往，一去一回，四條臂膊縱橫，八隻馬蹄撩亂。但見：

征旗蔽日，殺氣遮天。一個金蘸斧直奔頂門，一個渾鐵槍不離心坎。

這個是扶持社稷毘沙門，托塔李天王◈；

那個是整頓江山掌金闕，天蓬大元帥◈。

◈**鑿子箭**──箭的一種。因箭頭像鑿子，故稱。**鬃**──馬頸上的長毛。鬃音宗。

托塔李天王──是佛教四天王之一，鎮守北天門，居須彌山水晶陲，統領夜叉羅剎將，以福德之名聞四方。因其掌托古佛舍利塔，故稱「托塔天王」。在道教來說，他是玉皇大帝的重臣，被封為「降魔大元帥」。

天蓬大元帥──道教護法神，北極四聖之一，原為北斗星宿之一，被尊崇為星宿神，統理北斗及酆都的神將。至明清時，因為小說《西遊記》流行，誤認為豬八戒即是天蓬元帥。

一個槍尖上吐一條火焰，一個斧刃中迸幾道寒光。
那個是七國中袁達◆重生，這個是三分內張飛出世。
一個是巨靈神忿怒，揮大斧劈碎山根；
一個如華光藏◆生嗔，仗金槍搠開地府。
這個圓彪彪睜開雙眼，肐查查斜砍斧頭來；
那個咇剝剝咬碎牙關，火焰焰搖得槍桿斷。
各人窺破綻，哪放半些閒。

兩個鬥到五十餘合，不分勝敗。月臺上梁中書看得呆了；兩邊眾軍官看了，喝采不迭。陣面上軍士們遞相厮覷，道：「我們做了許多年軍，也曾出了幾遭征，何曾見這等一對好漢厮殺！」李成、聞達在將臺上，不住聲叫道：「好鬥！」聞達心上只恐兩個內傷了一個，慌忙招呼旗牌官，拿著令字旗，與他分了。將臺上忽的一聲鑼響，楊志和索超鬥到是處，各自要爭功，哪裡肯回馬。

旗牌官飛來叫道：「兩個好漢歇了，相公有令。」楊志、索超方才收了手中軍器，勒坐下馬，各跑回本陣來，立馬在旗下。看那梁中書，只等將令。

李成、聞達下將臺來，直到月臺下，稟覆梁中書道：「相公，據這兩個武藝一般，皆可重用。」梁中書大喜，傳下將令，喚楊志、索超。旗牌官傳令，喚兩個到廳前，都下了馬。小校接了二人的軍器，兩個都上廳來，躬身聽令。梁中書叫取兩錠白銀，兩副表裡◆，來賞賜二人。就叫軍政司將兩個都升做管軍提轄使，便叫貼了文案，從今日便參了他兩個。

索超、楊志都拜謝了梁中書，將著賞賜下廳來，解了槍刀、弓箭，卸了頭盔、衣甲，換了衣裳。索超也自去了披掛，換了錦襖，都上廳來，再拜謝了眾軍官。梁中書叫索超、楊志兩個也見了禮，入班做了提轄。眾軍卒

◆**袁達**—前後《七國志》、《東周列國志》等書中，描寫他是孫臏的徒弟，齊國的猛將。

華光藏—華光天王，又稱五顯靈官大帝，就是赫赫有名的三隻眼馬王爺。

表裡—送禮或賞賜的衣料。

便打著得勝鼓，把著那金鼓旗先散。

梁中書和大小軍官，都在演武廳上筵宴。看看紅日沉西，筵席已罷，梁中書上了馬，眾官員都送歸府。馬頭前擺著這兩個新參的提轄，上下肩都騎著馬，頭上亦都戴著紅花，迎入東郭門來。兩邊街道扶老攜幼，都看了歡喜。

梁中書在馬上問道：「你那百姓，歡喜為何？」眾老人都跪了稟道：「老漢等生在北京，長在大名府，不曾見今日這等兩個好漢將軍比試。今日教場中看了這般敵手，如何不歡喜？」梁中書在馬上聽了大喜。

回到府中，眾官各自散了。索超自有一班弟兄請去作慶◆飲酒。楊志新來，未有相識，自去梁府宿歇，早晚殷勤聽候使喚，都不在話下。

且把這閒話丟過，只說正話。自東郭演武之後，梁中書十分愛惜楊志，早晚與他並不相離。月中又有一分請受，自漸漸地有人來結識他。那索超見了楊志手段高強，心中也自欽伏◈。不覺光陰迅速，又早春盡夏來，時逢端午，蕤賓節◈至，梁中書與蔡夫人在後堂家宴，慶賀端陽。但見：

盆栽綠艾，瓶插紅榴。
水晶簾卷蝦鬚，錦繡屏開孔雀。
菖蒲切玉，佳人笑捧紫霞杯；角黍堆銀，美女高擎青玉案。
食烹異品，果獻時新。
葵扇風中，奏一派聲清韻美；荷衣香裡，出百般舞態嬌姿。

當日梁中書正在後堂與蔡夫人家宴，慶賞端陽，酒至數杯，食供兩套，只見蔡夫人道：「相公自從出身，今日為一統帥，掌握國家重任，這功名富貴從何而來？」

梁中書道：「世傑自幼讀書，頗知經史，人非草木，豈不知泰山之恩？

◈**作慶**——賀喜。 **欽伏**——佩服。 **蕤賓節**——指農曆五月端午節。

提攜之力，感激不盡！」

蔡夫人道：「丈夫既知我父親恩德，如何忘了他生辰？」

梁中書道：「下官如何不記得，泰山是六月十五日生辰，已使人將十萬貫收買金珠寶貝，送上京師慶壽。一月之前，幹人都關領去了。現今九分齊備，數日之間，也待打點停當，差人起程。只是一件，在此躊躇。上年收買了許多玩器並金珠寶貝，使人送去，不到半路，盡被賊人劫了。枉費了這一遭財物，至今嚴捕賊人不獲。今年叫誰人去好？」

蔡夫人道：「帳前現有許多軍校，你選擇心腹的人去便了。」

梁中書道：「尚有四、五十日，早晚催併禮物完足，那時選擇去人未遲。夫人不必掛心，世傑自有理會。」當日家宴，午牌◈至二更方散，自此不在話下。

不說梁中書收買禮物玩器，選人上京去慶賀蔡太師生辰。且說山東濟州鄆城縣新到任一個知縣，姓時，名文彬。此人為官清正，作事廉明，每懷惻隱之心，常有仁慈之念。爭田奪地，辨曲直而後施行；鬪毆相爭，分輕重方才決斷。閒暇時撫琴會客，忙迫裡飛筆判詞。名為縣之宰官，實乃民之父母。

當日知縣時文彬升廳公座，左右兩邊排著公吏人等。知縣隨即叫喚尉司捕盜官員並兩個巡捕都頭。本縣尉司管下有兩個都頭：一個喚做步兵都頭，一個喚做馬兵都頭。

這馬兵都頭，管著二十匹坐馬弓手，二十個土兵；那步兵都頭管著二十個使槍的頭目，二十個土兵。

這馬兵都頭姓朱名仝，身長八尺四五，有一部虎鬚髯，長一尺五寸，面如重棗，目若朗星，似關雲長模樣，滿縣人都稱他做「美髯公」。

◈午牌——中午。

原是本處富戶，只因他仗義疏財，結識江湖上好漢，學得一身好武藝。怎見得朱仝氣象？但見：

義膽忠肝豪傑，胸中武藝精通。超群出眾果英雄。
彎弓能射虎，提劍可誅龍。
一表堂堂神鬼怕，形容凜凜威風。
面如重棗色通紅。雲長重出世，人號美髯公。

那步兵都頭姓雷名橫，身長七尺五寸，紫棠色面皮，有一部扇圈鬍鬚，為他膂力過人，能跳二三丈闊澗，滿縣人都稱他做「插翅虎」。原是本縣打鐵匠人出身，後來開張碓房，殺牛放賭，雖然仗義，只有些心地匾窄，也學得一身好武藝。怎見得雷橫的氣象？但見：

天上罡星臨世上，就中一個偏能，都頭好漢是雷橫。
拽拳神臂健，飛腳電光生。
江海英雄推武勇，跳牆過澗身輕，豪雄誰敢與相爭。

山東插翅虎，寰海盡聞名。

那朱仝、雷橫兩個，專管擒拿賊盜。當日知縣呼喚兩個上廳來，聲了喏，取臺旨◈。知縣道：「我自到任以來，聞知本府濟州管下所屬水鄉梁山泊賊盜聚眾打劫，拒敵官軍。亦恐各處鄉村盜賊猖狂，小人甚多，今喚你等兩個，休辭辛苦，與我將帶本管士兵人等，一個出西門，一個出東門，分投巡捕。若有賊人，隨即剿獲申解◈，不可擾動鄉民。體知東溪村山上有株大紅葉樹，別處皆無，你們眾人採幾片來縣裡呈納，方表你們曾巡到那裡。若無紅葉，便是汝等虛妄，定行責罰不恕。」兩個都頭領了臺旨，各自回歸，點了本管士兵，分投自去巡察。

◈膂力—體力。碓房—舂米的作坊。碓音對。
臺旨—對長官、上司所下命令的敬稱。
申解—發送押解。解音界。

不說朱仝引人出西門自去巡捕，只說雷橫當晚引了二十個士兵出東門，繞村巡察，遍地裡走了一遭，回來到東溪村山上，眾人採了那紅葉，就下村來。

行不到三二里，早到靈官廟前，見殿門不關，雷橫道：「這殿裡又沒有廟祝，殿門不關，莫不有歹人在裡面麼？我們直入去看一看。」眾人拿著火，一齊照將入來，只見供桌上赤條條地睡著一個大漢。天道又熱，那漢子把些破衣裳團做一塊作枕頭，枕在項下，齁齁的沉睡著了在供桌上。

雷橫看了道：「好怪，好怪！知縣相公忒神明，原來這東溪村真個有賊！」

大喝一聲，那漢卻待要掙扎，被二十個土兵一齊向前，把那漢子一條索綁了，押出廟門，投一個保正莊上來。

不是投哪個去處，有分教：直使得東溪村裡，聚三四籌好漢英雄；鄆城縣中，尋十萬貫金珠寶貝。正是：

天上罡星來聚會，人間地煞得相逢。

畢竟雷橫拿住那漢投解甚處來？且聽下回分解。

◈籌——量詞。古代算人數的單位。通「條」。

第一四回

赤髮鬼醉臥靈官殿
晁天王認義東溪村

話說當時雷橫來到靈官殿上，見了這條大漢，睡在供桌上，眾士兵向前把條索子綁了，捉離靈官殿來。天色卻早，是五更時分。

雷橫道：「我們且押這廝去晁保正莊上討些點心吃了，卻解去縣裡取問。」一行眾人卻都奔這保正莊上來。

原來那東溪村保正姓晁，名蓋，祖是本縣本鄉富戶，平生仗義疏財，專愛結識天下好漢，但有人來投奔他的，不論好歹，便留在莊上住。若要去時，又將銀兩齎助他起身。最愛刺槍使棒，亦自身強力壯，不娶妻室，終日只是打熬◈筋骨。

鄆城縣管下東門外有兩個村坊，一個東溪村，一個西溪村，只隔著一條大溪。當初這西溪村常常有鬼，白日迷人下水在溪裡，無可奈何。忽一日，有個僧人經過，村中人備細說知此事，僧人指個去處，教用青石鑿個寶塔，放於所在，鎮住溪邊。其時西溪村的鬼，都趕過東溪村來。那時晁蓋得知了，大怒。從溪裡走將過去，把青石寶塔獨自奪了過來東溪村放下，因此人皆稱他做「托塔天王」。晁蓋獨霸在那村坊，江湖都聞他名字。

卻早雷橫並土兵押著那漢，來到莊前敲門，莊裡莊客聞知，報與保正。此時晁蓋未起，聽得報是雷都頭到來，慌忙叫開門。莊客開得莊門，眾土兵先把那漢子吊在門房裡。雷橫自引了十數個為頭的人，到草堂上坐下。

◈打熬——在此為鍛鍊之意。

晁蓋起來接待，動問道：「都頭有甚公幹到這裡？」

雷橫答道：「奉知縣相公鈞旨，著我與朱仝兩個引了部下土兵，分投下鄉村各處巡捕賊盜。因走得力乏，欲得少歇，逕投貴莊暫息，有驚保正安寢。」

晁蓋道：「這個何礙。」一面叫莊客安排酒食管待，先把湯來吃。

晁蓋動問道：「敝村曾拿得個把小賊麼？」

雷橫道：「卻才前面靈官殿上有個大漢睡著在那裡，我看那廝不是良善君子，一定是醉了，就便◈睡著。我們把索子縛綁了，本待便解去縣裡見官，一者忒早些，二者也要教保正知道，恐日後父母官問時，保正也好答應。現今吊在貴莊門房裡。」

晁蓋聽了，記在心，稱謝道：「多虧都頭見報。」

少刻莊客捧出盤饌酒食，晁蓋喝道：「此間不好說話，不如去後廳軒下少坐。」

便叫莊客裡面點起燈燭，請都頭到裡面酌杯。

晁蓋坐了主位，雷橫坐了客席。兩個坐定，莊客鋪下果品、按酒、菜蔬、盤饌。莊客一面篩酒，晁蓋又叫買酒與土兵眾人吃，莊客請眾人都引去廊下客位裡管待，大盤酒肉，只管叫眾人吃。

晁蓋一頭相待雷橫吃酒，一面自肚裡尋思：「村中有甚小賊吃他拿了？我且自去看是誰。」

相陪吃了五七杯酒，便叫家裡一個主管出來：「陪奉◈都頭坐一坐，我去淨了手便來。」

那主管陪侍著雷橫吃酒，晁蓋卻去裡面拿了個燈籠，逕來門樓下看時，土兵都去吃酒，沒一個在外面。晁蓋便問看門的莊客：「都頭拿的賊吊在哪裡？」

莊客道：「在門房裡關著。」晁蓋去推開門打一看時，只見高高吊起那漢

◈**就便**——趁機、順便。　**陪奉**——陪同侍奉。

子在裡面，露出一身黑肉，下面抓扎起兩條黑魆魆毛腿，赤著一雙腳。晁蓋把燈照那人臉時，紫黑闊臉，鬢邊一搭朱砂記，上面生一片黑黃毛。晁蓋便問道：「漢子，你是哪裡人？我村中不曾見有你。」那漢道：「小人是遠鄉客人，來這裡投奔一個人，卻把我來拿做賊，我須有分辨處。」晁蓋道：「你來我這村中投奔誰？」那漢道：「我來這村中投奔一個好漢。」晁蓋道：「這好漢叫做甚麼？」那漢道：「他喚做晁保正。」晁蓋道：「你卻尋他有甚勾當？」那漢道：「他是天下聞名的義士好漢。如今我有一套富貴要與他說知，因此而來。」晁蓋道：「你且住，只我便是晁保正，卻要我救你，你只認我做娘舅之親。少刻，我送雷都頭那人出來時，你便叫我做阿舅，我便認你做外甥，只說四五歲離了這裡，今番來尋阿舅，因此不認得。」那漢道：「若得如此救護，深感厚恩，義士提攜則個！」正是：

黑甜◈一枕古祠中，被獲高懸草舍東。
百萬贓私天不佑，解圍晁蓋有奇功。

當時晁蓋提了燈籠，自出房來，仍舊把門拽上，急入後廳來見雷橫，說道：「甚是慢客。」雷橫道：「多多相擾，理甚不當。」兩個又吃了數杯酒，只見窗子外射入天光來，雷橫道：「東方動了，小人告退，好去縣中畫卯◈。」晁蓋道：「都頭官身，不敢久留。若再到敝村公幹，千萬來走一遭。」雷橫道：「卻得再來拜望，不須保正吩咐。請保正免送。」晁蓋道：「卻罷，也送到莊門口。」兩個同走出來，那夥土兵眾人都得了酒食，吃得飽了，各自拿了槍棒，便去門房裡解了那漢，背剪縛著帶出

◈**黑魆魆**—形容黑暗。魆音須。　**勾當**—在此指事情。多指壞事而言。
一套富貴—此指金銀財寶等。　**且住**—暫且停住、等一下。　**黑甜**—酣睡。
畫卯—舊時官衙吏役按時到官府報到，聽候點驗。

門外。晁蓋見了，說道：「好條大漢！」

雷橫道：「這廝便是靈官廟裡捉的賊。」說猶未了，只見那漢叫一聲：「阿舅，救我則個！」晁蓋假意看他一看，喝問道：「兀的◈這廝不是王小三麼？」那漢道：「我便是，阿舅救我！」眾人吃了一驚。

雷橫便問晁蓋道：「這人是誰？如何卻認得保正？」晁蓋道：「原來是我外甥王小三。這廝如何在廟裡歇？乃是家姐的孩兒，從小在這裡過活，四五歲時隨家姐夫和家姐上南京去住，一去了十數年。這廝十四五歲又來走了一遭，跟個本京客人來這裡販賣，向後再不曾見面。多聽得人說這廝不成器，如何卻在這裡？小可本也認他不得，為他鬢邊有這一搭朱砂記，因此影影◈認得。」

晁蓋喝道：「小三，你如何不逕來見我，卻去村中做賊？」

那漢叫道：「阿舅，我不曾做賊。」

晁蓋喝道：「你既不做賊，如何拿你在這裡？」奪過土兵手裡棍棒，劈頭劈臉便打。

雷橫並眾人勸道：「且不要打，聽他說。」

那漢道：「阿舅息怒，且聽我說。自從十四、五歲時來走了這遭，如今不是十年了？昨夜路上多吃了一杯酒，不敢來見阿舅，權去廟裡睡得醒了卻來尋阿舅。不想被他們不問事由，將我拿了。卻不曾做賊！」

晁蓋拿起棍來又要打，口裡罵道：「畜生！你卻不逕來見我，且在路上貪圖這口黃湯◈，我家中沒得與你吃？辱沒殺◈人！」

雷橫勸道：「保正息怒，你令甥本不曾做賊。我們見他偌大一條大漢在廟裡睡得蹺蹊，抑且面生，又不認得，因此設疑，捉了他來這裡。若早知是保正的令甥，定不拿他。」喚土兵快解了綁縛的索子，放還保正。

◈兀的——在此為疑問詞，做怎麼、豈之意。　影影——隱約。

黃湯——酒。　殺——甚、極，同「煞」。

眾士兵登時放了那漢。雷橫道：「保正休怪，早知是令甥，不致如此，甚是得罪，小人們回去。」

晁蓋道：「都頭且住，請入小莊，再有話說。」

雷橫放了那漢，一齊再入草堂裡來。

晁蓋取出十兩花銀送與雷橫，說道：「都頭休嫌輕微，望賜笑留。」

雷橫道：「不當如此。」晁蓋道：「若是不肯收受時，便是怪小人。」

雷橫道：「既是保正厚意，權且收受，改日卻得報答。」晁蓋叫那漢拜謝了雷橫，晁蓋又取些銀兩賞了眾士兵，再送出莊門外。雷橫相別了，引著士兵自去。

晁蓋卻同那漢到後軒下，取幾件衣裳與他換了，取頂頭巾與他戴了，便問那漢姓甚名誰，何處人氏。

那漢道：「小人姓劉，名唐，祖貫東潞州人氏，因這鬢邊有這搭朱砂記，人都喚小人做赤髮鬼，特地送一套富貴來與保正哥哥。昨夜晚了，因醉倒廟裡，不想被這廝們捉住，綁縛了來，正是『有緣千里來相會，無緣對面不相逢』。今日幸得在此，哥哥坐定，受劉唐四拜。」

拜罷，晁蓋道：「你且說送一套富貴與我，現在何處？」

劉唐道：「小人自幼飄蕩江湖，多走途路，專好結識好漢，往往多聞哥哥大名，不期有緣得遇。曾見山東、河北做私商的，多曾來投奔哥哥，因此劉唐敢說這話。這裡別無外人，方可傾心吐膽對哥哥說。」

晁蓋道：「這裡都是我心腹人，但說不妨。」

劉唐道：「小弟打聽得北京大名府梁中書收買十萬貫金珠、寶貝、玩器等物，送上東京，與他丈人蔡太師慶生辰。去年也曾送十萬貫金珠寶貝，來到半路裡，不知被誰人打劫了，至今也無捉處。今年又收買十萬貫金珠寶貝，早晚安排起程，要趕這六月十五日生辰。小弟想此一套是不義之財，取之何礙！便可商議個道理去半路上取了，天理知之，也不為罪。聞知哥哥大名，是個真男子，武藝過人。小弟不才，頗也學得本事，休道三五個漢子，便是一二千軍馬隊中，拿條槍，也不懼他！倘蒙哥哥不棄時，獻此一套富貴，不知哥哥心內如何？」

晁蓋道：「壯哉！且再計較。你既來這裡，想你吃了些艱辛，且去客房裡將息少歇。待我從長商議，來日說話。」晁蓋叫莊客引劉唐廊下客房裡歇息，莊客引到房中，也自去幹事了。

且說劉唐在房裡尋思道：「我著甚來由◆苦惱這遭，多虧晁蓋完成，解脫了這件事。只叵耐雷橫那廝平白騙了晁保正十兩銀子，又吊我一夜。想那廝去未遠，我不如拿了條棒趕上去，齊打翻了那廝們，卻奪回那銀子，送還晁蓋，也出一口惡氣。此計大妙。」劉唐便出房門，去槍架上拿了一條朴刀，便出莊門，大踏步投南趕來。此時天色已明，但見：

北斗初橫，東方欲白。天涯曙色才分，海角殘星漸落。

金雞三唱，喚佳人傅粉施朱；寶馬頻嘶，催行客爭名競利。幾縷丹霞橫碧漢，一輪紅日上扶桑。

這赤髮鬼劉唐挺著朴刀，趕了五六里路，卻早望見雷橫引著土兵，慢慢地行將去。劉唐趕上來，大喝一聲：「兀那都頭不要走！」雷橫吃了一驚，回過頭來，見是劉唐拈著朴刀趕來。

雷橫慌忙去土兵手裡奪條朴刀拿著，喝道：「你那廝趕將來做甚麼？」

劉唐道：「你曉事◈的，留下那十兩銀子還了我，我便饒了你！」

雷橫道：「是你阿舅送我的，干你甚事？我若不看你阿舅面上，直結果了你這廝性命，剗地◈問我取銀子？」

劉唐道：「我須不是賊，你卻把我吊了一夜，又騙我阿舅十兩銀子。是

◈**曉事**—明白事理。　**剗地**—反而、一味地、忽然、平白無端的意思。剗音產。**著甚來由**—為何緣由而如此。

會的將來還我，佛眼相看；你若不還我，叫你目前流血！」

雷橫大怒，指著劉唐大罵道：「辱門敗戶的謊賊，怎敢無禮！」

劉唐道：「你那詐害百姓的腌臢潑才，怎敢罵我！」

雷橫又罵道：「賊頭賊臉賊骨頭，必然要連累晁蓋！你這等賊心賊肝，我行須使不得！」

劉唐大怒道：「我來和你見個輸贏。」拈著朴刀，直奔雷橫。雷橫見劉唐趕上來，呵呵大笑，挺手中朴刀來迎。兩個就大路上廝併，但見：

一來一往，似鳳翻身；一撞一衝，如鷹展翅。
一個照搠，盡依良法；一個遮攔，自有悟頭。
這個丁字腳，搶將入來；那個四換頭，奔將進去。
兩句道：雖然不上凌煙閣，只此堪描入畫圖。

當時雷橫和劉唐就路上鬥了五十餘合，不分勝敗。眾土兵見雷橫贏劉唐不得，卻待都要一齊上併他。只見側首籬門開處，一個人掣兩條銅鏈，叫道：「你們兩個好漢且不要鬥！我看了多時，權且歇一歇，我有話說。」便把銅鏈就中一隔，兩個都收住了朴刀，跳出圈子外來，立住了腳。

看那人時，似秀才打扮，戴一頂桶子樣抹眉梁頭巾，穿一領皂沿邊麻布寬衫，腰繫一條茶褐鑾帶；下面絲鞋淨襪，生得眉清目秀，面白鬚長。這人乃是「智多星」吳用，表字學究，道號加亮先生，祖貫本鄉人氏。曾有一首《臨江仙》讚吳用的好處：

萬卷經書曾讀過，平生機巧心靈，六韜三略究來精。
胸中藏戰將，腹內隱雄兵。
謀略敢欺諸葛亮，陳平豈敵才能，略施小計鬼神驚。
字稱吳學究，人號智多星。

當時吳用手提銅鏈，指著劉唐叫道：「那漢且住！你因甚和都頭爭執？」

◈會的──識相的、懂事的。　我行──在我面前。

劉唐光著眼◆看吳用道：「不干你秀才事！」

雷橫便道：「教授◆不知，這廝夜來赤條條地睡在靈官廟裡，被我們拿了這廝，帶到晁保正莊上。原來卻是保正的外甥，看他母舅面上放了他。晁天王請我們吃了酒，送些禮物與我。這廝瞞了他阿舅，直趕到這裡問我取，你道這廝大膽麼？」

吳用尋思道：「晁蓋我都是自幼結交，但有些事，便和我相議計較。他的親眷相識，我都知道，不曾見有這個外甥。抑且年甲◆也不相登◆，必有些蹺蹊。我且勸開了這場鬧，卻再問他。」

吳用便道：「大漢休執迷，你的母舅與我至交，又和這都頭亦過得好，他便送些人情與這都頭，你卻來討了，也須壞了你母舅面皮。且看小生面，我自與你母舅說。」

劉唐道：「秀才，你不省得！這個不是我阿舅甘心與他，他詐取了我阿舅的銀兩。若是不還我，誓不回去！」

雷橫道：「只除是保正自來取，便還他，卻不還你！」

劉唐道：「你屈冤人做賊，詐了銀子，怎地不還？」

雷橫道：「不是你的銀子，不還，不還！」

劉唐道：「你不還！只除問得我手裡朴刀肯便罷！」

吳用又勸：「你兩個鬥了半日，又沒輸贏，只管鬥到幾時是了？」

劉唐道：「他不還我銀子，直和他拚個你死我活便罷。」

雷橫大怒道：「我若怕你，添個土兵來併你，也不算好漢。我自好歹擲翻你便罷！」劉唐大怒，拍著胸前叫道：「不怕！不怕！」便趕上來。這邊雷橫便指手劃腳也趕攏來。兩個又要廝併。這吳用橫身在裡面勸，哪裡勸得住。劉唐拈著朴刀，正待鑽將過來。

雷橫口裡千賊萬賊罵，挺起朴刀，只待要鬥。只見眾土兵指道：「保正來了！」

◆**光著眼**——睜大眼睛。**教授**——對私塾先生的敬稱。**年甲**——年齡。**不相登**——不相當、配合不上。

劉唐回身看時，只見晁蓋披著衣裳，前襟攤開，從大路上趕來，大喝道：「畜生不得無禮！」那吳用大笑道：「須是保正自來，方才勸得這場鬧。」晁蓋趕得氣喘，問道：「你怎的趕來這裡鬥朴刀？」雷橫道：「你的令甥拿著朴刀趕來問我取銀子。小人道：『不還你，我自送還保正，非干你事。』他和小人鬥了五十合，教授解勸在此。」晁蓋道：「這畜生！小人並不知道，都頭看小人之面請回，自當改日登門陪話。」

雷橫道：「小人也知那廝胡為，不與他一般見識，又勞保正遠出。」作別自去，不在話下。

且說吳用對晁蓋說道：「不是保正自來，幾乎做出一場大事。這個令甥端的非凡，是好武藝。小生在籬笆裡看了。這個有名慣使朴刀的雷都頭，也敵不過，只辦得架隔遮攔。若再鬥幾合，雷橫必然有失性命，因此小人慌忙出來間隔了。這個令甥從何而來？往常時，莊上不曾見有。」

晁蓋道：「卻待正要求請先生到敝莊商議句話，正欲使人來，只是不見了他，槍架上朴刀又沒尋處。只見牧童報說，一個大漢拿條朴刀望南一直趕去，我慌忙隨後追得來，早是得教授諫勸住了。請尊步同到敝莊，有句話計較計較。」

那吳用還至書齋，掛了銅鏈在書房裡，吩咐主人家道：「學生來時，說道先生今日有幹◆，權放一日假。」有詩為證：

文才不下武才高，銅鏈猶能勸朴刀。
只愛雄談偕義士，豈甘枯坐伴兒曹。
放他眾鳥籠中出，許爾群蛙野外跳。
自是先生多好動，學生歡喜主人焦。

吳用拽上書齋門，將鎖鎖了，同晁蓋、劉唐到晁家莊上。晁蓋逕邀入後

◆幹——指事情。

堂深處，分賓而坐。

吳用問道：「保正，此人是誰？」

晁蓋道：「江湖上好漢，此人姓劉，名唐，是東潞州人氏。因此有一套富貴，特來投奔我。夜來他醉臥在靈官廟裡，卻被雷橫捉了，拿到我莊上，我因認他做外甥，方得脫身。「他說：『有北京大名府梁中書收買十萬貫金珠寶貝，送上東京，與他丈人蔡太師慶生辰，早晚從這裡經過，此等不義之財，取之何礙！』他來的意正應我一夢。我昨夜夢見北斗七星，直墜在我屋脊上，斗柄上另有一顆小星，化道白光去了。我想星照本家，安得不利？今早正要求請教授商議，此一件事若何？」

吳用笑道：「小生◆見劉兄趕得來蹺蹊，也猜個七八分了。此一事卻好，只是一件，人多做不得，人少又做不得。宅上空有許多莊客，一個也用不得。如今只有保正、劉兄、小生三人，這件事如何團弄◆？便是保正與劉兄十分了得，也擔負不下。這段事須得七八個好漢方可，多也無用。」

晁蓋道：「莫非要應夢之星數？」

吳用便道：「兄長這一夢也非同小可，莫非北地上再有扶助的人來？」

吳用尋思了半晌，眉頭一縱，計上心來，說道：「有了！有了！」

晁蓋道：「先生既有心腹好漢，可以便去請來，成就這件事。」

吳用不慌不忙，疊兩個指頭，說出這句話來，有分教：東溪莊上，聚義漢翻作強人；石碣村中，打魚船權為戰艦。正是：

指揮說地談天口，來誘翻江攪海人。

畢竟智多星吳用說出甚麼人來？且聽下回分解。

◈小生—文士自稱的謙詞。　團弄—辦妥、解決。

第一五回 吳學究說三阮撞籌 公孫勝應七星聚義

話說當時吳學究道：「我尋思◆起來，有三個人義膽包身，武藝出眾，敢赴湯蹈火，同死同生。只除非得這三個人，方才完得這件事。」

晁蓋道：「這三個卻是甚麼樣人？姓甚名誰？何處居住？」

吳用道：「這三個人是弟兄三個，在濟州梁山泊邊石碣村住，日常只打魚◆為生，亦曾在泊子裡做私商勾當。本身姓阮，弟兄三人，一個喚做『立地太歲』阮小二，一個喚做『短命二郎』阮小五，一個喚做『活閻羅』阮小七。這三個是親弟兄，最有義氣。小生舊日在那裡住了數年，與他相交時，他雖是個不通文墨的人，見他與人結交，真有義氣，是個好男子，因此和他來往。今已好兩年不曾相見。若得此三人，大事必成。」

晁蓋道：「我也曾聞這阮家三弟兄的名字，只不曾相會。石碣村離這裡只有百十里以下路程，何不使人請他們來商議？」

吳用道：「著人去請，他們如何肯來？小生必須自去那裡，憑三寸不爛之舌◆，說他們入夥。」晁蓋大喜道：「先生高見，幾時可行？」

吳用答道：「事不宜遲，只今夜三更便去，明日晌午可到那裡。」

晁蓋道：「最好。」

當時叫莊客且安排酒食來吃。吳用道：「北京到東京也曾行到，只不知『生辰綱◆』從哪條路來？再煩劉兄休辭生受◆，連夜去北京路上探聽起程的日期，端的從哪條路上來。」

◆**尋思**—反覆的思索。 **打魚**—捕魚。 **三寸不爛之舌**—形容能言善道，擅長辭令的口才。
生辰綱—唐、宋時期編隊運送的成批生日禮物。 **生受**—指麻煩、辛苦。

劉唐道：「小弟只今夜也便去。」

吳用道：「且住，他生辰是六月十五日，如今卻是五月初頭，尚有四、五十日。等小生先去說◈了三阮弟兄回來，那時卻教劉兄去。」

晁蓋道：「也是，劉兄弟只在我莊上等候。」

話休絮煩，當日吃了半晌◈酒食，至三更時分，吳用起來洗漱罷，吃了些早飯，討了些銀兩，藏在身邊，穿上草鞋。晁蓋、劉唐送出莊門，吳用連夜投石碣村來。行到晌午時分，早來到那村中。但見：

青鬱鬱山峰疊翠，綠依依桑柘◈堆雲。
四邊流水繞孤村，幾處疏篁沿小徑。
茅簷傍澗，古木成林。籬外高懸沽酒旆，柳陰閒纜釣魚船。

吳學究自來認得，不用問人，來到石碣村中，逕投阮小二家來。到得門前看時，只見枯樁上纜著數隻小漁船，疏籬外曬著一張破漁網。倚山傍水，約有十數間草房。吳用叫一聲道：「二哥在家麼？」只見一個人從裡面走出來，生得如何？但見：

瞘兜◆臉兩眉竪起，略綽◆口四面連拳。胸前一帶蓋膽黃毛，背上兩枝橫生板肋。臂膊有千百斤氣力，眼睛射幾萬道寒光。休言村裡一漁人，便是人間真太歲。

那阮小二走將出來，頭戴一頂破頭巾，身穿一領舊衣服，赤著雙腳。出來見了是吳用，慌忙聲喏道：「教授何來？甚風吹得到此？」吳用答道：「有些小事，特來相浼二郎。」阮小二道：「有何事，但說不妨。」吳用道：「小生自離了此間，又早二年。如今在一個大財主家做門館◆

◆**說**—遊説。説音睡。　**半晌**—一會兒、片刻。　**桑柘**—桑木與柘木。柘音浙。
瞘兜—臉龐中間深凹的樣子。瞘音摳。　**略綽**—闊大。　**門館**—家塾。

，他要辦筵席，用著十數尾重十四、五斤的金色鯉魚，因此特地來相投足下。」

阮小二笑了一聲，說道：「小人且和教授吃三杯，卻說。」

吳用道：「小生的來意，也欲正要和二哥吃三杯。」

阮小二道：「隔湖有幾處酒店，我們就在船裡蕩將過去。」

吳用道：「最好。也要就與五郎說句話，不知在家也不在？」

阮小二道：「我們去尋他便了。」兩個來到泊岸邊，枯樁上纜的小船解了一隻，便扶著吳用下船去了。樹根頭拿了一把划楸，只顧蕩。早蕩將開去，望湖泊裡來。

正蕩之間，只見阮小二把手一招，叫道：「七哥，曾見五郎麼？」吳用看時，只見蘆葦叢中搖出一隻船來。那漢生得如何？但見：

疙疸臉橫生怪肉，玲瓏眼突出雙睛。
腮邊長短淡黃鬚，身上交加烏黑點。
渾如生鐵打成，疑是頑銅鑄就。

世上降生真五道，村中喚做活閻羅。

那阮小七頭戴一頂遮日黑箬笠，身上穿個棋子布背心，腰繫著一條生布裙，把那隻船蕩著，問道：「二哥，你尋五哥做甚麼？」吳用叫一聲：「七郎，小生特來相央你們說話。」阮小七道：「教授恕罪，好幾時不曾相見。」吳用道：「一同和二哥去吃杯酒。」阮小七道：「小人也欲和教授吃杯酒，只是一向不曾見面。」兩隻船廝跟著在湖泊裡，不多時，划到個去處，團團都是水，高埠上有七、八間草房，阮小二叫道：「老娘，五哥在麼？」那婆婆道：「說不得，魚又不得打，連日去賭錢，輸得沒了分文。卻才

◈划楸──槳。後文的「划楫」也指槳。

討了我頭上釵兒，出鎮上賭去了。」阮小二笑了一聲，便把船划開。

阮小七便在背後船上說道：「哥哥正不知怎地，賭錢只是輸，卻不晦氣！莫說哥哥不贏，我也輸得赤條條地。」

吳用暗想道：「中了我的計了。」兩隻船廝手併著，投石碣村鎮上來。划了半個時辰，只見獨木橋邊一個漢子，把著兩串銅錢，下來解船。

阮小二道：「五郎來了。」吳用看時，但見：

一雙手渾如鐵棒，兩隻眼有似銅鈴。
面上雖有些笑容，眉間卻帶著殺氣。
能生橫禍，善降非災。拳打來，獅子心寒；腳踢處，蚖蛇◆喪膽。
何處覓行瘟使者，只此是短命二郎。

那阮小五斜戴著一頂破頭巾，鬢邊插朵石榴花，披著一領舊布衫，露出胸前刺著的青鬱鬱一個豹子來，裡面匾扎◆起褲子，上面圍著一條間道棋子布手巾。吳用叫一聲道：「五郎得采◆麼？」

阮小五道：「原來卻是教授，好兩年不曾見面，我在橋上望你們半日了。」

阮小二道：「我和教授直到你家尋你，老娘說道出鎮上賭錢去了，因此同來這裡尋你。且來和教授去水閣上吃三杯。」

阮小五慌忙去橋邊解了小船，跳在艙裡，捉了划楫，只一划，三隻船廝併著划了一歇，早到那個水閣酒店前。看時，但見：

前臨湖泊，後映波心。數十株槐柳綠如煙，一兩蕩荷花紅照水。涼亭上窗開碧檻，水閣中風動朱簾。休言三醉岳陽樓，只此便是蓬島客。

當下三隻船撐到水亭下荷花蕩中，三隻船都纜了。扶吳學究上了岸，入酒店裡來，都到水閣內揀一副紅油桌凳。

◆**虮蛇**——一種毒蛇，亦作「虮虵」。虮音圓。 **匾扎**——摺疊捆束。 **得采**——賭博得利。

阮小二便道：「先生休怪我三個弟兄粗俗，請教授上坐。」

吳用道：「卻使不得。」

阮小七道：「哥哥只顧坐主位，請教授坐客席，我兄弟兩個便先坐了。」

吳用道：「七郎只是性快。」四個人坐定了，叫酒保打一桶酒來。店小二把四只大盞子擺開，鋪下四雙箸，放了四盤菜蔬，打一桶酒，放在桌子上。

阮小二道：「有甚麼下口？」

小二哥道：「新宰得一頭黃牛，花糕也似好肥肉◆。」

阮小二道：「大塊切十斤來。」

阮小五道：「教授休笑話，沒甚孝順。」

吳用道：「倒來相擾，多激惱你們。」

阮小二道：「休恁地說！」

催促小二哥只顧篩酒，早把牛肉切做兩盤，將來放在桌上，阮家三兄弟讓吳用吃了幾塊，便吃不得了。那三個狼餐虎食◆，吃了一回。

阮小五動問道：「教授到此貴幹？」

阮小二道：「教授如今在一個大財主家做門館教學，今來要對付◆十數尾金色鯉魚，要重十四、五斤的，特來尋我們。」

阮小七道：「若是每常，要三、五十尾也有，莫說十數個，再要多些，我弟兄們也包辦得。如今便要重十斤的也難得。」

阮小五道：「教授遠來，我們也對付十來個重五六斤的相送。」

吳用道：「小生多有銀兩在此，隨算價錢，只是不用小的，須得十四、五斤重的便好。」

阮小七道：「教授，卻沒討處，便是五哥許五六斤的，也不能夠，須是等得幾日才得，我的船裡有一桶小活魚，就把來吃酒。」阮小七便去船內取將一桶小魚上來，約有五七斤，自去灶上安排，盛做三盤，把來放在桌上。阮小七道：「教授胡亂吃些個。」

◆花糕也似好肥肉——古人缺油水，吃肉要全肥的實膘大肥肉。

狼餐虎食——形容吃東西又猛又急。　對付——設法湊集。

四個又吃了一回。看看天色漸晚，吳用尋思道：「這酒店裡須難說話，今夜必是他家權宿，到那裡卻又理會。」

阮小二道：「今夜天色晚了，請教授權在我家宿一宵，明日卻再計較。」

吳用道：「小生來這裡走一遭，千難萬難，幸得你們弟兄今日做一處，眼見得這席酒不肯要小生還錢。今晚借二郎家歇一夜，小生有些須銀子在此，相煩就此店中沽一甕酒，買些肉，村中尋一對雞，夜間同一醉如何？」

阮小二道：「哪裡要教授壞錢◆，我們弟兄自去整理，不煩惱沒對付◆處。」

吳用道：「逕來要請你們三位。若還不依小生時，只此告退。」

阮小七道：「既是教授這般說時，且順情◆吃了，卻再理會。」

吳用道：「還是七郎性直爽快！」吳用取出一兩銀子，付與阮小七，就問主人家沽了一甕酒，借個大甕盛了，買了二十斤生熟牛肉，一對大雞。

阮小二道：「我的酒錢，一發還你。」

店主人道：「最好！最好！」

四人離了酒店，再下了船，把酒肉都放在船艙裡，解了纜索，逕划將開去，一直投阮小二家來。到得門前，上了岸，把船仍舊纜在樁上，取了酒肉，四人一齊都到後面坐地，便叫點起燈來。原來阮家弟兄三個，只有阮小二有老小，阮小五、阮小七都不曾婚娶，四個人都在阮小二家後面水亭上坐定。阮小七宰了雞，叫阿嫂同討的小猴子◈在廚下安排。約有一更相次◈，酒肉都搬來擺在桌上。

吳用勸他弟兄們吃了幾杯，又提起買魚事來，說道：「你這裡偌大一個去處，卻怎地沒了這等大魚？」

阮小二道：「實不瞞教授說，這般大魚，只除梁山泊裡便有。我這石碣湖中狹小，存不得這等大魚。」

吳用道：「這裡和梁山泊一望不遠，相通一脈之水，如何不去打些？」

◈**壞錢**—破費的意思。　**對付**—此指安排。　**順情**—投合人的情意。
小猴子—這裡指小男孩。　**相次**—將近。

阮小二嘆了一口氣道：「休說。」吳用又問道：「二哥如何嘆氣？」

阮小五接了說道：「教授不知，在先這梁山泊是我弟兄們的衣飯碗，如今絕不敢去。」

吳用道：「偌大去處，終不成官司禁打魚鮮？」

阮小五道：「甚麼官司，敢來禁打魚鮮！便是活閻王，也禁治不得！」

吳用道：「既沒官司禁治，如何絕不敢去？」

阮小五道：「原來教授不知來歷，且和教授說知。」

吳用道：「小生卻不理會得。」

阮小七接著便道：「這個梁山泊去處，難說難言。如今泊子裡新有一夥強人占了，不容打魚。」

吳用道：「小生卻不知，原來如今有強人，我這裡並不曾聞說。」

阮小二道：「那夥強人，為頭的是個落第舉子，喚做『白衣秀士』王倫，第二個叫做『摸著天』杜遷，第三個叫做『雲裡金剛』宋萬。以下有個『旱地忽律』朱貴，現在李家道口開酒店，專一探聽事情，也不打緊。如今新來一個好漢，是東京禁軍教頭，甚麼『豹子頭』林沖，十分好武藝。這幾個賊男女聚集了五七百人，打家劫舍，搶擄來往客人。我們有一年多不去那裡打魚，如今泊子裡把住了，絕了我們的衣飯，因此一言難盡。」

吳用道：「小生實是不知有這段事，如何官司不來捉他們？」

阮小五道：「如今那官司一處處動撣◈便害百姓，但一聲下鄉村來，倒先把好百姓家養的豬、羊、雞、鵝，盡都吃了，又要盤纏打發他。如今也好教這夥人奈何！那捕盜官司的人，哪裡敢下鄉村來！若是那上司官員差他們緝捕人來，都嚇得尿屎齊流，怎敢正眼兒看他！」

阮小二道：「我雖然不打得大魚，也省了若干科差。」

吳用道：「恁地時，那廝們倒快活！」

◈官司——指官吏。 動撣——移動。撣音膽。

阮小五道：「他們不怕天，不怕地，不怕官司，論秤分金銀，異樣穿紬錦，成甕吃酒，大塊吃肉，如何不快活？我們弟兄三個空有一身本事，怎地學得他們！」

吳用聽了，暗暗地歡喜道：「正好用計了。」

阮小七說道：「人生一世，草生一秋，我們只管打魚營生，學得他們過一日也好！」

吳用道：「這等人學他做甚麼？他做的勾當，不是笞杖五、七十的罪犯，空自把一身虎威都撇下。倘或被官司拿住了，也是自做的罪。」

阮小二道：「如今該管官司沒甚分曉，一片糊塗，千萬犯了彌天大罪的，倒都沒事！我弟兄們不能快活，若是但有肯帶挈我們的，也去了罷。」

阮小五道：「我也常常這般思量，我弟兄三個的本事，又不是不如別人，誰是識我們的？」

吳用道：「假如便有識你們的，你們便如何肯去？」

阮小七道：「若是有識我們的，水裡水裡去，火裡火裡去！若能夠受用得一日，便死了開眉展眼！」

吳用暗暗喜道：「這三個都有意了，我且慢慢地誘他。」吳用又勸他三個吃了兩巡酒，正是：

只為奸邪屈有才，天教惡曜◈下凡來。

試看阮氏三兄弟，劫取生辰不義財。

吳用又說道：「你們三個敢上梁山泊捉這夥賊麼？」

阮小七道：「便捉得他們，哪裡去請賞？也吃江湖上好漢們笑話！」

吳用道：「小生短見，假如你們怨恨打魚不得，也去那裡撞籌◈卻不是好？」

阮小二道：「先生，你不知，我弟兄們幾遍商量要去入夥，聽得那『白

◈**惡曜**──災星，比喻厄運。

撞籌──古人用算籌計數。撞籌就是湊數、入夥。

衣秀士』王倫的手下人都說道他心地窄狹，安不得人。前番那個東京林沖上山，嘔盡他的氣。王倫那廝，不肯胡亂著人◆。因此我弟兄們看了這般樣，一齊都心懶了。」

阮小七道：「他們若似老兄這等慷慨，愛我弟兄們便好！」

阮小五道：「那王倫若得似教授這般情分時，我們也去了多時，不到今日！我弟兄三個，便替他死也甘心！」

吳用道：「量小生何足道哉，如今山東、河北多少英雄豪傑的好漢。」

阮小二道：「好漢們盡有，我弟兄自不曾遇著。」

吳用道：「只此間鄆城縣東溪村晁保正，你們曾認得他麼？」

阮小五道：「莫不是叫做托塔天王的晁蓋麼？」吳用道：「正是此人。」

阮小七道：「雖然與我們只隔得百十里路程，緣分淺薄，聞名不曾相會。」吳用道：「這等一個仗義疏財的好男子，如何不與他相見！」

阮小二道：「我弟兄們無事也不曾到那裡，因此不能夠與他相見。」

吳用道：「小生這幾年也只在晁保正莊上左近◆教些村學。如今打聽得他有一套富貴待取，特地來和你們商議，我等就那半路裡攔住取了，如何？」

阮小五道：「這個卻使不得。他既是仗義疏財的好男子，我們卻去壞他的道路◆，須吃江湖上好漢們知時笑話。」

吳用道：「我只道你們弟兄心志不堅，原來真個惜客好義。我對你們實說，果有協助之心，我教你們知此一事。我如今現在晁保正莊上住。保正聞知你三個大名，特地教我來請你們說話。」

阮小二道：「我弟兄三個，真真實實地並沒半點兒假！晁保正敢◆有件奢遮◆的私商買賣，有心要帶挈我們？一定是煩老兄來。若還端的有這事，我三個若捨不得性命相幫他時，殘酒為誓，教我們都遭橫事，惡病臨身，死於非命！」

◆**著人**—接受、信賴人。著音卓。　**左近**—最近。　**道路**—這裡作生意、買賣解釋。

敢—此為莫非、大約的意思。　**奢遮**—能幹、出眾。

阮小五和阮小七把手拍著脖項道：「這腔熱血，只要賣與識貨的！」

吳用道：「你們三位弟兄在這裡，不是我壞心術來誘你們，這件事乃非同小可的勾當！目今朝內蔡太師是六月十五日生辰，他的女婿是北京大名府梁中書，即日起解十萬貫金珠寶貝與他丈人慶生辰。今有一個好漢姓劉名唐，特來報知。如今欲要請你們去商議，聚幾個好漢，向山凹僻靜去處，取此一套富貴不義之財，大家圖個一世快活。因此特教小生只做買魚來請你們三個計較，成此一事。不知你們心意如何？」

阮小五聽了道：「罷！罷！」叫道：「七哥，我和你說甚麼來！」

阮小七跳起來道：「一世的指望，今日還了願心！正是搔著我癢處！我們幾時去？」

吳用道：「請三位即便去來，明日起個五更，一齊都到晁天王莊上去。」

阮家三弟兄大喜。有詩為證：

學究知書豈愛財，阮郎漁樂亦悠哉！

只因不義金珠去，致使群雄聚義來。

當夜過了一宿，次早起來，吃了早飯，阮家三弟兄吩咐了家中，跟著吳學究，四個人離了石碣村，拽開腳步，取路投東溪村來。行了一日，早望見晁家莊，只見遠遠地綠槐樹下晁蓋和劉唐在那裡等，望見吳用引著阮家三兄弟直到槐樹前，兩下都廝見◈了。

晁蓋大喜道：「阮氏三雄名不虛傳，且請到莊裡說話。」

六人俱從莊外入來，到得後堂，分賓主坐定。吳用把前話說了，晁蓋大喜，便叫莊客宰殺豬羊，安排燒紙。阮家三弟兄見晁蓋人物軒昂，語言灑落◈，三個說道：「我們最愛結識好漢，原來只在此間。今日不得吳教授相引，如何得會？」三個弟兄好生歡喜。當晚且吃了些飯，說了半夜話。

◈**搔著我癢處**——比喻正合心意，痛快之至。　**廝見**——相見。
灑落——神態自然大方，不受拘束的樣子。

次日天曉，去後堂前面列了金錢、紙馬、香花、燈燭，擺了夜來煮的豬羊、燒紙。

眾人見晁蓋如此志誠，盡皆歡喜，個個說誓道：「梁中書在北京害民，詐得錢物，卻把去東京與蔡太師慶生辰，此一等正是不義之財。我等六人中但有私意者，天地誅滅，神明鑒察。」六人都說誓了，燒化紙錢。

六籌◆好漢，正在後堂散福◆飲酒，只見一個莊客報說：「門前有個先生要見保正化齋糧。」

晁蓋道：「你好不曉事！見我管待客人在此吃酒，你便與他三五升米便了，何須直來問我！」

莊客道：「小人化米與他，他又不要，只要面見保正。」

晁蓋道：「一定是嫌少！你便再與他三二斗米去。你說與他，保正今日在莊上請人吃酒，沒工夫相見。」

莊客去了多時，只見又來說道：「那先生◆，與了他三斗米，又不肯去，自稱是『一清道人』，不為錢米而來，只要求見保正一面。」晁蓋道：「你這廝不會答應，便說今日委實沒工夫，教他改日卻來相見拜茶。」

莊客道：「小人也是這般說，那個先生說道：『我不為錢米齋糧，聞知保正是個義士，特求一見。』」晁蓋道：「你也這般纏，全不替我分憂！他若再嫌少時，可與他三四斗去，何必又來說！我若不和客人們飲時，便去廝見一面，打甚麼緊！你去發付他罷，再休要來說！」

莊客去了沒半個時辰，只聽得莊門外熱鬧。又見一個莊客飛也似來報道：「那先生發怒，把十來個莊客都打倒了。」

◈籌—量詞。古代計算人數的單位。六籌好漢即六條好漢。
散福—分配、分享祭祀過的物品，以沾享福分。
先生—宋時對道士的稱呼之一。有時也用以稱呼醫、卜、星、相為職業的人。

晁蓋聽得，吃了一驚，慌忙起身道：「眾位弟兄少坐，晁蓋自去看一看。」便從後堂出來，到莊門前看時，只見那個先生身長八尺，道貌堂堂，生得古怪，正在莊門外綠槐樹下，打那眾莊客。晁蓋看那先生，但見：

頭綰兩枚鬅鬆◆雙丫髻，身穿一領巴山短褐袍◆，
腰繫雜色彩絲絛，背上松紋古銅劍。
白肉腳襯著多耳麻鞋，綿囊手拿著鱉殼扇子。
八字眉，一雙杏子眼；四方口，一部落腮鬍。

那先生一頭打莊客，一頭口裡說道：「不識好人！」

晁蓋見了，叫道：「先生息怒，你來尋晁保正，無非是投齋化緣，他已與了你米，何故嗔怪◆如此？」

那先生哈哈大笑道：「貧道不為酒食錢米而來，我覷得十萬貫如同等閒。特地來尋保正，有句話說。叵耐村夫無理，毀罵貧道，因此性發◆。」

晁蓋道：「你可曾認得晁保正麼？」

那先生道：「只聞其名，不曾會面。」

晁蓋道：「小子◆便是。先生有甚話說？」

那先生看了道：「保正休怪，貧道稽首。」

晁蓋道：「先生少請，到莊裡拜茶◆如何？」那先生道：「多感◆。」

兩人入莊裡來。吳用見那先生入來，自和劉唐、三阮一處躲過。且說晁蓋請那先生到後堂吃茶已罷，那先生道：「這裡不是說話處。別有甚麼去處可坐？」晁蓋見說，便邀那先生又到一處小小閣兒內，分賓坐定。

晁蓋道：「不敢拜問先生高姓？貴鄉何處？」

那先生答道：「貧道複姓公孫，單諱一個勝字，道號一清先生。小道是

◆**鬅鬆**—鬅音朋。頭髮鬆散的樣子。　**短褐袍**—粗布短衣。　**嗔怪**—責怪。
性發—發脾氣。　**小子**—子音紫。自稱的謙詞。
拜茶—請客人飲茶的敬詞。　**多感**—多謝。

薊州人氏，自幼鄉中好習槍棒，學成武藝多般，人但呼為公孫勝大郎。為因學得一家道術，亦能呼風喚雨，駕霧騰雲，江湖上都稱貧道做『入雲龍』。貧道久聞鄆城縣東溪村晁保正大名，無緣不曾拜識。今有十萬貫金珠寶貝，專送與保正，作進見之禮。未知義士肯納受否？」

晁蓋大笑道：「先生所言，莫非北地生辰綱麼？」

那先生大驚道：「保正何以知之？」

晁蓋道：「小子胡猜，未知合先生意否？」

公孫勝道：「此一套富貴，不可錯過。古人有云：『當取不取，過後莫悔。』晁保正心下如何？」

正說之間，只見一個人從閣子外搶將入來，劈胸揪住公孫勝說道：「好呀！明有王法，暗有神靈，你如何商量這等的勾當！我聽得多時也！」嚇得這公孫勝面如土色。正是：

機謀未就，爭奈窗外人聽；計策才施，又早蕭牆禍起。

畢竟搶來揪住公孫勝的卻是何人？且聽下回分解。

第一六回

楊志押送金銀擔
吳用智取生辰綱

話說當時公孫勝正在閣兒裡對晁蓋說：「這北京生辰綱是不義之財，取之何礙。」

只見一個人從外面搶將入來，揪住公孫勝道：「你好大膽！卻才商議的事，我都知了也！」那人卻是智多星吳學究。

晁蓋笑道：「教授休慌，且請相見。」兩個敘禮罷。

吳用道：「江湖上久聞人說『入雲龍』公孫勝一清大名，不期今日此處得會！」

晁蓋道：「這位秀才先生，便是『智多星』吳學究。」

公孫勝道：「吾聞江湖上多人曾說加亮先生大名，豈知緣法卻在保正莊上得會。只是保正疏財仗義，以此天下豪傑，都投門下。」

晁蓋道：「再有幾個相識在裡面，一發請進後堂深處相見。」三個人入到裡面，就與劉唐、三阮都相見了。正是：

金帛多藏禍有基，英雄聚會本無期。

一時豪俠欺黃屋◆，七宿◆光芒動紫微◆。

眾人道：「今日此一會，應非偶然，須請保正哥哥正面而坐。」

晁蓋道：「量小子是個窮主人，怎敢占上！」

吳用道：「保正哥哥年長，依著小生，且請坐了。」

晁蓋只得坐了第一位，吳用坐了第二位，公孫勝坐了第三位，劉唐坐了第四位，阮小二坐了第五位，阮小五坐第六位，阮小七坐第七位。卻才聚

◆黃屋—即黃堂，太守辦事的廳堂。明清時知府為太守之職，故俗稱知府為黃堂。七宿—宿音袖。指北斗七星。紫微—帝王宮殿。

義飲酒，重整杯盤，再備酒餚，眾人飲酌。

吳用道：「保正夢見北斗七星墜在屋脊上，今日我等七人聚義舉事，豈不應天垂象！此一套富貴，唾手而取。前日所說，央劉兄去探聽路程從哪裡來，今日天晚，來早便請登程。」

公孫勝道：「這一事不須去了。貧道已打聽，知他來的路數了，只是黃泥岡大路上來。」

晁蓋道：「黃泥岡東十里路，地名安樂村，有一個閒漢，叫做『白日鼠』白勝，也曾來投奔我，我曾齎助他盤纏。」

吳用道：「北斗上白光，莫不是應在這人？自有用他處。」

劉唐道：「此處離黃泥岡較遠，何處可以容身？」

吳用道：「只這個白勝家便是我們安身處，亦還要用了白勝。」

晁蓋道：「吳先生，我等還是軟取，卻是硬取？」

吳用笑道：「我已安排定了圈套，只看他來的光景，力則力取，智則智取。我有一條計策，不知中你們意否？如此，如此。」

晁蓋聽了大喜，攧著腳道：「好妙計！不枉了稱你做智多星，果然賽過諸葛亮！好計策！」

吳用道：「休得再提。常言道：隔牆須有耳，窗外豈無人？只可你知我知。」

晁蓋便道：「阮家三兄且請回歸，至期來小莊聚會。吳先生依舊自去教學。公孫先生並劉唐，只在敝莊權住。」當日飲酒至晚，各自去客房裡歇息。

次日五更起來，安排早飯吃了，晁蓋取出三十兩花銀，送與阮家三兄弟道：「權表薄意，切勿推卻。」三阮哪裡肯受。

◆垂象—顯示徵兆。　唾手而取—比喻極容易得到。　光景—情形。

吳用道：「朋友之意，不可相阻。」三阮方才受了銀兩。一齊送出莊外來，吳用附耳低言道：「這般這般，至期不可有誤。」三阮相別了，自回石碣村去。晁蓋留住公孫勝、劉唐在莊上。吳學究常來議事。正是：

取非其有官皆盜，損彼盈餘盜是公。
計就只須安穩待，笑他寶擔去匆匆。

話休絮煩。卻說北京大名府梁中書，收買了十萬貫慶賀生辰禮物完備，選日差人起程。當下一日在後堂坐下，只見蔡夫人問道：「相公，生辰綱幾時起程？」

梁中書道：「禮物都已完備，明後日便用起身。只是一件事，在此躊躇未決。」蔡夫人道：「有甚事躊躇未決？」

梁中書道：「上年費了十萬貫收買金珠寶貝，送上東京去，只因用人不著，半路被賊人劫將去了，至今無獲。今年帳前眼見得又沒個了事的人送去，在此躊躇未決。」蔡夫人指著階下道：「你常說這個人十分了得，何不著他，委紙領狀，送去走一遭，不致失誤。」梁中書看階下那人時，卻是青面獸楊志。

梁中書大喜，隨即喚楊志上廳說道：「我正忘了你。你若與我送得生辰綱去，我自有抬舉你處。」楊志叉手向前稟道：「恩相差遣，不敢不依！只不知怎地打點？幾時起身？」梁中書道：「著落◈大名府差十輛太平車子◈，帳前撥十個廂禁軍◈監押著車，每輛上各插一把黃旗，上寫著『獻賀太師生辰綱』。每輛車子再使個軍健◈跟著，三日內便要起身去。」

◈了事──辦事能力強。 軍健──兵卒。
著落──命令、差派。 太平車子──可以載重幾十石，用四五匹到十多匹牲口拉的大車。

楊志道：「非是小人推托，其實去不得。乞鈞旨別差英雄精細的人去。」

梁中書道：「我有心要抬舉你，這獻生辰綱的札子內，另修一封書在中間，太師跟前重重保你受道敕命回來，如何倒生支調◈，推辭不去？」

楊志道：「恩相在上，小人也曾聽得上年已被賊人劫去了，至今未獲。今歲途中盜賊又多，此去東京，又無水路，都是旱路。經過的是紫金山、二龍山、桃花山、傘蓋山、黃泥岡、白沙塢、野雲渡、赤松林，這幾處都是強人出沒的去處。更兼單身客人亦不敢獨自經過，他知道是金銀寶物，如何不來搶劫？枉結果了性命。以此去不得。」

梁中書道：「恁地時，多著軍校◈防護送去便了。」

楊志道：「恩相便差五百人去，也不濟事。這廝們一聲聽得強人◈來時，都是先走了的。」

梁中書道：「你這般地說時，生辰綱不要送去了？」

楊志又稟道：「若依小人一件事，便敢送去。」

梁中書道：「我既委在你身上，如何不依你說。」

楊志道：「若依小人說時，並不要車子，把禮物都裝做十餘條擔子，只做客人的打扮行貨。也點十個壯健的廂禁軍，卻裝做腳夫挑著。只消一個人和小人去，卻打扮做客人，悄悄連夜上東京交付，恁地時方好。」

梁中書道：「你甚說得是。我寫書呈重重保你受道誥命回來。」

楊志道：「深謝恩相抬舉。」當日便叫楊志一面打拴◆擔腳◆，一面選揀軍人。

次日，叫楊志來廳前伺候，梁中書出廳來問道：「楊志，你幾時起身？」

楊志稟道：「告覆恩相，只在明早準行，就委領狀。」

◆**倒生支調**──拿腔拿調、借故推搪。支調，支吾搪塞。　**強人**──強盜、搶匪。

廂禁軍──負責京都警衛的軍隊稱禁軍，負責諸州地方警衛的稱廂軍。朝廷臨時、緊急徵用兩種軍隊混編而成的軍隊稱為廂禁軍。

軍校──軍中的副官。　**打拴**──包紮、捆綁。　**擔腳**──行李、貨物。

梁中書道：「夫人也有一擔禮物，另送與府中寶眷，也要你領。怕你不知頭路，特地再教奶公謝都管，並兩個虞候，和你一同去。」

楊志告道：「恩相，楊志去不得了。」

梁中書說道：「禮物都已拴縛完備，如何又去不得？」

楊志稟道：「此十擔禮物都在小人身上，和他眾人，都由楊志，要早行便早行，要晚行便晚行，要住便住，要歇便歇，亦依楊志提調。如今又叫老都管並虞候和小人去，他是夫人行的人，又是太師府門下奶公，倘或路上與小人彆拗起來，楊志如何敢和他爭執得？若誤了大事時，楊志那其間如何分說？」

梁中書道：「這個也容易，我叫他三個都聽你提調便了。」

楊志答道：「若是如此稟過，小人情願便委領狀。倘有疏失，甘當重罪。」

梁中書大喜道：「我也不枉了抬舉你，真個有見識。」

隨即喚老謝都管並兩個虞候出來，當廳吩咐道：「楊志提轄情願委了一紙領狀，監押生辰綱，十一擔金珠寶貝，赴京太師府交割，這干係都在他身上。你三人和他做伴去，一路上早起、晚行、住歇，都要聽他言語，不可和他彆拗。夫人處吩咐的勾當，你三人自理會，小心在意，早去早回，休教有失。」老都管一一都應了。

當日楊志領了，次日早起五更，在府裡把擔仗都擺在廳前。老都管和兩個虞候又將一小擔財帛共十一擔，揀了十一個壯健的廂禁軍，都做腳夫打扮。楊志戴上涼笠兒，穿著青紗衫子，繫了纏帶◆，行履◆麻鞋，跨口腰刀，提條朴刀。老都管也打扮做個客人模樣；兩個虞候假裝做跟的伴當。各人都拿了條朴刀，又帶幾根藤條。梁中書付與了札付◆書呈。一行人都吃得飽了，在廳上拜辭了梁中書，看那軍人擔仗起程。

◆**寶眷**—尊稱別人的家眷。　**奶公**—對於乳母之夫的尊稱。　**虞候**—對下級吏員、侍從的通稱。
彆拗—執拗、不順心。　**分說**—辯白、細說。
纏帶—用來纏束外衣的腰帶。　**行履**—行走。　**札付**—公文。

楊志和謝都管、兩個虞候監押著，一行共是十五人，離了梁府，出得北京城門，取大路投東京進發。此時正是五月半天氣，雖是晴明得好，只是酷熱難行。

昔日吳七郡王有八句詩道：

玉屏四下朱欄繞，簇簇游魚戲萍藻。
簟鋪八尺白蝦鬚，頭枕一枚紅瑪瑙。
六龍懼熱不敢行，海水煎沸蓬萊島。
公子猶嫌扇力微，行人正在紅塵道。

這八句詩單題著炎天暑月，那公子王孫在涼亭上水閣中浸著浮瓜沉李，調冰雪藕避暑，尚兀自嫌熱，怎知客人為些微名薄利，又無枷鎖拘縛，三伏◆內，只得在那途路中行。今日楊志這一行人要取六月十五日生辰，只得在路途上行。自離了這北京五七日，端的只是起五更，趁早涼便行，日中熱時便歇。

五七日後，人家漸少，行路又稀，一站站都是山路。楊志卻要辰牌起身，申時便歇。那十一個廂禁軍，擔子又重，無有一個稍輕，天氣熱了行不得，見著林子，便要去歇息。楊志趕著催促要行。如若停住，輕則痛罵，重則藤條便打，逼趕要行。兩個虞候雖只背些包裹、行李，也氣喘了行不上。

楊志也嗔道：「你兩個好不曉事！這干係須是俺的，你們不替洒家打這夫子◆，卻在背後也慢慢地挨。這路上不是耍處◆！」

那虞候道：「不是我兩個要慢走，其實熱了行不動，因此落後。前日只是趁早涼走，如今怎地正熱裡要行，正是好歹不均勻。」

楊志道：「你這般說話，卻似放屁！前日行的須是好地面，如今正是尷尬去處，若不日裡趕過去，誰敢五更半夜走？」

◆**三伏**—初伏、中伏、末伏的合稱。從夏至後第三個庚日起，每十日為一伏，分別為初伏、中伏、末伏，是一年中最熱的時候。　**夫子**—子音紫。腳伕、伕役。

不是耍處—不可當作玩鬧，不能隨便。指事態嚴重，非同小可。

兩個虞候口裡不道，肚中尋思：「這廝不值得便罵人。」

楊志提了朴刀，拿著藤條，自去趕那擔子。兩個虞候坐在柳陰樹下，等得老都管來，兩個虞候告訴道：「楊家那廝，強殺◆只是我相公門下一個提轄，直這般會做大◆！」

都管道：「須是相公當面吩咐道，休要和他彆拗，因此我不做聲，這兩日也看他不得，權且◆耐他。」兩個虞候道：「相公也只是人情話兒，都管自做個主便了。」

老都管又道：「且耐他一耐。」

當日行到申牌時分，尋得一個客店裡歇了。那十一個廂禁軍雨汗通流，都嘆氣吹噓，對老都管說道：「我們不幸做了軍健，情知道被差出來。這般火似熱的天氣，又挑著重擔，這兩日又不揀早涼行，動不動老大藤條打來，都是一般父母皮肉，我們直恁地苦！」

老都管道：「你們不要怨恨，巴到東京時，我自賞你。」

眾軍漢道：「若是似都管看待我們時，並不敢怨恨。」又過了一夜。

次日天色未明，眾人起來，都要趁涼起身去。楊志跳起來喝道：「哪裡去！且睡了，卻理會！」

眾軍漢道：「趁早不走，日裡熱時走不得，卻打我們。」

楊志大罵道：「你們省得甚麼？」拿了藤條要打，眾軍忍氣吞聲，只得睡了。當日直到辰牌時分，慢慢地打火◈，吃了飯走，一路上趕打著，不許投涼處歇。那十一個廂禁軍口裡喃喃吶吶地怨悵，兩個虞候在老都管面前絮絮聒聒地搬口◈。老都管聽了，也不著意，心內自惱他。

話休絮煩。似此行了十四、五日，那十四個人沒一個不怨悵楊志。

◈**強殺**─充其量。 **做大**─擺架子。 **權且**─姑且、暫且。 **打火**─行人在旅途中生火做飯或吃飯。 **搬口**─挑撥是非。

當日客店裡辰牌時分慢慢地打火，吃了早飯行。正是六月初四日時節，天氣未及晌午，一輪紅日當天，沒半點雲彩，其日十分大熱。古人有八句詩道：

祝融南來鞭火龍，火旗焰焰燒天紅。
日輪當午凝不去，萬國如在紅爐中。
五嶽翠乾雲彩滅，陽侯◆海底愁波竭。
何當一夕金風起，為我掃除天下熱。

當日行的路，都是山僻崎嶇小徑，南山北嶺，卻監著那十一個軍漢，約行了二十餘里路程。那軍人們思量要去柳陰樹下歇涼，被楊志拿著藤條打將來，喝道：「快走！教你早歇。」眾軍人看那天時，四下裡無半點雲彩，其時那熱不可當。但見：

熱氣蒸人，囂塵撲面。萬里乾坤如甑◆，一輪火傘當天。四野無雲，風寂寂樹焚溪坼；千山灼焰，咇剝剝石裂灰飛。

空中鳥雀命將休，倒攧入樹林深處；
水底魚龍鱗角脫，直鑽入泥土窖中。
直教石虎喘無休，便是鐵人須汗落。

當時楊志催促一行人在山中僻路裡行，看看日色當午，那石頭上熱了，腳疼走不得。眾軍漢道：「這般天氣熱，兀的不曬殺人！」楊志喝著軍漢道：「快走，趕過前面岡子去，卻再理會。」正行之間，前面迎著那土岡子。眾人看這岡子時，但見：

頂上萬株綠樹，根頭一派黃沙。嵯峨渾似老龍形，險峻但聞風雨響。
山邊茅草，亂絲絲攢遍地刀槍；滿地石頭，磣可可◈睡兩行虎豹。
休道西川蜀道險，須知此是太行山。

◈陽侯—傳說中的水神。能興風作浪，造成災害。
甑—古代蒸煮食物的瓦器，底部有許多小孔，有如現代的蒸籠。
磣可可—悽慘可怕的樣子。磣音趻。

當時一行十五人奔上岡子來，歇下擔仗，那十四人都去松陰樹下睡倒了。楊志說道：「苦也！這裡是甚麼去處，你們卻在這裡歇涼？起來，快走！」

眾軍漢道：「你便剁做我七八段，其實去不得了！」楊志拿起藤條，劈頭劈腦打去，打得這個起來，那個睡倒，楊志無可奈何。

只見兩個虞候和老都管氣喘急急，也巴到岡子上松樹下坐了喘氣。看這楊志打那軍健，老都管見了說道：「提轄，端的熱了走不得，休見他罪過。」

楊志道：「都管，你不知這裡正是強人出沒的去處，地名叫做黃泥岡。閒常太平時節，白日裡兀自出來劫人，休道是這般光景，誰敢在這裡停腳！」

兩個虞候聽楊志說了，便道：「我見你說好幾遍了，只管把這話來驚嚇人。」老都管道：「權且教他們眾人歇一歇，略過日中行，如何？」

楊志道：「你也沒分曉了，如何使得！這裡下岡子去，兀自有七八里沒人家，甚麼去處，敢在此歇涼！」

老都管道：「我自坐一坐了走，你自去趕他眾人先走。」

楊志拿著藤條喝道：「一個不走的，吃俺二十棍。」

眾軍漢一齊叫將起來，數內一個分說道：「提轄，我們挑著百十斤擔子，須不比你空手走的，你端的不把人當人！便是留守相公自來監押時，也容我們說一句。你好不知疼癢！只顧逞辯！」

楊志罵道：「這畜生不嘔死俺！只是打便了！」拿起藤條，劈臉便打去。

老都管喝道：「楊提轄，且住！你聽我說，我在東京太師府裡做奶公時，門下官軍見了無千無萬，都向著我喏喏連聲。不是我口淺◆，量你是個遭死的軍人，相公可憐抬舉你做個提轄，比得草芥子大小的官職，值得

◆口淺──多嘴、口快。

恁地逞能。休說我是相公家都管，便是村莊一個老的，也合依我勸一勸。只顧把他們打，是何看待？」

楊志道：「都管，你須是城市裡人，生長在相府裡，哪裡知道途路上千難萬難。」

老都管道：「四川、兩廣也曾去來，不曾見你這般賣弄◆。」

楊志道：「如今須不比太平時節。」

都管道：「你說這話，該剜口割舌，今日天下恁地不太平？」

楊志卻待再要回言，只見對面松林裡影著一個人，在那裡舒頭探腦價望，楊志道：「俺說甚麼？兀的不是歹人來了！」撇下藤條，拿了朴刀，趕入松林裡來喝一聲道：「你這廝好大膽，怎敢看俺的行貨！」正是：

說鬼便招鬼，說賊便招賊，卻是一家人，對面不能識。

楊志趕來看時，只見松林裡一字兒擺著七輛江州車兒◆，七個人脫得赤條條的在那裡乘涼。一個鬢邊老大一搭朱砂記，拿著一條朴刀，望楊志跟前來。七個人齊叫一聲：「啊也！」都跳起來。

楊志喝道：「你等是甚麼人？」那七人道：「你是甚麼人？」

楊志又問道：「你等莫不是歹人？」

那七人道：「你顛倒問，我等是小本經紀，哪裡有錢與你。」

楊志道：「你等小本經紀人，偏俺有大本錢！」

那七人問道：「你端的是甚麼人？」

楊志道：「你等且說哪裡來的人？」

那七人道：「我等弟兄七人是濠州人，販棗子上東京去，路途打從這裡經過。聽得多人說這裡黃泥岡上時常有賊打劫客商。我等一面走，一頭自說道：『我七個只有些棗子，別無甚財貨。』只顧過岡子來。上得岡子，當不過這熱，權且在這林子裡歇一歇，待晚涼了行。只聽得有人上岡子來，

◈賣弄——恃恩弄權。　江州車兒——手推的獨輪小車。

我們只怕是歹人，因此使這個兄弟出來看一看。」

楊志道：「原來如此，也是一般的客人。卻才見你們窺望，惟恐是歹人，因此趕來看一看。」

那七個人道：「客官請幾個棗子了去。」

楊志道：「不必。」提了朴刀，再回擔邊來。

老都管道：「既是有賊，我們去休。」

楊志說道：「俺只道是歹人，原來是幾個販棗子的客人。」

老都管道：「似你方才說時，他們都是沒命的。」

楊志道：「不必相鬧，只要沒事便好。你們且歇了，等涼些走。」眾軍漢都笑了。楊志也把朴刀插在地上，自去一邊樹下坐了歇涼。沒半碗飯時，只見遠遠地一個漢子挑著一副擔桶，唱上岡子來，唱道：

赤日炎炎似火燒，野田禾稻半枯焦。

農夫心內如湯煮，公子王孫把扇搖。

那漢子口裡唱著，走上岡子來，松林裡頭歇下擔桶，坐地乘涼。眾軍看見了，便問那漢子道：「你桶裡是甚麼東西？」

那漢子應道：「是白酒。」眾軍道：「挑往哪裡去？」

那漢子道：「挑出村裡賣。」眾軍道：「多少錢一桶？」

那漢子道：「五貫足錢。」

眾軍商量道：「我們又熱又渴，何不買些吃，也解暑氣。」

正在那裡湊錢。楊志見了，喝道：「你們又做甚麼？」

眾軍道：「買碗酒吃。」楊志調過朴刀桿便打，罵道：「你們不得洒家言語，胡亂便要買酒吃，好大膽！」

眾軍道：「沒事又來鳥亂！我們自湊錢買酒吃，干你甚事，也來打人！」

楊志道：「你這村鳥◈理會得甚麼！到來只顧吃嘴，全不曉得路途上的勾

◈村鳥──舊小說中用以罵人的話。鳥，用同「屌」。

當艱難。多少好漢，被蒙汗藥麻翻了！」

那挑酒的漢子看著楊志冷笑道：「你這客官好不曉事，早是我不賣與你吃，卻說出這般沒氣力的話來。」

正在松樹邊鬧動爭說，只見對面松林裡那夥販棗子的客人都提著朴刀，走出來問道：「你們做甚麼鬧？」

那挑酒的漢子道：「我自挑這酒過岡子村裡賣，熱了在此歇涼，他眾人要問我買些吃，我又不曾賣與他。這個客官道我酒裡有甚麼蒙汗藥，你道好笑麼？說出這般話來！」

那七個客人說道：「我只道有歹人出來，原來是如此，說一聲也不打緊。我們正想酒來解渴，既是他們疑心，且賣一桶與我們吃。」

那挑酒的道：「不賣，不賣！」

這七個客人道：「你這鳥漢子也不曉事，我們須不曾說你。你左右將到村裡去賣，一般還你錢，便賣些與我們，打甚麼不緊？看你不道得◆捨施了茶湯，便又救了我們熱渴。」

那挑酒的漢子便道：「賣一桶與你不爭，只是被他們說的不好。又沒碗瓢舀吃。」

那七人道：「你這漢子忒認真！便說了一聲，打甚麼不緊？我們自有椰瓢在這裡。」

只見兩個客人去車子前取出兩個椰瓢來，一個捧出一大捧棗子來。七個人立在桶邊，開了桶蓋，輪替換著舀那酒吃，把棗子過口。無一時，一桶酒都吃盡了。

七個客人道：「正不曾問得你多少價錢？」

那漢道：「我一了◆不說價，五貫足錢一桶，十貫一擔。」

◆不道得——豈不是。　一了——向來、一直。了音瞭。

七個客人道：「五貫便依你五貫，只饒我們一瓢吃。」那漢道：「饒不得，做定的價錢。」一個客人把錢還他，一個客人便去揭開桶蓋，兜了一瓢，拿上便吃。那漢去奪時，這客人手拿半瓢酒，望松林裡便走，那漢趕將去。只見這邊一個客人從松林裡走將出來，手裡拿一個瓢，便來桶裡舀了一瓢酒。那漢看見，搶來劈手奪住，望桶裡一傾，便蓋了桶蓋，將瓢望地下一丟，口裡說道：「你這客人好不君子相！戴頭識臉的，也這般囉唕！」

那對過眾軍漢見了，心內癢起來，都待要吃，數中一個看著老都管道：「老爺爺與我們說一聲，那賣棗子的客人買他一桶吃了，我們胡亂也買他這桶吃，潤一潤喉也好。其實熱渴了，沒奈何，這裡岡子上又沒討水吃處。老爺方便！」

老都管見眾軍所說，自心裡也要吃得些，竟來對楊志說：「那販棗子客人已買了他一桶酒吃，只有這一桶，胡亂教他們買吃些避暑氣。岡子上端的沒處討水吃。」

楊志尋思道：「俺在遠遠處望這廝們都買他的酒吃了，那桶裡當面也見吃了半瓢，想是好的。打了他們半日，胡亂容他買碗吃罷。」

楊志道：「既然老都管說了，教這廝們買吃了，便起身。」

眾軍健聽了這話，湊了五貫足錢，來買酒吃。那賣酒的漢子道：「不賣了，不賣了！這酒裡有蒙汗藥在裡頭！」

眾軍陪著笑說道：「大哥，值得便還言語？」

那漢道：「不賣了！休纏！」

這販棗子的客人勸道：「你這個鳥漢子，他也說得差了，你也忒認真！連累我們也吃你說了幾聲。須不關他眾人之事，胡亂◆賣與他眾人吃些。」

那漢道：「沒事討別人疑心做甚麼？」

◆饒—讓。　戴頭識臉—有身分地位、有頭有臉。　胡亂—隨便。

這販棗子客人把那賣酒的漢子推開一邊，只顧將這桶酒提與眾軍去吃。那軍漢開了桶蓋，無甚舀吃，陪個小心，問客人借這椰瓢用一用。眾客人道：「就送這幾個棗子與你們過酒。」眾軍謝道：「甚麼道理。」客人道：「休要相謝，都是一般客人，何爭在這百十個棗子上。」眾軍謝了，先兜兩瓢，叫老都管吃一瓢，楊提轄吃一瓢，楊志哪裡肯吃。老都管自先吃了一瓢，兩個虞候各吃一瓢。眾軍漢一發◆上，那桶酒登時吃盡了。

楊志見眾人吃了無事，自本不吃，一者天氣甚熱，二乃口渴難熬，拿起來只吃了一半，棗子分幾個吃了。那賣酒的漢子說道：「這桶酒被那客人饒一瓢吃了，少了你些酒，我今饒了你眾人半貫錢罷。」眾軍漢湊出錢來還他。那漢子收了錢，挑了空桶，依然唱著山歌，自下岡子去了。

那七個販棗子的客人，立在松樹旁邊，指著這一十五人說道：「倒也，倒也！」只見這十五個人頭重腳輕，一個個面面廝覷◈，都軟倒了。

那七個客人從松樹林裡推出這七輛江州車兒，把車子上棗子都丟在地上，將這十一擔金珠寶貝都裝在車子內，遮蓋好了，叫聲：「聒噪！」一直望黃泥岡下推了去。正是：

誅求膏血慶生辰，不顧民生與死鄰。
始信從來招劫盜，虧心必定有緣因。

楊志口裡只是叫苦，軟了身體，掙扎不起。十五人眼睜睜地看著那七個人都把這金寶裝了去，只是起不來，掙不動，說不得。

我且問你，這七人端的是誰？不是別人，原來正是晁蓋、吳用、公孫勝、劉唐、三阮這七個。卻才那個挑酒的漢子，便是白日鼠白勝。卻怎地用藥？原來挑上岡子時，兩桶都是好酒。

◈一發──一同。　**面面廝覷**──互相對視而不知所措，形容驚懼或詫異的樣子。

七個人先吃了一桶，劉唐揭起桶蓋，又兜了半瓢吃，故意要他們看著，只是叫人死心塌地。次後吳用去松林裡取出藥來，抖在瓢裡，只做走來饒他酒吃，把瓢去兜時，藥已攪在酒裡，假意兜半瓢吃，那白勝劈手奪來，傾在桶裡，這個便是計策。那計較都是吳用主張，這個喚做「智取生辰綱」。

原來楊志吃得酒少，便醒得快，爬將起來，兀自捉腳不住。看那十四個人時，口角流涎，都動不得，正應俗語道：「饒你奸似鬼，吃了洗腳水。」

楊志憤悶道：「不爭你把了生辰綱去，教俺如何回去見得梁中書！這紙領狀須繳不得！」就扯破了。「如今閃得俺有家難奔，有國難投，待走哪裡去？不如就這岡子上尋個死處！」撩衣破步，望著黃泥岡下便跳。正是：

斷送落花三月雨，摧殘楊柳九秋霜。

畢竟楊志在黃泥岡上尋死，性命如何？且聽下回分解。

◆捉腳不住─站不穩。　擦衣破步─提起衣服，邁開大步前進。

第一七回 花和尚單打二龍山 青面獸雙奪寶珠寺

話說楊志當時在黃泥岡上，被取了生辰綱去，如何回轉去見得梁中書，欲要就岡子上自尋死路。

卻待望黃泥岡下躍身一跳，猛可◈醒悟，拽住了腳，尋思道：「爹娘生下洒家，堂堂一表，凜凜◈一軀，自小學成十八般武藝在身，終不成只這般休了？比及◈今日尋個死處，不如日後等他拿得著時，卻再理會。」回身再看那十四個人時，只是眼睜睜地看著楊志，沒個掙扎得起。

楊志指著罵道：「都是你這廝們不聽我言語，因此做將出來，連累了洒家。」樹根頭拿了朴刀，掛了腰刀，周圍看時，別無物件，楊志嘆了口氣，一直下岡子去了。

那十四個人直到二更，方才得醒，一個個爬將起來，口裡只叫得連珠箭◆的苦。老都管道：「你們眾人不聽楊提轄的好言語，今日送◆了我也！」眾人道：「老爺，今日事已做出來了，且通個商量。」老都管道：「你們有甚見識？」眾人道：「是我們不是了。古人有言：『火燒到身，各自去掃；蜂蠆入懷，隨即解衣◆。』若還楊提轄在這裡，我們都說不過；如今他自去得不知去向，我們回去見梁中書相公，何不都推在他身上。只說道：他一路上，凌辱打罵眾人，逼迫得我們都動不得。他和強人做一路，把蒙汗藥將俺們麻翻了，縛了手腳，將金寶都擄去了。」

◆**猛可**—忽然。　**凜凜**—態度嚴肅，令人敬畏的樣子。　**比及**—與其。
連珠箭—連續發射的箭。亦用以形容連續不絕的樣子。　**送**—這裡作斷送、葬送解釋。
蜂蠆入懷，隨即解衣—比喻壞事現形，無法隱瞞。蠆音ㄔㄞ四聲。

老都管道：「這話也說得是。我們等天明，先去本處官司首告，留下兩個虞候，隨衙聽候，捉拿賊人。我等眾人連夜趕回北京，報與本官知道，教動文書，申覆太師得知，著落濟州府追獲這夥強人便了。」次日天曉，老都管自和一行人來濟州府該管官吏首告，不在話下。

且說楊志提著朴刀，悶悶不已，離黃泥岡，望南行了半日，看看又走了半夜，去林子裡歇了。尋思道：「盤纏又沒了，舉眼無個相識，卻是怎地好？」漸漸天色明亮，只得趕早涼了行。又走了二十餘里，正是：

面皮青毒逞雄豪，白送金珠十一挑。
今日為何行急急，不知若個打藤條。

當時楊志走得辛苦，到一酒店門前。楊志道：「若不得些酒吃，怎地打熬得過？」便入那酒店去，向這桑木桌凳座頭上坐了，身邊倚了朴刀。只見灶邊一個婦人問道：「客官莫不要打火？」

楊志道：「先取兩角酒來吃，借些米來做飯，有肉安排些個，少停一發算錢還妳。」只見那婦人先叫一個後生◈來面前篩酒，一面做飯，一邊炒肉，都把來楊志吃了。楊志起身，綽了朴刀，便出店門。那婦人道：「你的酒肉飯錢都不曾有！」楊志道：「待俺回來還妳，權賒咱一賒。」說了便走。

那篩酒的後生趕將出來，揪住楊志，被楊志一拳打翻了。那婦人叫起屈來。楊志只顧走，只聽得背後一個人趕來，叫道：「你那廝走哪裡去！」楊志回頭看時，那人大脫膊著，拖條桿棒，搶奔將來。楊志道：「這廝卻不是晦氣，倒來尋洒家！」立腳住了不走。看後面時，那篩酒後生也拿條欃叉，隨後趕來，又引著三兩個莊客，各拿桿棒，飛也似都奔將來。

◈後生——年輕人。

楊志道：「結果了這廝一個，那廝們都不敢追來。」便挺了手中朴刀來鬥這漢。這漢也掄轉手中桿棒，搶來相迎。兩個鬥了三、二十合，這漢怎地敵得楊志，只辦得架隔遮攔，上下躲閃。

那後來的後生並莊客卻待一發上，只見這漢托地跳出圈子外來叫道：「且都不要動手！兀那使朴刀的大漢，你可通個姓名。」那楊志拍著胸道：「洒家行不更名，坐不改姓，青面獸楊志的便是！」這漢道：「莫不是東京殿司楊制使麼？」楊志道：「你怎地知道洒家是楊制使？」這漢撇了槍棒，便拜道：「小人有眼不識泰山。」楊志便扶這人起來，問道：「足下是誰？」這漢道：「小人原是開封府人氏，乃是八十萬禁軍都教頭林冲的徒弟，姓曹，名正，祖代屠戶出身。小人殺得好牲口，挑筋剮骨，開剝推斬，只此被人喚做『操刀鬼』。為因本處一個財主，將五千貫錢，教小人來山東做客，不想折了本，回鄉不得，在此入贅在這個莊農人家。卻才灶邊婦人便是小人的渾家，這個拿欃叉的便是小人的妻舅。卻才小人和制使交手，見制使手段和小人師父林教師一般，因此抵敵不住。」

楊志道：「原來你卻是林教師的徒弟。你的師父被高太尉陷害，落草去了。如今現在梁山泊。」

曹正道：「小人也聽得人這般說將來，未知真實。且請制使到家少歇。」

楊志便同曹正再回到酒店裡來。曹正請楊志裡面坐下，叫老婆和妻舅都來拜了楊志，一面再置酒食相待。

飲酒中間，曹正動問道：「制使緣何到此？」楊志把做制使失陷花石綱，並如今又失陷了梁中書的生辰綱一事，從頭備細告訴了。

曹正道：「既然如此，制使且在小人家裡住幾時，再有商議。」

楊志道：「如此卻是深感你的厚意。只恐官司追捕將來，不敢久住。」

曹正道：「制使這般說時，要投哪裡去？」

楊志道：「洒家欲投梁山泊，去尋你師父林教頭。俺先前在那裡經過時，正撞著他下山來，與洒家交手。王倫見了俺兩個本事一般，因此都留在山寨裡相會，以此認得你師父林沖。王倫當初苦苦相留，俺卻不曾落草，如今臉上又添了金印，卻去投奔他時，好沒志氣。因此躊躇未決，進退兩難。」

曹正道：「制使見的是。小人也聽的人傳說王倫那廝心地褊窄，安不得人；說我師父林教頭上山時，受盡他的氣。不若小人此間，離不遠卻是青州地面，有座山喚做二龍山。山上有座寺，喚做寶珠寺。那座山生來卻好，裹著這座寺，只有一條路上得去。如今寺裡住持還了俗，養了頭髮，餘者和尚都隨順了。說道他聚集的四五百人，打家劫舍。為頭那人，喚做『金眼虎』鄧龍。制使若有心落草時，到去那裡入夥，足可安身。」

楊志道：「既有這個去處，何不去奪來安身立命？」當下就曹正家裡住了一宿，借了些盤纏，拿了朴刀，相別曹正，拽開腳步，投二龍山來。

行了一日，看看漸晚，卻早望見一座高山。楊志道：「俺去林子裡且歇一夜，明日卻上山去。」轉入林子裡來，吃了一驚。只見一個胖大和尚，脫得赤條條的，背上刺著花繡，坐在松樹根頭乘涼。那和尚見了楊志，就樹根頭綽了禪杖，跳將起來，大喝道：「兀那撮鳥◆，你是哪裡來的？」正是：

平將珠寶擔落空，卻問寶珠寺討帳。

要投入寺裡強人，先引出寺外和尚。

楊志聽了道：「原來也是關西和尚。俺和他是鄉中◆，問他一聲。」楊志叫道：「你是哪裡來的僧人？」那和尚也不回說，掄起手中禪杖，只顧打來。

楊志道：「怎奈這禿廝無禮，且把他來出口氣！」挺起手中朴刀來奔那

◆**隨順**──聽從，依從。 **兀那撮鳥**──意指「你這個傻蛋」。 **鄉中**──同鄉。

和尚。兩個就林子裡，一來一往，一上一下，兩個放對◆，但見：

兩條龍競寶，一對虎爭餐。禪杖起如虎尾龍筋，朴刀飛似龍鬚虎爪。

崒嵂嵂◆，忽喇喇，天崩地塌，陣雲中黑氣盤旋；

惡狠狠，雄赳赳，雷吼風呼，殺氣內金光閃爍。

兩條龍競寶，嚇得那身長力壯、仗霜鋒◆周處◆眼無光；

一對虎爭餐，驚得這膽大心粗、施雪刃◆卞莊◆魂魄喪。

兩條龍競寶，眼珠放彩，尾擺得水母殿臺搖；

一對虎爭餐，野獸奔馳，聲震得山神毛髮豎。

當時楊志和那和尚鬥到四、五十合，不分勝敗。那和尚賣個破綻◆，托地跳出圈子外來，喝一聲：「且歇！」兩個都住了手。

楊志暗暗地喝采道：「哪裡來的這個和尚，真個好本事，手段高，俺卻剛剛◆地只敵得他住。」

那僧人叫道：「兀那青面漢子，你是甚麼人？」

楊志道：「洒家是東京制使楊志的便是。」

那和尚道：「你不是在東京賣刀殺了破落戶牛二的？」

楊志道：「你不見俺臉上金印？」那和尚笑道：「卻原來在這裡相見。」

楊志道：「不敢問師兄卻是誰？緣何知道洒家賣刀？」

那和尚道：「洒家不是別人，俺是延安府老种經略相公帳前軍官魯提轄的便是。為因三拳打死了鎮關西，卻去五臺山淨髮為僧。人見洒家背上有花繡，都叫俺做花和尚魯智深。」

楊志笑道：「原來是自家鄉里，俺在江湖上多聞師兄大名，聽得說道，

◈**放對**—對打。 **崒嵂嵂**—用來形容高峻陡峭。

霜鋒—白亮銳利的鋒刃。 **雪刃**—明亮鋒利的刀劍。

周處—人名。西晉陽羨人。與南山白額虎、長橋之蛟，並稱為「三害」。周處射虎斬蛟，勵志向學為善，官至御史中丞。

卞莊—卞莊子是個孝子，他的母親在世時，他隨軍作戰，三戰三敗。及其母死，魯國興師伐齊，他請求從戰雪恥，衝殺七十人而告陣亡。

賣個破綻—故作疏忽之狀，誘使對方上當。 **剛剛**—僅僅。

師兄在大相國寺裡掛搭，如今何故來在這裡？」

魯智深道：「一言難盡。洒家在大相國寺管菜園，遇著那豹子頭林沖，被高太尉要陷害他性命。俺卻路見不平，直送他到滄州，救了他一命。不想那兩個防送公人回來，對高俅那廝說道：『正要在野豬林裡結果林沖，卻被大相國寺魯智深救了，那和尚直送到滄州，因此害他不得。』

「這直娘賊恨殺洒家，吩咐寺裡長老不許俺掛搭，又差人來捉洒家。卻得一夥潑皮◈通報，不曾著了那廝的手。吃俺一把火燒了那菜園裡廨宇◈，逃走在江湖上，東又不著，西又不著。來到孟州十字坡過，險些兒被個酒店婦人害了性命，把洒家著蒙汗藥麻翻了。

「得她的丈夫歸來得早，見了洒家這般模樣，又看了俺的禪杖、戒刀吃驚，連忙把解藥救俺醒來。因問起洒家名字，留住俺過了幾日，結義洒家做了弟兄。

「那人夫妻兩個，亦是江湖上好漢有名的，都叫他做『菜園子』張青，其妻『母夜叉』孫二娘，甚是好義氣。住了四五日，打聽得這裡二龍山寶珠寺可以安身，洒家特地來奔那鄧龍入夥，叵耐那廝不肯安著洒家在這山上。和俺廝併，又敵洒家不過，只把這山下三座關，牢牢地拴住。打緊◆這座山生得險峻，又沒別路上去，那撮鳥由你叫罵，只是不下來廝殺，氣得洒家正苦在這裡沒個委結◆，不想卻是大哥來。」楊志大喜。兩個就林子裡剪拂了，就地坐了一夜。

楊志訴說了賣刀殺死牛二的事，並解生辰綱失陷一節，都備細說了。又說曹正指點來此一事，便道：「既是閉了關隘，俺們休在這裡，如何得他下來？不若且去曹正家商議。」

兩個廝趕◆著行離了那林子，來到曹正酒店裡。楊志引魯智深與他相見了。曹正慌忙置酒相待，商量要打二龍山一事。

◆潑皮—流氓、無賴。　廨宇—古代屬於官署的房屋。　打緊—這裡是實在是的意思。
委結—了局、結果。　廝趕—結伴而行，忙著趕路。

曹正道：「若是端的閉了關時，休說道你二位，便有一萬軍馬，也上去不得。似此只可智取，不可力求。」

魯智深道：「叵耐那撮鳥，初投他時，只在關外相見。因不留俺，廝併起來，那廝小肚上被俺一腳點翻了。卻待要結果了他性命，被他那裡人多，救了上山去，閉了這鳥關。由你自在下面罵，只是不肯下來廝殺。」

楊志道：「既然好去處，俺和你如何不用心去打！」

魯智深道：「便是沒做個道理上去，奈何不得他。」

曹正道：「小人有條計策，不知中二位意也不中？」

楊志道：「願聞良策則個◆。」

曹正道：「制使也休這般打扮，只照依小人這裡近村莊家穿著。小人把這位師父禪杖、戒刀都拿了，卻叫小人的妻弟，帶六個伙家◆，直送到那山下，把一條索子綁了師父，小人自會做活結頭。卻去山下叫道：『我們近村開酒店莊家，這和尚來我店中吃酒，吃得大醉了，不肯還錢，口裡說道，去報人來打你山寨。因此我們聽得，趁他醉了，把他綁縛在這裡，獻與大王。』

「那廝必然放我們上山去。到得他山寨裡面，見鄧龍時，把索子拽脫了活結頭，小人便遞過禪杖與師父。你兩個好漢一發上，那廝走往哪裡去！若結果了他時，以下的人，不敢不伏。此計若何？」

魯智深、楊志齊道：「妙哉，妙哉！」有詩為證：

乳虎稱龍亦枉然，二龍山許二龍蟠。
人逢忠義情偏洽，事到顛危策愈全。

當晚眾人吃了酒食，又安排了些路上乾糧。次日五更起來，眾人都吃得飽了。魯智深的行李、包裹，都寄放在曹正家。當日楊志、魯智深、曹正帶了小舅並五七個莊家，取路投二龍山來。晌午後，直到林子裡，脫了衣

◈則個──加重語氣的結尾詞。　伙家──相與共事的人。

裳，把魯智深用活結頭使索子綁了，教兩個莊家牢牢地牽著索頭。楊志戴了遮日頭涼笠兒，身穿破布衫，手裡倒提著朴刀。曹正拿著他的禪杖。眾人都提著棍棒，在前後簇擁著。到得山下，看那關時，都擺著強弩硬弓，灰瓶◆炮石。

小嘍囉在關上，看見綁得這個和尚來，飛也似報上山去。多樣時◆，只見兩個小頭目上關來問道：「你等何處人？來我這裡做甚麼？哪裡捉得這個和尚來？」

曹正答道：「小人等是這山下近村莊家，開著一個小酒店。這個胖和尚不時來我店中吃酒，吃得大醉，不肯還錢，口裡說道：『要去梁山泊叫千百個人來打此二龍山，和你這近村坊都洗蕩◆了！』因此小人只得又將好酒請他，灌得醉了，一條索子綁縛這廝，來獻與大王，表我等村鄰孝順之心，免得村中後患。」

兩個小頭目聽了這話，歡天喜地，說道：「好了！眾人在此少待一時。」兩個小頭目就上山來報知鄧龍，說拿得那胖和尚來。

鄧龍聽了大喜，叫：「解上山來！且取這廝的心肝來做下酒，消我這點冤仇之恨！」小嘍囉得令，來把關隘門開了，便叫送上來。

楊志、曹正緊押魯智深解上山來。看那三座關時，端的險峻：兩下裡山環繞將來，包住這座寺；山峰生得雄壯，中間只一條路上關來。三重關上，擺著檑木◈炮石，硬弩強弓，苦竹槍密密地攢著。過得三處關閘，來到寶珠寺前看時，三座殿門，一段鏡面也似平地，周遭都是木柵為城。寺前山門下立著七八個小嘍囉，看見縛得魯智深來，都指手罵道：「你這禿驢，傷了大王，今日也吃拿了！慢慢地碎割了這廝！」

◈灰瓶──古代戰具。一種裝有石灰的瓶，用以臨陣擊敵，使敵不能張目。
多樣時──多時、許久。　洗蕩──掃蕩，搶光殺盡。
檑木──古代作戰時從高處推下撞壓敵人的木頭。

魯智深只不做聲。押到佛殿看時，殿上都把佛來抬去了，中間放著一把虎皮交椅。眾多小嘍囉拿著槍棒，立在兩邊。少刻，只見兩個小嘍囉扶出鄧龍來，坐在交椅上。曹正、楊志緊緊地幫著魯智深到階下。

鄧龍道：「你那廝禿驢，前日點翻了我，傷了小腹，至今青腫未消。今日也有見我的時節！」

魯智深睜圓怪眼，大喝一聲：「撮鳥休走！」兩個莊家把索頭只一拽，拽脫了活結頭，散開索子。魯智深就曹正手裡接過禪杖，雲飛掄動。楊志撇了涼笠兒，提起手中朴刀。曹正又掄起桿棒。眾莊家一齊發作，併力向前。鄧龍急待掙扎時，早被魯智深一禪杖當頭打著，把腦蓋劈作兩半個，和交椅都打碎了。手下的小嘍囉，早被楊志搠翻了四五個。

曹正叫道：「都來投降！若不從者，便行掃除處死！」寺前寺後，五六百小嘍囉並幾個小頭目，驚嚇得呆了，只得都來歸降投伏。隨即叫把鄧龍等屍首扛抬去後山燒化了。

一面去點倉廒，整頓房舍，再去看那寺後有多少物件，且把酒肉安排些來吃。魯智深並楊志做了山寨之主，置酒設宴慶賀。小嘍囉們盡皆投伏了，仍設小頭目管領。曹正別了二位好漢，領了莊家，自回家去了，不在話下。正是：

古剎雄奇隱翠微，翻為賊寨假慈悲。
天生神力花和尚，弄棒磨刀作住持。

又有詩一首並及楊志：

有智能深助智深，綠林豪客主叢林。
降龍伏虎真同志，獸面誰知有佛心。

不說魯智深、楊志自在二龍山落草，卻說那押生辰綱老都管並這幾個廂

◈交椅——一種可以摺疊的輕便繩椅。　幫——靠攏擠住，使被擠者不能動。

禁軍，曉行夜住，趕回北京，到得梁中書府，直至廳前，齊齊都拜翻在地下告罪。

梁中書道：「你們路上辛苦，多虧了你眾人。」又問：「楊提轄何在？」眾人告道：「不可說！這人是個大膽忘恩的賊。自離了此間五七日後，行到黃泥岡時，天氣大熱，都在林子裡歇涼。不想楊志和七個賊人通同，假裝做販棗子客商。楊志約會與他做一路，先推七輛江州車兒，在這黃泥岡上松林裡等候，卻叫一個漢子，挑一擔酒來岡子上歇下。小的眾人不合◈買他酒吃，被那廝把蒙汗藥都麻翻了，又將索子捆縛眾人。楊志和那七個賊人卻把生辰綱財寶並行李，盡裝載車上將了去。現今去本管濟州府呈告了，留兩個虞候在那裡隨衙聽候，捉拿賊人。小人等眾人，星夜趕回來，告知恩相。」

梁中書聽了大驚，罵道：「這賊配軍！你是犯罪的囚徒，我一力抬舉你成人◈，怎敢做這等不仁忘恩的事！我若拿住他時，碎屍萬段！」隨即便喚書吏，寫了文書，當時差人星夜來濟州投下；又寫一封家書，著人也連夜上東京，報與太師知道。

且不說差人去濟州下公文，只說著人上東京來到太師府報知，見了太師，呈上書札。

蔡太師看了，大驚道：「這班賊人甚是膽大！去年將我女婿送來的禮物打劫了去，至今未獲；今年又來無禮，如何干罷！」隨即押了一紙公文，著一個府幹◆，親自齎了，星夜望濟州來，著落◆府尹◆，立等捉拿這夥賊人，便要回報。

且說濟州府尹自從受了北京大名府留守司梁中書札付，每日理論不下。

◆不合—不該。　成人—成器、成材。　府幹—府中差役。　著落—命令、差派。
府尹—職官名。始於漢代於京畿置的京兆尹，掌地方行政。唐代西都、東都、北都亦各置府尹，明、清襲之。後泛指太守。

正憂悶間，只見門吏報道：「東京太師府裡差府幹現到廳前，有緊急公文，要見相公。」府尹聽得，大驚道：「多管◆是生辰綱的事！」慌忙升廳◆，來與府幹相見了，說道：「這件事、下官已受了梁府虞候的狀子，已經差緝捕的人跟捉賊人，未見蹤跡。前日留守司又差人行札付到來，又經著仰尉司並緝捕觀察，杖限跟捉，未曾得獲。若有些動靜消息，下官親到相府回話。」

府幹道：「小人是太師府裡心腹人。今奉太師鈞旨，特差來這裡要這一干人。臨行時，太師親自吩咐，教小人到本府，只就州衙裡宿歇，立等相公◆要拿這七個販棗子的並賣酒一人、在逃軍官楊志各賊正身◆，限在十日捉拿完備，差人解赴東京。若十日不獲得這件公事時，怕不先來請相公去沙門島◆走一遭，小人也難回太師府裡去，性命亦不知如何。相公不信，請看太師府裡行來的鈞帖◆。」

府尹看罷大驚，隨即便喚緝捕人等。只見階下一人聲喏，立在簾前，太守道：「你是甚人？」

那人稟道：「小人是三都緝捕使臣何濤。」

太守道：「前日黃泥岡上打劫了去的生辰綱，是你該管麼？」

何濤答道：「稟覆相公，何濤自從領了這件公事，晝夜無眠，差下本管眼明手快的公人去黃泥岡上往來緝捕。雖是累經杖責，到今未見蹤跡。非是何濤怠慢官府，實出於無奈。」

府尹喝道：「胡說！上不緊則下慢。我自進士出身，歷任到這一郡諸侯，非同容易。今日東京太師府差一幹辦來到這裡，領太師臺旨，限十日內須要捕獲各賊正身，完備解京。若還違了限次，我非止罷官，必陷我投沙門島走一遭。你是個緝捕使臣，倒不用心，以致禍及於我。先把你這廝迭配遠惡軍州，雁飛不到去處！」

◈**多管**—多半、大概。　**升廳**—登上廳堂。　**相公**—原為對宰相的尊稱，後用來泛指官吏。
正身—確係本人，相對於替身而言。　**鈞帖**—公文。
沙門島—位於山東省蓬萊縣西北六十里海中，為宋元時流放犯人的地方。

便喚過文筆匠來，去何濤臉上刺下「迭配……州」字樣，空著甚處州名，發落道：「何濤，你若獲不得賊人，重罪決不饒恕！」正是：

臉皮打稿太乖張，自要平安人受殃。
賤面可無煩作計，本心也合細商量。

卻說何濤領了臺旨，下廳前來到使臣房裡，會集許多做公的，都到機密房中商議公事。眾做公的都面面相覷，如箭穿雁嘴，鈎搭魚腮，盡無言語。

何濤道：「你們閒常時都在這房裡賺錢使用，如今有此一事難捉，都不做聲。你眾人也可憐我臉上刺的字樣！」

眾人道：「上覆觀察：小人們人非草木，豈不省得？只是這一夥做客商的，必是他州外府深山曠野強人，遇著一時劫了他的財寶，自去山寨裡快活，如何拿得著？便是知道，也只看得他一看。」

何濤聽了，當初只有五分煩惱，見說了這話，又添了五分煩惱，自離了使臣房裡，上馬回到家中，把馬牽去後槽上拴了。獨自一個，悶悶不已。正是：

雙眉重上三鍠◈鎖，滿腹填平萬斛愁。
網裡漏魚何處覓？甕中捉鱉向誰求？

只見老婆問道：「丈夫，你如何今日這般嘴臉？」何濤道：「妳不知，前日太守委我一紙批文，為因黃泥岡上一夥賊人，打劫了梁中書與丈人蔡太師慶生辰的金珠寶貝計十一擔，正不知是甚麼樣人打劫了去。我自從領了這道鈞批，到今未曾得獲。今日正去轉限，不想太師府又差幹辦來，立等要拿這一夥賊人解京。太守問我賊人消息，我回覆道：『未見次第◈，不曾獲得。』府尹將我臉上刺下『迭配……州』字樣，只不曾填甚去處，在後知我性命如何！」

◈使臣—宋朝稱專管緝捕罪犯的武官。　鍠—似劍而有三刃。　次第—頭緒。

老婆道：「似此怎地好？卻是如何得了！」正說之間，只見兄弟何清來望哥哥。

何濤道：「你來做甚麼？不去賭錢，卻來怎地？」

何濤的妻子乖覺◈，連忙招手說道：「阿叔，你且來廚下，和你說話。」

何清當時跟了嫂嫂進到廚下坐了。嫂嫂安排些酒肉菜蔬，燙幾杯酒，請何清吃。何清問嫂嫂道：「哥哥忒殺欺負人！我不中◈，也是你一個親兄弟！你便奢遮◈殺，只做得個緝捕觀察，便叫我一處吃盞酒，有甚麼辱沒了你！」

阿嫂道：「阿叔，你不知道，你哥哥心裡自過活不得哩！」

何清道：「他每日起了大錢大物，哪裡去了？有的是錢和米，有甚麼過活不得處？」

阿嫂道：「你不知，為這黃泥岡上，前日一夥販棗子的客人打劫了北京梁中書慶賀蔡太師的生辰綱去。如今濟州府尹奉著太師鈞旨，限十日內，定要捉拿各賊解京；若還捉不著正身時，便要刺配遠惡軍州去。你不見你哥哥先吃府尹刺了臉上『迭配……州』字樣，只不曾填甚麼去處，早晚捉不著時，實是受苦！他如何有心和你吃酒，我卻才安排些酒食與你吃。他悶了幾時了，你卻怪他不得。」

何清道：「我也誹誹◈地聽得人說道，有賊打劫了生辰綱去。正在哪裡地面上？」

阿嫂道：「只聽得說道黃泥岡上。」

何清道：「卻是甚麼樣人劫了？」

阿嫂道：「叔叔，你又不醉，我方才說了，是七個販棗子的客人打劫了去。」

◈**乖覺**—機警、聰敏。 **不中**—沒有用、毫無用處。

奢遮—能幹、出眾。 **誹誹**—形容人聲雜亂。

何清呵呵的大笑道：「原來恁地。知道是販棗子的客人了，卻悶怎地？何不差精細的人去捉？」

阿嫂道：「你倒說得好，便是沒捉處。」

何清笑道：「嫂嫂，倒要妳憂。哥哥放著常來的一班兒好酒肉弟兄，閒常不睬的是親兄弟！今日才有事，便叫沒捉處。若是教兄弟得知，賺得幾貫錢使，量這夥小賊有甚難處！」

阿嫂道：「阿叔，你倒敢知得些風路？」

何清笑道：「直等哥哥臨危之際，兄弟卻來有個道理救他。」說了，便起身要去。阿嫂留住再吃兩杯。那婦人聽了這話說得蹺蹊，慌忙來對丈夫備細說了。

何濤連忙叫請兄弟到面前。何濤陪著笑臉說道：「兄弟，你既知此賊去向，如何不救我？」

何清道：「我不知甚麼來歷，我自和嫂子說耍，兄弟如何救得哥哥？」

何濤道：「好兄弟，休得要看冷暖◈。只想我日常的好處，休記我閒時的歹處，救我這條性命！」

何清道：「哥哥，你管下許多眼明手快的公人，也有三二百個，何不與哥哥出些力氣？量兄弟一個，怎救得哥哥！」

何濤道：「兄弟，休說他們，你的話眼◈裡有些門路，休要把與別人做好漢，你且說與我些去向，我自有補報你處。正教我怎地心寬？」

何清道：「有甚麼去向，兄弟不省得。」

何濤道：「你不要嘔我，只看同胞共母之面。」

何清道：「不要慌。且待到至急處，兄弟自來出些氣力拿這夥小賊。」

阿嫂便道：「阿叔，胡亂救你哥哥，也是弟兄情分。如今被太師府鈞帖，立等要這一干人，天來大事，你卻說小賊！」

◈**風路**—風聲、線索。　**看冷暖**—宋時俗語「世情看冷暖，人面逐高低」的省詞。

話眼—言談的主旨、含意。

何清道：「嫂嫂，你須知我只為賭錢上，吃哥哥多少打罵。我是怕哥哥，不敢和他爭涉◆。閒常有酒有食，只和別人快活，今日兄弟也有用處。」

何濤見他話眼有些來歷，慌忙取一個十兩銀子，放在桌上，說道：「兄弟，權將這錠銀收了。日後捕得賊人時，金銀緞疋賞賜，我一力包辦。」

何清笑道：「哥哥正是『急來抱佛腳，閒時不燒香』。我若要你銀子時，便是兄弟勒掯◆你。你且把去收了，不要將來賺我。你若如此，我便不說。既是你兩口兒我行陪話，我說與你，不要把銀子出來驚我。」

何濤道：「銀兩都是官司信賞出的，如何沒三五百貫錢？兄弟，你休推卻。我且問你：這夥賊卻在哪裡有些來歷？」

何清拍著大腿道：「這夥賊，我都捉在便袋◆裡了。」

何濤大驚道：「兄弟，你如何說這夥賊在你便袋裡？」

何清道：「哥哥，你莫管我，自都有在這裡便了。你只把銀子收了去，不要將來賺我，只要常情便了。我卻說與你知道。」

何清不慌不忙，疊著兩個指頭說出來。有分教：

鄆城縣裡，引出個仗義英雄；

梁山泊中，聚一夥擎天好漢。

畢竟何清對何濤說出甚人來？且聽下回分解。

◈**爭涉**—爭執交涉。　**勒揹**—強行索討、敲詐。　**便袋**—可隨身攜帶著用來盛放文件的袋子。

第一八回

美髯公智穩插翅虎　宋公明私放晁天王

當時何觀察◆與兄弟何清道：「這錠銀子，是官司信賞的，非是我把來賺你，後頭再有重賞。兄弟，你且說這夥人如何在你便袋裡？」

只見何清去身邊招文袋◆內摸出一個經折兒◆來，指道：「這夥賊人都在上面。」

何濤道：「你且說怎地寫在上面？」

何清道：「不瞞哥哥說：兄弟前日為賭博輸了，沒一文盤纏，有個一般賭博的，引兄弟去北門外十五里，地名安樂村，有個王家客店內，湊些碎賭。為是官司行下文書來，著落本村，但凡開客店的，須要置立文簿，一面上用勘合◈印信。每夜有客商來歇宿，須要問他哪裡來，何處去，姓甚名誰，做甚買賣，都要抄寫在簿子上。官司查照時，每月一次，去里正處報名。為是小二哥不識字，央我替他抄了半個月。

「當日是六月初三日，有七個販棗子的客人，推著七輛江州車兒來歇。我卻認得一個為頭的客人，是鄆城縣東溪村晁保正。因何認得他？我此先曾跟一個賭漢去投奔他，因此我認得。我寫著文簿，問他道：『客人高姓？』

「只見一個三髭鬚白淨面皮的搶將過來，答應道：『我等姓李，從濠州來販棗子，去東京賣。』我雖寫了，有些疑心。第二日，他自去了，店主帶我去村裡相賭，來到一處三岔路口，只見一個漢子挑兩個桶來。我不認得他。

◈觀察—唐、宋諸道設觀察使，明清稱各道道員為「觀察」。
招文袋—隨身攜帶用來盛放文件或財物的袋子。　經折兒—手折，古人用它做記事冊、筆記本。
勘合—核驗符契。古時以竹木作符契，上蓋印信，分為兩半，當事雙方各執一半，用時二符契相合，勘驗真假，稱為「勘合」。

「店主人自與他廝叫道：『白大郎，哪裡去？』那人應道：『有擔醋，將去村裡財主家賣。』店主人和我說道：『這人叫做白日鼠白勝，他是個賭客。』我也只安在心裡。後來聽得沸沸揚揚地說道：『黃泥岡上一夥販棗子的客人，把蒙汗藥麻翻了人，劫了生辰綱去。』我猜不是晁保正卻是兀誰！如今只捕了白勝，一問便知端的。這個經折兒，是我抄的副本。」

何濤聽了大喜，隨即引了兄弟何清，逕到州衙裡見了太守。

府尹問道：「那公事有些下落麼？」何濤稟道：「略有些消息了。」府尹叫進後堂來說，仔細問了來歷。何清一一稟說了。當下便差八個做公的，一同何濤、何清，連夜來到安樂村，叫了店主人作眼，逕奔到白勝家裡，卻是三更時分。叫店主人賺開門來打火，只聽得白勝在床上做聲。問他老婆時，卻說道害熱病，不曾得汗。從床上拖將起來，見白勝面色紅白，就把索子綁了，喝道：「黃泥岡上做得好事！」白勝哪裡肯認。把那婦人捆了，也不肯招。眾做公的繞屋尋贓，尋到床底下，見地面不平；眾人掘開，不到三尺深。眾多公人發聲喊，白勝面如土色，就地下取出一包金銀，隨即把白勝頭臉包了，帶他老婆，扛抬贓物，都連夜趕回濟州城裡來。卻好五更天明時分，把白勝押到廳前，便將索子捆了。問他主情造意◈，白勝抵賴，死不肯招晁保正等七人。連打三四頓，打得皮開肉綻，鮮血迸流。

府尹喝道：「告的正主招了贓物，捕人已知是鄆城縣東溪村晁保正了，你這廝如何賴得過！你快說那六人是誰，便不打你了。」白勝又捱了一歇，打熬不過，只得招道，為首的是晁保正。

他自同六人來糾合白勝與他挑酒，其實不認得那六人。

知府道：「這個不難。只拿住晁保正，那六人便有下落。」

先取一面二十斤死枷枷了白勝，他的老婆也鎖了，押去女牢裡監收。隨即押一紙公文，就差何濤親自帶領二十個眼明手快的公人，逕去鄆城縣投

◈作眼——打聽消息，充當耳目。　主情造意——主謀的、出主意的。

下，著落本縣，立等要捉晁保正並不知姓名六個正賊。就帶原解生辰綱的兩個虞候，作眼拿人，一同何觀察領了一行人，去時不要大驚小怪，只恐怕走透了消息。星夜來到鄆城縣，先把一行公人並兩個虞候，都藏在客店裡，只帶一兩個跟著來下公文，逕奔鄆城縣衙門前來。

當下巳牌時分，卻值知縣退了早衙，縣前靜悄悄地。何濤走去縣對門一個茶坊裡坐下，吃茶相等。

吃了一個泡茶，問茶博士道：「今日如何縣前恁地靜？」

茶博士說道：「知縣相公早衙方散，一應公人和告狀的，都去吃飯了未來。」何濤又問道：「今日縣裡不知是哪個押司◆直日◆？」

茶博士指著道：「今日直日的押司來也。」何濤看時，只見縣裡走出一個吏員來。看那人時，怎生模樣？但見：

眼如丹鳳，眉似臥蠶。滴溜溜兩耳懸珠，明皎皎雙睛點漆。
唇方口正，髭鬚地閣◆輕盈；額闊頂平，皮肉天倉◆飽滿。
坐定時渾如虎相，走動時有若狼形。

年及三旬，有養濟萬人之度量，身軀六尺，懷掃除四海之心機。志氣軒昂，胸襟秀麗。刀筆◆敢欺蕭相國◆，聲名不讓孟嘗君◆。

那押司姓宋，名江，表字公明，排行第三，祖居鄆城縣宋家村人氏。為他面黑身矮，人都喚他做「黑宋江」；又且於家大孝，為人仗義疏財，人皆稱他做「孝義黑三郎」。

上有父親在堂，母親早喪；下有一個兄弟，喚做「鐵扇子」宋清，自和他父親宋太公在村中務農，守些田園過活。這宋江自在鄆城縣做押司，他刀筆精通，吏道純熟；更兼愛習槍棒，學得武藝多般。平生只好結識江湖

◆**押司**—宋代衙門中辦理文書、獄訟的役吏。 **直日**—值日，當班。亦指值日當班的人。
地閣—下頷。 **天倉**—額頭。 **刀筆**—此指刀筆吏，即掌案牘的書吏。後世又用來指訟師。
蕭相國—蕭相國蕭何，沛縣豐邑人。他通曉法律，無人能比，是沛縣縣令手下的官吏。漢高祖劉邦還是平民時，蕭何多次憑著官吏的職權保護他。
孟嘗君—孟嘗君，名田文，戰國四公子之一，齊國宗室大臣。其父靖郭君田嬰死後，田文繼位於薛城，亦稱薛公，號「孟嘗君」，以廣招賓客，食客三千聞名。

上好漢，但有人來投奔他的，若高若低，無有不納，便留在莊上館穀◈，終日追陪◈，並無厭倦。若要起身◈，盡力資助，端的是揮金似土。人問他求錢物，亦不推托；且好做方便，每每排難解紛，只是周全人性命。時常散施棺材藥餌，濟人貧苦，賙人之急，扶人之困，以此山東、河北聞名，都稱他做「及時雨」，卻把他比做天上下的及時雨一般，能救萬物。曾有一首《臨江仙》讚宋江好處：

起自花村刀筆吏，英靈上應天星，疏財仗義更多能。
事親行孝敬，待士有聲名。
濟弱扶傾心慷慨，高名水月雙清。
及時甘雨四方稱，山東呼保義，豪傑宋公明。

當時宋江帶著一個伴當，走將出縣前來。只見這何觀察當街迎住，叫道：「押司，此間請坐拜茶。」

宋江見他似個公人打扮，慌忙答禮道：「尊兄何處？」

何濤道：「且請押司到茶坊裡面吃茶說話。」
宋公明道：「謹領。」兩個人到茶坊裡坐定，伴當都叫去門前等候。
宋江道：「不敢拜問尊兄高姓？」
何濤答道：「小人是濟州府緝捕使臣何觀察的便是。不敢動問押司高姓大名？」宋江道：「賤眼不識觀察，少罪。小吏姓宋名江的便是。」
何濤倒地便拜，說道：「久聞大名，無緣不曾拜識。」
宋江道：「惶恐。觀察請上坐。」何濤道：「小人安敢占上？」
宋江道：「觀察是上司衙門的人，又是遠來之客。」兩個謙讓了一回，宋江坐了主位，何濤坐了客席。宋江便叫茶博士將兩杯茶來。沒多時，茶到。兩個吃了茶。
宋江道：「觀察到敝縣，不知上司有何公務？」

◈館穀—供給賓客食宿。　追陪—追隨、伴隨。　起身—動身出門。

何濤道：「實不相瞞，來貴縣有幾個要緊的人。」

宋江道：「莫非賊情公事否？」

何濤道：「有實封公文在此，敢煩押司作成。」

宋江道：「觀察是上司差來捕盜的人，小吏怎敢怠慢？不知為甚麼賊情緊事？」

何濤道：「押司是當案◈的人，便說也不妨。敝府管下黃泥岡上一夥賊人，共是八個，把蒙汗藥麻翻了北京大名府梁中書差遣送蔡太師的生辰綱軍健一十五人，劫去了十一擔金珠寶貝，計該十萬貫正贓。今捕得從賊一名白勝，指說七個正賊，都在貴縣。這是太師府特差一個幹辦◈，在本府立等要這件公事，望押司早早維持。」

宋江道：「休說太師處著落，便是觀察自齎公文來要，敢不捕送？只不知道白勝供指那七人名字？」

何濤道：「不瞞押司說：是貴縣東溪村晁保正為首。更有六名從賊，不識姓名，煩乞用心。」

宋江聽罷，吃了一驚，肚裡尋思道：「晁蓋是我心腹弟兄。他如今犯了彌天大罪，我不救他時，捕獲將去，性命便休了！」心內自慌，卻答應道：「晁蓋這廝，奸頑役戶◈，本縣內上下人，沒一個不怪他。今番做出來了，好教他受！」

何濤道：「相煩押司便行此事。」

宋江道：「不妨，這事容易，『甕中捉鱉，手到拿來。』只是一件，這實封公文，須是觀察自己當廳投下，本官看了，便好施行發落，差人去捉，小吏如何敢私下擅開？這件公事非是小可，不當輕泄於人。」

何濤道：「押司高見極明，相煩引進。」

宋江道：「本官發放一早晨事務，倦怠了少歇。觀察略待一時，少刻坐廳時，小吏來請。」

◈**當案**─處理訴訟案件的人。
幹辦─職官名。宋代凡大都督府、制置、留守、經略等司，置有幹辦官，以聽候差遣，辦理事情。 **奸頑役戶**─奸詐不老實的，閭里中負責差役的人戶。

何濤道：「望押司千萬作成。」

宋江道：「理之當然，休這等說話。小吏略到寒舍，分撥了些家務便到，觀察少坐一坐。」

何濤道：「押司尊便，小弟只在此專等。」

宋江起身，出得閣兒，吩咐茶博士道：「那官人要再用茶，一發我還茶錢。」離了茶坊，飛也似跑到下處。先吩咐伴當去叫直司在茶坊門前伺候：「若知縣坐衙時，便可去茶坊裡安撫那公人道：『押司便來。』叫他略待一待。」卻自槽上鞁了馬，牽出後門外去；拿了鞭子，慌忙的跳上馬，慢慢地離了縣治。出得東門，打上兩鞭，那馬撥喇喇的望東溪村攛將去，沒半個時辰，早到晁蓋莊上。莊客見了，入去莊裡報知。正是：

義重輕他不義財，奉天法網有時開。
剝民官府過於賊，應為知交放賊來。

且說晁蓋正和吳用、公孫勝、劉唐在後園葡萄樹下吃酒。此時三阮已得了錢財，自回石碣村去了。晁蓋見莊客報說宋押司在門前。

晁蓋問道：「有多少人隨從著？」

莊客道：「只獨自一個飛馬而來，說快要見保正。」

晁蓋道：「必然有事。」慌忙出來迎接。宋江道了一個喏，攜了晁蓋手，便投側邊小房裡來。

晁蓋問道：「押司如何來得慌速？」

宋江道：「哥哥不知，兄弟是心腹弟兄，我捨著條性命來救你。如今黃泥岡事發了！白勝已自拿在濟州大牢裡了，供出你等七人。濟州府差一個何緝捕，帶著若干人，奉著太師府鈞帖並本州文書，來捉你等七人，道你為首。天幸撞在我手裡，我只推說知縣睡著，且教何觀察在縣對門茶坊裡等我。以此飛馬而來，報道哥哥。三十六計，走為上計。若不快走時，更

◆**下處**——寄宿的地方。　**鞁**——音備。把鞍轡之類的東西套在馬身上。　**撥喇喇**——形容馬疾走聲。

待甚麼？我回去引他當廳下了公文，知縣不移時便差人連夜下來。你們不可耽擱。倘有些疏失，如之奈何！休怨小弟不來救你。」

晁蓋聽罷，吃了一驚道：「賢弟大恩難報！」宋江道：「哥哥，你休要多說，只顧安排走路，不要纏障。我便回去也。」晁蓋道：「七個人：三個是阮小二、阮小五、阮小七，已得了財，自回石碣村去了；後面有三個在這裡，賢弟且見他一面。」宋江來到後園，晁蓋指著道：「這三位一個吳學究；一個公孫勝，薊州來的；一個劉唐，東潞州人。」宋江略講一禮，回身便走，囑咐道：「哥哥保重，作急快走，兄弟去也！」宋江出到莊前，上了馬，打上兩鞭，飛也似望縣裡來了。當時有個學究，為此事作詩一首，也說得是。詩曰：

保正緣何養賊曹，押司縱賊罪難逃。
須知守法清名重，莫謂通情義氣高。

爵固畏鸇能害爵◆，貓如伴鼠豈成貓。

空持刀筆稱文吏，羞說當年漢相蕭。

且說晁蓋與吳用、公孫勝、劉唐三人道：「你們認得那來相見的這個人麼？」吳用道：「卻怎地慌慌忙忙便去了？正是誰人？」晁蓋道：「你三位還不知哩！我們不是他來時，性命只在咫尺休了！」三人大驚道：「莫不走了消息，這件事發了？」晁蓋道：「虧殺這個兄弟，擔著血海也似干係，來報與我們。原來白勝已自捉在濟州大牢裡了，供出我等七人。本州差個緝捕何觀察，將帶若干人，奉著太師鈞帖來，著落鄆城縣，立等要拿我們七個。虧了他穩住那公人在茶坊裡挨候，他飛馬先來報知我們，如今回去下了公文，少刻便差人

◆**纏障**——糾纏不清。

爵固畏鸇能害爵——爵通雀，鳥雀。鸇音沾，古書上的一種猛禽。《孟子離婁上》：「為叢驅爵者，鸇也。」這句話的意思是，鳥雀本性中就害怕鸇一樣的猛禽害了自己。

連夜到來捕獲我們，卻是怎地好！」

吳用道：「若非此人來報，都打在網裡。這大恩人姓甚名誰？」

晁蓋道：「他便是本縣押司『呼保義』宋江的便是。」

吳用道：「只聞宋押司大名，小生卻不曾得會。雖是住居咫尺，無緣難得見面。」

公孫勝、劉唐都道：「莫不是江湖上傳說的『及時雨』宋公明？」

晁蓋點頭道：「正是此人。他和我心腹相交，結義弟兄。吳先生不曾得會。四海之內，名不虛傳。結義得這個兄弟，也不枉了。」

晁蓋問吳用道：「我們事在危急，卻是怎地解救？」

吳學究道：「兄長，不須商議。三十六計，走為上計。」

晁蓋道：「卻才宋押司也教我們走為上計，卻是走哪裡去好？」

吳用道：「我已尋思在肚裡了。如今我們收拾五七擔挑了，一齊都走奔石碣村三阮家裡去。今急遣一人，先與他弟兄說知。」

晁蓋道：「三阮是個打魚人家，如何安得我等許多人？」

吳用道：「兄長，你好不精細！石碣村那裡一步步進去，便是梁山泊。如今山寨裡好生興旺。官軍捕盜，不敢正眼兒看他。若是趕得緊，我們一發入了夥！」

晁蓋道：「這一論極是上策，只恐怕他們不肯收留我們。」

吳用道：「我等有的是金銀，送獻些與他，便入夥了。」正是：

無道之時多有盜，英雄進退兩俱難。
只因秀士居山寨，買盜猶然似買官。

當時晁蓋道：「既然恁地商量定了，事不宜遲。吳先生，你便和劉唐帶了幾個莊客，挑擔先去阮家安頓了，卻來旱路上接我們。我和公孫先生兩個打併◆了便來。」

◆打併──收拾、整理。

吳用、劉唐把這生辰綱打劫得金珠寶貝，做五六擔裝了，叫五六個莊客，一發吃了酒食。吳用袖了銅鏈，劉唐提了朴刀，監押著五七擔，一行十數人，投石碣村來。晁蓋和公孫勝在莊上收拾。有些不肯去的莊客，齎發他些錢物，從他去投別主。有願去的，都在莊上並疊財物，打拴行李。正是：

須信錢財是毒蛇，錢財聚處即亡家。
人稱義士猶難保，天鑒貪官漫自誇。

再說宋江飛馬去到下處，連忙到茶坊裡來，只見何觀察正在門前望。宋江道：「觀察久等。卻被村裡有個親戚，在下處說些家務，因此耽擱了些。」何濤道：「有煩押司引進。」宋江道：「請觀察到縣裡。」兩個入得衙門來，正值知縣時文彬在廳上發落事務。宋江將著實封公文，引著何觀察直至書案邊，叫左右掛上迴避牌◆。宋江向前稟道：「奉濟州府公文，為賊情緊急公務，特差緝捕使臣何觀察到此下文書。」知縣接來拆開，就當廳看了，大驚，對宋江道：「這是太師府差幹辦來立等要回話的勾當。這一干賊，便可差人去捉。」宋江道：「日間去，只怕走了消息，只可差人就夜去捉。拿得晁保正來，那六人便有下落。」

時知縣道：「這東溪村晁保正，聞名是個好漢，他如何肯做這等勾當？」隨即叫喚尉司並兩個都頭：一個姓朱，名仝；一個姓雷，名橫。他兩個，非是等閒人也。當下朱仝、雷橫兩個來到後堂，領了知縣言語，和縣尉上了馬，逕到尉司，點起馬步弓手並士兵一百餘人，就同何觀察並兩個虞候，作眼拿人。

當晚都帶了繩索軍器，縣尉騎著馬，兩個都頭亦各乘馬，各帶了腰刀弓

◈**迴避牌**——肅靜、迴避為長方牌子，下端有柄，一般在公堂衙門使用，使用時插在架子上。

箭，手拿朴刀，前後馬步弓手◆簇擁著，出得東門，飛奔東溪村晁家來。到得東溪村裡，已是一更天氣，都到一個觀音庵取齊。

朱仝道：「前面便是晁家莊。晁蓋家有前後兩條路。若是一齊去打他前門，他望後門走了；一齊哄去打他後門，他奔前門走了。我須知晁蓋好生了得，又不知那六個是甚麼人，必須也不是善良君子。

「那廝們都是死命，倘或一齊殺出來，又有莊客協助，卻如何抵敵他？只好聲東擊西，等那廝們亂攛，便好下手。不若我和雷都頭分做兩路，我與你分一半人，都是步行去，先望他後門埋伏了，等候唿哨◆響為號，你等向前門只顧打入來，見一個捉一個，見兩個捉一雙。」

雷橫道：「也說得是。朱都頭，你和縣尉相公從前門打入來，我去截住後路。」

朱仝道：「賢弟，你不省得。晁蓋莊上有三條活路，我閒常時都看在眼裡了。我去那裡，須認得他的路數，不用火把便見。你還不知他出沒的去處，倘若走漏了事情，不是耍處。」

縣尉道：「朱都頭說得是，你帶一半人去。」

朱仝道：「只消得三十來個夠了。」

朱仝領了十個弓手，二十個士兵，先去了。縣尉再上了馬，雷橫把馬步弓手，都擺在前後，幫護著縣尉。士兵等都在馬前，明晃晃照著三、二十個火把，拿著欓叉、朴刀、留客住◈、鈎鐮刀，一齊都奔晁家莊來。

到得莊前，兀自有半里多路，只見晁蓋莊裡一縷火起，從中堂燒將起來，湧得黑煙遍地，紅焰飛空。又走不到十數步，只見前後門四面八方，約有三、四十把火發，焰騰騰◈地一齊都著。

前面雷橫挺著朴刀，背後眾士兵發著喊，一齊把莊門打開，都撲入裡面看時，火光照得如同白日一般明亮，並不曾見有一個人。只聽得後面發著喊，叫將起來，叫前面捉人。

◈馬步弓手—在馬上射箭的士兵。留客住—古兵器名。一種頭端有倒鉤的長槍。

唿哨—把手指放在嘴裡用力吹，發出尖銳的像哨子一樣的聲音。

焰騰騰—火勢凶猛飛騰的樣子。

原來朱仝有心要放晁蓋，故意賺雷橫去打前門。這雷橫亦有心要救晁蓋，以此爭先要來打後門；卻被朱仝說開了，只得去打他前門。故意這等大驚小怪，聲東擊西，要催逼晁蓋走了。

朱仝那時到莊後時，兀自晁蓋收拾未了。莊客看見，來報與晁蓋說道：「官軍到了！事不宜遲！」晁蓋叫莊客四下裡只顧放火，他和公孫勝引了十數個去的莊客，吶著喊，挺起朴刀，從後門殺將出來，大喝道：「擋吾者死，避吾者生！」朱仝在黑影裡叫道：「保正休走，朱仝在這裡等你多時。」晁蓋哪裡顧他說，與同公孫勝捨命只顧殺出來。朱仝虛閃一閃，放開條路，讓晁蓋走了。晁蓋卻叫公孫勝引了莊客先走，他獨自押著後。朱仝使步弓手◈從後門撲入去，叫道：「前面趕捉賊人！」雷橫聽得，轉身便出莊門外，叫馬步弓手分頭去趕。雷橫自在火光之下，東觀西望做尋人。朱仝撇了土兵，挺著刀，去趕晁蓋。

晁蓋一面走，口裡說道：「朱都頭，你只管追我做甚麼？我須沒歹處！」

朱仝見後面沒人，方才敢說道：「保正，你兀自不見我好處。我怕雷橫執迷，不會做人情，被我賺他打你前門，我在後面等你出來放你。你見我閃開條路，讓你過去。你不可投別處去，只除梁山泊可以安身。」

晁蓋道：「深感救命之恩，異日必報！」有詩為證：

捕盜如何與盜通，官贓應與盜贓同。

莫疑官府能為盜，自有皇天不肯容。

朱仝正趕間，只聽得背後雷橫大叫道：「休教走了人！」

朱仝吩咐晁蓋道：「保正，你休慌，只顧一面走，我自使轉他去。」

朱仝回頭叫道：「有三個賊望東小路去了。雷都頭，你可急趕！」

◈步弓手——使用弓箭的步兵，以步行射箭為主要的作戰方式。

雷橫領了人，便投東小路上，並土兵眾人趕去。朱仝一面和晁蓋說著話，一面趕他，卻如防送的相似。

漸漸黑影裡不見了晁蓋。朱仝只做失腳◆，撲地倒在地下。眾土兵隨後趕來，向前扶起，急救得朱仝，答道：「黑影裡不見路徑，失腳步下野田裡，滑倒了，閃挫了左腿。」

縣尉道：「走了正賊，怎生奈何！」

朱仝道：「非是小人不趕，其實月黑了，沒做道理處。這些土兵，全無幾個有用的人，不敢向前。」

縣尉再叫土兵去趕，眾土兵心裡道：「兩個都頭尚兀自不濟事，近他不得，我們有何用？」

都去虛趕了一回，轉來道：「黑地裡正不知哪條路去了。」

雷橫也趕了一直◆回來，心內尋思道：「朱仝和晁蓋最好，多敢是放了他去，我沒來由做甚麼惡人。我也有心亦要放他，今已去了，只是不見了人情。晁蓋那人，也不是好惹的。」

回來說道：「哪裡趕得上？這夥賊端的了得！」

縣尉和兩個都頭回到莊前時，已是四更時分。何觀察見眾人四分五落，趕了一夜，不曾拿得一個賊人，只叫苦道：「如何回得濟州去見府尹！」縣尉只得捉了幾家鄰舍去，解將鄆城縣裡來。

這時知縣一夜不曾得睡，立等回報，聽得道：「賊都走了，只拿得幾個鄰舍。」知縣把一干拿到的鄰舍，當廳勘問。

眾鄰舍告道：「小人等雖在晁保正鄰近住居，遠者三二里田地，近者也隔著些村坊。他莊上時常有搠槍使棒的人來，如何知他做這般的事？」知縣逐一問了時，務要問他們一個下落。

數內一個貼鄰◈告道：「若要知他端的，除非問他莊客。」

◈失腳──走路不小心而跌倒。一直──指行路的時間和途程，一陣的意思。貼鄰──緊鄰隔壁的鄰居。

知縣道：「說他家莊客，也都跟著走了。」

鄰舍告道：「也有不願去的，還在這裡。」

知縣聽了，火速差人，就帶了這個貼鄰作眼，來東溪村捉人。無兩個時辰，早拿到兩個莊客。

當廳勘問時，那莊客初時抵賴，吃打不過，只得招道：「先是六個人商議，小人只認得一個，是本鄉中教學的先生，叫做吳學究。一個叫做公孫勝，是全真先生。又有一個黑大漢，姓劉。更有那三個，小人不認得，卻是吳學究合將來的。聽得說道他姓阮，在石碣村住，他是打魚的，弟兄三個。只此是實。」

知縣取了一紙招狀，把兩個莊客交割與何觀察，回了一道備細公文，申呈本府。宋江自周全那一干鄰舍，保放回家聽候。

且說這眾人與何濤押解了兩個莊客，連夜回到濟州，正值府尹升廳。何濤引了眾人到廳前，稟說晁蓋燒莊在逃一事，再把莊客口詞說一遍。府尹道：「既是恁地說時，再拿出白勝來！」問道：「那三個姓阮的，端的住在哪裡？」白勝抵賴不過，只得供說：「三個姓阮的，一個叫做立地太歲阮小二，一個叫做短命二郎阮小五，一個是活閻羅阮小七，都在石碣村湖裡住。」知府道：「還有那三個姓甚麼？」白勝告道：「一個是智多星吳用，一個是入雲龍公孫勝，一個叫做赤髮鬼劉唐。」知府聽了，便道：「既有下落，且把白勝依原監了，收在牢裡。」隨即又喚何觀察，差去石碣村，緝捕這幾個賊人。不是何濤去石碣村去，有分教：天罡地煞，來尋際會風雲；水滸山城，去聚縱橫人馬。

畢竟何觀察怎生差去石碣村緝捕？且聽下回分解。

◆全真——宋時對道士的稱呼之一。

第一九回 林沖水寨大併火 晁蓋梁山小奪泊

話說當下何觀察領了知府臺旨下廳來，隨即到機密房裡，與眾人商議。眾多做公的道：「若說這個石碣村湖蕩，緊靠著梁山泊，都是茫茫蕩蕩，蘆葦水港。若不得大隊官軍，舟船人馬，誰敢去那裡捕捉賊人？」

何濤聽罷，說道：「這一論也是。」再到廳上稟覆府尹道：「原來這石碣村湖泊，正傍著梁山水泊，周圍盡是深港水汊，蘆葦草蕩。閒常時也兀自劫了人，莫說如今又添了那一夥強人在裡面。若不起得大隊人馬，如何敢去那裡捕獲得人？」

府尹道：「既是如此說時，再差一

員了得事的捕盜巡檢，點與五百官兵人馬，和你一處去緝捕。」何觀察領了臺旨，再回機密房來，喚集這眾多做公的，整選了五百餘人，個個自去準備什物器械。

次日，那捕盜巡檢領了濟州府帖文，與同何觀察兩個，點起五百軍兵同眾多做公的，一齊奔石碣村來。

且說晁蓋、公孫勝自從把火燒了莊院，帶同十數個莊客，來到石碣村，半路上撞見三阮弟兄，各執器械，卻來接應到家。七個人都在阮小五莊上。那時阮小二已把老小搬入湖泊裡。七人商議要去投梁山泊一事。

吳用道：「現今李家道口有那『旱地忽律』朱貴在那裡開酒店，招接四方好漢。但要入夥的，須是先投奔他。我們如今安排了船隻，把一應的物件裝在船裡，將些人情送與他引進。」

◆伙——自己一夥人相拚。 機密房——古代官衙中掌管機密的機構。 水汊——支流。汊音詫。

大家正在那裡商議投奔梁山泊，只見幾個打魚的來報道：「官軍人馬，飛奔村裡來也！」

晁蓋便起身叫道：「這廝們趕來，我等休走！」

阮小二道：「不妨！我自對付他。叫那廝大半下水裡去死，小半都搠殺他！」

公孫勝道：「休慌！且看貧道的本事！」

晁蓋道：「劉唐兄弟，你和學究先生且把財貨、老小裝載船裡，逕撐去李家道口左側相等。我們看些頭勢，隨後便到。」阮小二選兩隻棹船，把娘和老小，家中財貨，都裝下船裡。吳用、劉唐各押著一隻，叫七八個伴當搖了船，先到李家道口去等。又吩咐阮小五、阮小七撐駕小船，如此迎敵。兩個各棹船去了。

且說何濤並捕盜巡檢帶領官兵，漸近石碣村，但見河埠有船，盡數奪了。便使會水的官兵且下船裡進發。岸上人馬，船騎相迎，水陸並進。

到阮小二家，一齊吶喊，人兵並起，撲將入去，早是一所空房，裡面只有些粗重傢伙，何濤道：「且去拿幾家附近漁戶。」問時，說道：「他的兩個兄弟，阮小五、阮小七，都在湖泊裡住，非船不能去。」

何濤與巡檢商議道：「這湖泊裡港汊又多，路徑甚雜，抑且水蕩陂塘，不知深淺，若是四分五落去捉時，又怕中了這賊人奸計。我們把馬匹都教人看守在這村裡，一發都下船裡去。」當時捕盜巡檢並何觀察，一同做公的人等都下了船。

那時捉的船非止百十隻，也有撐的，亦有搖的，一齊都望阮小五打魚莊上來。行不到五六里水面，只聽得蘆葦中間有人嘲歌◈。眾人且住了船聽時，那歌道：

◈頭勢—情勢、形勢。 嘲歌—隨口而唱。

打魚一世蓼兒洼◆，不種青苗不種麻。
酷吏贓官都殺盡，忠心報答趙官家。

何觀察並眾人聽了，盡吃一驚。只見遠遠地一個人，獨棹一隻小船兒唱將來。有認得的指道：「這個便是阮小五。」何濤把手一招，眾人併力向前，各執器械挺著迎將去。

只見阮小五大笑罵道：「你這等虐害百姓的賊官，直如此大膽！敢來引老爺做甚麼！卻不是來捋虎鬚！」何濤背後有會射弓箭的，搭上箭，拽滿弓，一齊放箭。阮小五見放箭來，拿著樺楸，翻筋斗鑽下水裡去。眾人趕到跟前，拿個空。

又行不到兩條港汊，只聽得蘆花蕩裡打唿哨，眾人把船擺開，見前面兩個人棹著一隻船來。船頭上立著一個人，頭戴青箬笠，身披綠蓑衣，手裡撚著條筆管槍◆，口裡也唱著道：

老爺生長石碣村，稟性生來要殺人。
先斬何濤巡檢首，京師獻與趙王君。

何觀察並眾人聽了，又吃一驚。一齊看時，前面那個人撚著槍，唱著歌，背後這個搖著櫓。有認得的說道：「這個正是阮小七。」何濤喝道：「眾人併力向前，先拿住這個賊！休教走了！」阮小七聽得笑道：「潑賊！」便把槍只一點，那船便使轉來，望小港裡串著走。眾人發著喊，趕將去。這阮小七和那搖船的，飛也似搖著櫓，口裡打著呼哨，串著小港汊中只顧走。

◈蓼兒洼—東平湖古時稱蓼兒窪、大野澤、鉅野澤、梁山泊、安山湖，到清朝咸豐年間才定名稱為東平湖。這裡是《水滸傳》中八百里水泊唯一遺存水域，西近京杭大運河，東連大汶河，北通黃河。蓼音瞭。洼音哇。

筆管槍—舊式兵器名，柄如筆管，一端裝有銳利金屬頭。

眾官兵趕來趕去，看見那水港窄狹了，何濤道：「且住！把船且泊了，都傍岸邊。」上岸看時，只見茫茫蕩蕩，都是蘆葦，正不見一些旱路。何濤心內疑惑，卻商議不定，便問那當村住的人。說道：「小人們雖是在此居住，也不知道這裡有許多去處。」何濤便教划著兩隻小船，船上各帶三兩個做公的，去前面探路。去了兩個時辰有餘，不見回報。

何濤道：「這廝們好不了事！」再差五個做公的，又划兩隻船去探路。這幾個做公的，划了兩隻船，又去了一個多時辰，並不見些回報。何濤道：「這幾個都是久慣做公的，四清六活◈的人，卻怎地也不曉事，如何不著一隻船轉來回報？不想這些帶來的官兵，人人亦不知顛倒◈！」

天色又看看晚了，何濤思想：「在此不著邊際，怎生奈何！我須用自去走一遭。」揀一隻疾快小船，選了幾個老郎◈做公的，各拿了器械，槳起五六把樺楫，何濤坐在船頭上，望這個蘆葦港裡蕩將去。

那時已是日沒沉西，划得船開，約行了五六里水面，看見側邊岸上一個人，提著把鋤頭走將來。

何濤問道：「兀那漢子，你是甚人？這裡是甚麼去處？」

那人應道：「我是這村裡莊家。這裡喚做『斷頭溝』，沒路了。」

何濤道：「你曾見兩隻船過來麼？」那人道：「不是來捉阮小五的？」

何濤道：「你怎地知得是來捉阮小五的？」

那人道：「他們只在前面烏林裡廝打。」

何濤道：「離這裡還有多少路？」那人道：「只在前面望得見便是。」

何濤聽得，便叫攏船◆，前去接應。便差兩個做公的，拿了欓叉上岸來。只見那漢提起鋤頭來，手到把這兩個做公的一鋤頭一個，翻筋斗都打下水裡去。何濤見了吃一驚，急跳起身來時，卻待奔上岸，只見那隻船忽地搪將開去，水底下鑽起一個人來，把何濤兩腿只一扯，撲通地倒撞下水裡去。

◆四清六活──機靈幹練的意思。不知顛倒──不明事理。老郎──此指老練的。攏船──撐船靠岸。

那幾個船裡的卻待要走，被這提鋤頭的趕將上船來，一鋤頭一個，排頭打下去，腦漿也打出來。

這何濤被水底下這人倒拖上岸來，就解下他的搭膊來捆了。看水底下這人，卻是阮小七；岸上提鋤頭的那漢，便是阮小二。

弟兄兩個看著何濤罵道：「老爺弟兄三個，從來只愛殺人放火。量你這廝，值得甚麼！你如何大膽，特地引著官兵來捉我們！」

何濤道：「好漢！小人奉上命差遣，蓋不由己。小人怎敢大膽，要來捉好漢？望好漢可憐見家中有個八十歲的老娘，無人養贍，望乞饒恕性命則個！」

阮家弟兄道：「且把他來捆做個粽子，撇在船艙裡。」

把那幾個屍首，都攛去水裡去了。兩個唿哨一聲，蘆葦叢中鑽出四五個打魚的人來，都上了船。阮小二、阮小七各駕了一隻船出來。

且說這捕盜巡檢，領著官兵，都在那船裡說道：「何觀察他道做公的不了事，自去探路，也去了許多時，不見回來。」那時正是初更左右，星光滿天。眾人都在船上歇涼。忽然只見起一陣怪風，但見：

飛沙走石，捲水搖天。黑漫漫堆起烏雲，昏鄧鄧◆催來急雨。傾翻荷葉，滿波心翠蓋交加；擺動蘆花，繞湖面白旗繚亂。吹折崑崙山頂樹，喚醒東海老龍君。

那一陣怪風從背後吹將來，吹得眾人掩面大驚，只叫得苦，把那纜船索都颳斷了。正沒擺布處，只聽得後面唿哨響。迎著風看時，只見蘆花側畔，射出一派火光來。

眾人道：「今番卻休了！」

那大船小船，約有四、五十隻，正被這大風颳得你撞我磕，捉摸不住，

◆昏鄧鄧——形容昏暗不明的樣子。

那火光卻早來到面前。原來都是一叢小船，兩隻價幫住◆，上面滿滿堆著蘆葦柴草，刮刮雜雜燒著，乘著順風直衝將來。

那四、五十隻官船，屯塞做一塊，港汊又狹，又沒迴避處。那頭等大船也有十數隻，卻被他火船推來，鑽在大船隊裡一燒。水底下原來又有人扶助著船燒將來，燒得大船上官兵都跳上岸來逃命奔走，不想四邊盡是蘆葦野港，又沒旱路。

只見岸上蘆葦又刮刮雜雜，也燒將起來。那捕盜官兵，兩頭沒處走。風又緊，火又猛，眾官兵只得鑽去，都奔爛泥裡立地◆。

火光叢中，只見一隻小快船，船尾上一個搖著船，船頭上坐著一個先生，手裡明晃晃地拿著一口寶劍，口裡喝道：「休教走了一個！」

眾兵都在爛泥裡慌做一堆。說猶未了，只見蘆葦東岸，兩個人引著四五個打魚的，都手裡明晃晃拿著刀槍走來。這邊蘆葦西岸，又是兩個人，也引著四五個打魚的，手裡也明晃晃拿著飛魚鈎走來。

東西兩岸，四個好漢並這夥人，一齊動手，排頭兒搠將來。無移時，把許多官兵都搠死在爛泥裡。

東岸兩個是晁蓋、阮小五，西岸兩個是阮小二、阮小七，船上那個先生，便是祭風的公孫勝。五位好漢，引著十數個打魚的莊家，把這夥官兵都搠死在蘆葦蕩裡。單單只剩得一個何觀察，捆做粽子也似丟在船艙裡。阮小二提將上岸來，指著罵道：「你這廝是濟州一個詐害百姓的蠹蟲◈！我本待把你碎屍萬段，卻要你回去對那濟州府管事的賊驢說：俺這石碣村阮氏三雄、東溪村天王晁蓋，都不是好撩撥的！我也不來你城裡借糧，他也休要來我這村中討死！倘或正眼兒覷著，休道你是一個小小州尹，也莫說蔡太師差幹人來要拿我們，便是蔡京親自來時，我也搠他三、二十個透

◈幫住──緊緊地跟著、纏著。 立地──站住。
蠹蟲──咬器物的昆蟲。又比喻危害集體利益的壞人。

明的窟窿。俺們放你回去，休得再來！傳與你的那個鳥官人，教他休要討死！這裡沒大路，我著兄弟送你出路口去！」

當時阮小七把一隻小快船載了何濤，直送他到大路口，喝道：「這裡一直去，便有尋路處。別的眾人都殺了，難道只恁地好好放了你去，也吃你那州尹賊驢笑！且請下你兩個耳朵來做表證！」阮小七身邊拔起尖刀，把何觀察兩個耳朵割下來，鮮血淋漓。插了刀，解了搭膊，放上岸去。詩曰：

官兵盡付斷頭溝，要放何濤不便休。

留著耳朵聽說話，旋將驢耳代驢頭。

何濤得了性命，自尋路回濟州去了。且說晁蓋、公孫勝和阮家三弟兄，並十數個打魚的，一發都駕了五七隻小船，離了石碣村湖泊，逕投李家道口來。到得那裡，相尋著吳用、劉唐船隻，合做一處。吳用問起拒敵官兵一事，晁蓋備細說了。吳用眾人大喜。整頓船隻齊了，一同來到旱地忽律朱貴酒店裡來相投。朱貴見了許多人來說投托◆入夥，慌忙迎接。

吳用將來歷實說與朱貴聽了，大喜。逐一都相見了，請入廳上坐定，忙叫酒保安排分例酒◆來，管待眾人。隨即取出一張皮靶弓來，搭上一枝響箭，望著那對港蘆葦中射去。響箭到處，早見有小嘍囉搖出一隻船來。

朱貴急寫了一封書呈，備細寫眾豪傑入夥姓名人數，先付與小嘍囉齎了，教去寨裡報知，一面又殺羊管待眾好漢。

過了一夜，次日早起，朱貴喚一隻大船，請眾多好漢下船，就同帶了晁蓋等來的船隻，一齊望山寨裡來。行了多時，早來到一處水口，只聽得岸上鼓響鑼鳴。晁蓋看時，只見七八個小嘍囉，划出四隻哨船來，見了朱貴，都聲了喏，自依舊先去了。

◆**投托**—投靠。

分例酒—在《水滸傳》中，分例、分例酒和分例酒食，都是指梁山泊山寨頭領為了接好漢的招待酒食。

再說一行人來到金沙灘上岸，便留老小船隻並打魚的人在此等候。又見數十個小嘍囉，下山來接引到關上。王倫領著一班頭領，出關迎接。晁蓋等慌忙施禮。王倫答禮道：「小可王倫，久聞晁天王大名，如雷灌耳。今日且喜光臨草寨。」

晁蓋道：「晁某是個不讀書史的人，甚是粗鹵。今日事在藏拙，甘心與頭領帳下做一小卒，不棄幸甚。」

王倫道：「休如此說，且請到小寨，再有計議。」

一行從人，都跟著兩個頭領上山來。到得大寨聚義廳上，王倫再三謙讓晁蓋一行人上階。晁蓋等七人在右邊一字兒立下。王倫與眾頭領在左邊一字兒立下。一個個都講禮罷，分賓主對席坐下。

王倫喚階下眾小頭目聲喏已畢，一壁廂動起山寨中鼓樂。先叫小頭目去山下管待來的從人，關下另有客館安歇。詩曰：

人夥分明是一群，相留意氣便須親。
如何待彼為賓客，只恐身難作主人。

且說山寨裡宰了兩頭黃牛、十個羊、五個豬，大吹大擂筵席。眾頭領飲酒中間，晁蓋把胸中之事，從頭至尾都告訴王倫等眾位。王倫聽罷，駭然了半晌，心內躊躇，做聲不得，自己沉吟，虛作應答。筵宴至晚席散，眾頭領送晁蓋等眾人關下客館內安歇，自有來的人伏侍。

晁蓋心中歡喜，對吳用等六人說道：「我們造下這等彌天大罪，哪裡去安身？不是這王頭領如此錯愛，我等皆已失所，此恩不可忘報！」吳用只是冷笑。晁蓋道：「先生何故只是冷笑？有事可以通知。」

吳用道：「兄長性直，你道王倫肯收留我們？兄長不看他的心，只觀他的顏色動靜規模。」

晁蓋道：「觀他顏色怎地？」

吳用道：「兄長不見他早間席上與兄長說話，倒有交情；次後因兄長說出殺了許多官兵、捕盜巡檢，放了何濤、阮氏三雄如此豪傑，他便有些顏色變了。雖是口中應答，動靜規模，心裡好生不然。若是他有心收留我們，只就早上便議定了坐位。杜遷、宋萬這兩個自是粗鹵的人，待客之事，如何省得？只有林沖那人，原是京師禁軍教頭，大郡的人諸事曉得，今不得已，坐了第四位。早間見林沖看王倫答應兄長模樣，他自便有些不平之氣，頻頻把眼瞅這王倫，心內自已躊躇。我看這人，倒有顧盼之心，只是不得已。小生略放片言◆，教他本寨自相火併。」

晁蓋道：「全仗先生妙策良謀，可以容身。」當夜七人安歇了。

次早天明，只見人報道：「林教頭相訪。」

吳用便對晁蓋道：「這人來相探，中俺計了。」七個人慌忙起來迎接，邀請林沖入到客館裡面。

吳用向前稱謝道：「夜來重蒙恩賜，拜擾不當。」

林沖道：「小可有失恭敬。雖有奉承之心，奈緣不在其位，望乞恕罪。」

吳學究道：「我等雖是不才，非為草木，豈不見頭領錯愛之心，顧盼之意，感恩不淺。」晁蓋再三謙讓林沖上坐，林沖哪裡肯，推晁蓋上首坐了，林沖便在下首坐定。吳用等六人一帶坐下。

晁蓋道：「久聞教頭大名，不想今日得會。」

林沖道：「小人舊在東京時，與朋友交有禮節，不曾有誤。雖然今日能夠得見尊顏，不得遂平生之願，特地逕來陪話。」

晁蓋稱謝道：「深感厚意。」

吳用便動問道：「小生舊日久聞頭領在東京時，十分豪傑，不知緣何與高俅不睦，致被陷害？後聞在滄州，亦被火燒了大軍草料場，又是他的計策。向後不知誰薦頭領上山？」

林沖道：「若說高俅這賊陷害一節，但提起，毛髮直立，又不能報得此仇！來此容身，皆是柴大官人舉薦到此。」

吳用道：「柴大官人，莫非是江湖上人稱為小旋風柴進的麼？」

◆不然—不悅、不高興。　片言—簡短的幾句話。

林沖道：「正是此人。」

晁蓋道：「小可多聞人說柴大官人仗義疏財，接納四方豪傑，說是大周皇帝嫡派子孫，如何能夠會他一面也好。」

吳用又對林沖道：「據這柴大官人，名聞寰海，聲播天下的人，教頭若非武藝超群，他如何肯薦上山？非是吳用過稱，理合王倫讓這第一位與頭領坐。此天下之公論，也不負了柴大官人之書信。」

林沖道：「承先生高談，只因小可犯下大罪，投奔柴大官人，非他不留林沖，誠恐負累他不便，自願上山。不想今日去住無門，非在位次低微。且王倫只心術不定，語言不準，難以相聚。」

吳用道：「王頭領待人接物，一團和氣，如何心地倒恁窄狹？」

林沖道：「今日山寨天幸得眾多豪傑到此，相扶相助，似錦上添花，如旱苗得雨。此人只懷妒賢嫉能之心，但恐眾豪傑勢力相壓。夜來因見兄長所說眾位殺死官兵一節，他便有些不然，就懷不肯相留的模樣，以此請眾豪傑來闕下安歇。」

吳用便道：「既然王頭領有這般之心，我等休要待他發付，自投別處去便了。」

林沖道：「眾豪傑休生見外之心，林沖自有分曉。小可只恐眾豪傑生退去之意，特來早早說知。今日看他如何相待。若這廝語言有理，不似昨日，萬事罷論；倘若這廝今朝有半句話參差時，盡在林沖身上。」

晁蓋道：「頭領如此錯愛，俺兄弟皆感厚恩。」

吳用便道：「頭領為我弟兄面上，倒教頭領與舊弟兄分顏◈。若是可容即容，不可容時，小生等登時告退。」

林沖道：「先生差矣！古人有言：『惺惺惜惺惺◈，好漢惜好漢。』量這一個潑男女，腌臢畜生，終作何用！眾豪傑且請寬心。」

林沖起身別了眾人，說道：「少間相會。」

◈分顏——翻臉。 **惺惺惜惺惺**——聰慧的人彼此愛惜、尊重。

眾人相送出來，林沖自上山去了。正是：

如何此處不留人，休言自有留人處。
應留人者怕人留，身苦難留留客住。

當日沒多時，只見小嘍囉到來相請，說道：「今日山寨裡頭領相請眾好漢，去山南水寨亭上筵會。」

晁蓋道：「上覆頭領，少間便到。」小嘍囉去了。

晁蓋問吳用道：「先生，此一會如何？」吳學究笑道：「兄長放心，此一會倒有分作山寨之主。今日林教頭必然有火併王倫之意。他若有些心懶，小生憑著三寸不爛之舌，不由他不火併。兄長身邊各藏了暗器，只看小生把手來撚鬚為號，兄長便可協力。」晁蓋等眾人暗喜。

辰牌已後，三四次人來催請。晁蓋和眾頭領身邊個個帶了器械，暗藏在身上，結束◈得端正，卻來赴席。只見宋萬親自騎馬，又來相請。小嘍囉抬過七乘山轎，七個人都上轎子，一逕投山南水寨裡來。到得山南看時，端的景物非常。直到寨後水亭子前下了轎，王倫、杜遷、林沖、朱貴都出來相接，邀請到那水亭子上，分賓主坐定。看那水亭一遭景致時，但見：

四面水簾高捲，周迴花壓朱欄。
滿目香風，萬朵芙蓉鋪綠水；迎眸翠色，千枝荷葉繞芳塘。
華簷外陰陰柳影，瑣窗◈前細細松聲。
江山秀氣滿亭臺，豪傑一群來聚會。

當下王倫與四個頭領杜遷、宋萬、林沖、朱貴坐在左邊主位上；晁蓋與六個好漢吳用、公孫勝、劉唐、三阮坐在右邊客席。階下小嘍囉輪番把盞。酒至數巡，食供兩次，晁蓋和王倫盤話◈，但提起聚義一事，王倫便

◈**結束**——穿戴裝扮。　**瑣窗**——刻有環形連瑣花紋的窗戶。　**盤話**——長談。

把閒話支吾開去。吳用把眼來看林沖時，只見林沖側坐交椅上，把眼瞅王倫身上。看看飲酒至午後，王倫回頭叫小嘍囉：「取來。」三四個人去不多時，只見一人捧個大盤子，裡放著五錠大銀。

王倫便起身把盞，對晁蓋說道：「感蒙眾豪傑到此聚義，只恨敝山小寨，是一窪之水，如何安得許多真龍？聊備些小薄禮，萬望笑留，煩投大寨歇馬，小可使人親到麾下納降。」

晁蓋道：「小子久聞大山招賢納士，一逕地特來投托入夥，若是不能相容，我等眾人自行告退。重蒙所賜白金，決不敢領。非敢自誇豐富，小可聊有些盤纏使用。速請納回厚禮，只此告別。」

王倫道：「何故推卻？非是敝山不納眾位豪傑，奈緣只為糧少房稀，恐日後誤了足下，眾位面皮不好，因此不敢相留。」

說言未了，只見林沖雙眉剔起，兩眼圓睜，坐在交椅上大喝道：「你前番我上山來時，也推道糧少房稀。今日晁兄與眾豪傑到此山寨，你又發出這等言語來，是何道理？」

吳用便說道：「頭領息怒。自是我等來的不是，倒壞了你山寨情分。今日王頭領以禮發付我們下山，送與盤纏，又不曾熱趕◈將去。請頭領息怒，我等自去罷休。」

林沖道：「這廝是笑裡藏刀，言清行濁的人！我其實今日放他不過！」

王倫喝道：「你看這畜生！又不醉了，倒把言語來傷觸我，卻不是反失上下！」

林沖大怒道：「量你是個落第窮儒，胸中又沒文學，怎做得山寨之主！」

吳用便道：「晁兄，只因我等上山相投，反壞了頭領面皮。只今辦了船隻，便當告退。」

晁蓋等七人便起身要下亭子，王倫留道：「且請席終了去。」

◈熱趕——立即驅離。

林沖把桌子只一腳，踢在一邊，搶起身來，衣襟底下掣出一把明晃晃刀來，搦◆的火雜雜◆。吳用便把手將髭鬚一摸，晁蓋、劉唐便上亭子來，虛攔住王倫叫道：「不要火併！」

吳用一手扯住林沖，便道：「頭領不可造次！」

公孫勝假意勸道：「休為我等壞了大義。」阮小二便去幫住杜遷，阮小五幫住宋萬，阮小七幫住朱貴，嚇得小嘍囉們目瞪口呆。

林沖拿住王倫罵道：「你是一個村野窮儒，虧了杜遷得到這裡。柴大官人這等資助你，賙給盤纏，與你相交，舉薦我來，尚且許多推卻。今日眾豪傑特來相聚，又要發付他下山去。這梁山泊便是你的？你這嫉賢妒能的賊，不殺了要你何用！你也無大量大才，也做不得山寨之主！」

杜遷、宋萬、朱貴本待要向前來勸，被這幾個緊緊幫著，哪裡敢動。王倫那時也要尋路走，卻被晁蓋、劉唐兩個攔住。

王倫見頭勢不好，口裡叫道：「我的心腹都在哪裡？」雖有幾個身邊知心腹的人，本待要來救，見了林沖這般凶猛頭勢，誰敢向前。林沖即時拿住王倫，又罵了一頓，去心窩裡只一刀，肐察地搠倒在亭上。可憐王倫做了多年寨主，今日死在林沖之手，正應古人言：「量大福也大，機深禍亦深。」有詩為證：

獨據梁山志可羞，嫉賢傲士少寬柔。
只將寨主為身有，卻把群英作寇仇。
酒席歡時生殺氣，杯盤響處落人頭。
胸懷褊狹真堪恨，不肯留賢命不留。

晁蓋見殺了王倫，各掣刀在手。林沖早把王倫首級割下來，提在手裡，嚇得那杜遷、宋萬、朱貴都跪下說道：「願隨哥哥執鞭墜鐙◈！」

◈搦—握、持。有時也做挑、惹解釋。**火雜雜**—形容緊張火爆的動作。
執鞭墜鐙—鐙，掛在馬鞍兩旁供騎者踏腳的東西。執鞭墜鐙指手持馬鞭、放置馬鐙，表示追隨左右、任由差遣的意思。

晁蓋等慌忙扶起三人來。吳用就血泊裡拽過頭把交椅來，便納林沖坐地，叫道：「如有不伏者，將王倫為例！今日扶林教頭為山寨之主。」林沖大叫道：「先生差矣！我今日只為眾豪傑義氣為重上頭，火併了這不仁之賊，實無心要謀此位。今日吳兄卻讓此第一位與林沖坐，豈不惹天下英雄恥笑？若欲相逼，寧死而已！弟有片言，不知眾位肯依我麼？」眾人道：「頭領所言，誰敢不依？願聞其言。」

林沖言無數句，話不一席，有分教：斷金亭上，招多少斷金之人；聚義廳前，開幾番聚義之會。正是：

替天行道人將至，仗義疏財漢便來。

畢竟林沖對吳用說出甚言語來？且聽下回分解。

第二〇回 梁山泊義士尊晁蓋 鄆城縣月夜走劉唐

詩曰：

豪傑英雄聚義間，罡星煞曜◆降塵寰。
王倫奸詐遭誅戮，晁蓋仁明主將班。
魂逐斷雲寒冉冉◆，恨隨流水夜潺潺。
林沖火併真高誼，凜凜清風不可攀。

話說林沖殺了王倫，手拿尖刀，指著眾人說道：「據林沖雖係禁軍遭配到此，今日為眾豪傑至此相聚，爭奈王倫心胸狹隘，嫉賢妒能，推故不納，因此火併了這廝，非林沖要圖此位。據著我胸襟膽氣，焉敢拒敵官軍，剪除君側元凶首惡？今有晁兄，仗義疏財，智勇足備，方今天下人聞其名，無有不伏。我今日以義氣為重，立他為山寨之主，好麼？」

眾人道：「頭領言之極當。」晁蓋道：「不可。自古『強賓不壓主』。晁蓋強殺，只是個遠來新到的人，安敢便來占上？」

林沖把手向前，將晁蓋推在交椅上，叫道：「今日事已到頭，請勿推卻。若有不從者，將王倫為例。」再三再四，扶晁蓋坐了。林沖喝道眾人就於亭前參拜了。一面使小嘍囉去大寨裡擺下筵席，一面叫人抬過了王倫屍首，一面又著人去山前山後，喚眾多小頭目都來大寨裡聚義。

林沖等一行人，請晁蓋上了轎馬，都投大寨裡來。到得聚義廳前，下了馬，都上廳來。眾人扶晁天王去正中第一位交椅上坐定，中間焚起一爐香來。

林沖向前道：「小可林沖，只是個粗鹵匹夫，不過只會些槍棒而已，無

◆罡星煞曜──天罡星和地煞星。　冉冉──濃密瀰漫的樣子。

學無才，無智無術。今日山寨幸得眾豪傑相聚，大義既明，非比往日苟且。學究先生在此，便請做軍師，執掌兵權，調用將校，須坐第二位。」吳用答道：「吳某村中學究，胸次又無經綸濟世之才，雖只讀些孫吳兵法，未曾有半粒微功，怎敢占上？」林沖道：「事已到頭，不必謙讓。」吳用只得坐了第二位。林沖道：「公孫先生請坐第三位。」晁蓋道：「卻使不得。若是這等推讓之時，晁蓋必須退位。」林沖道：「晁兄差矣！公孫先生，名聞江湖，善能用兵，有鬼神不測之機，呼風喚雨之法，誰能及得？」公孫勝道：「雖有些小之法，亦無濟世之才，如何便敢占上？還是頭領請坐。」林沖道：「只今番克敵制勝，便見得先生妙法。正是鼎分三足，缺一不可，先生不必推卻。」公孫勝只得坐了第三位。

林沖再要讓時，晁蓋、吳用、公孫勝都不肯。三人俱道：「適蒙頭領所說，鼎分三足，以此不敢違命。我三人占上，頭領再要讓人時，晁蓋等只得告退。」三人扶住林沖，只得坐了第四位。

晁蓋道：「今番須請宋、杜二頭領來坐。」那杜遷、宋萬見殺了王倫，尋思道：「自身本事低微，如何近得他們？不若做個人情。」

苦苦地請劉唐坐了第五位，阮小二坐了第六位，阮小五坐了第七位，阮小七坐了第八位，杜遷坐了第九位，宋萬坐了第十位，朱貴坐了第十一位。梁山泊自此是十一位好漢坐定。山前山後，共有七八百人，都來廳前參拜了，分立在兩下。

晁蓋道：「你等眾人在此，今日林教頭扶我做山寨之主，吳學究做軍師，公孫先生同掌兵權，林教頭等共管山寨。汝等眾人，各依舊職，管領山前

◈**胸次**—心裡、心中。

孫吳兵法—孫武與吳起二人所著述兵書的併稱。孫子兵法十三篇，和吳子與魏文、武侯的問答六篇，皆為治國安邦、整軍經武遵循的圭臬。

山後事務，守備寨柵灘頭，休教有失。各人務要竭力同心，共聚大義。」再教收拾兩邊房屋，安頓了兩家老小，便教取出打劫得的生辰綱——金珠寶貝，並自家莊上過活的金銀財帛，就當廳賞賜眾小頭目並眾多小嘍囉。當下椎牛宰馬，祭祀天地神明，慶賀重新聚義。眾頭領飲酒至半夜方散。次日，又辦筵宴慶會，一連吃了數日筵席。

晁蓋與吳用等眾頭領計議：整點倉廒，修理寨柵；打造軍器，槍刀弓箭，衣甲頭盔，準備迎敵官軍。安排大小船隻，教演人兵水手，上船廝殺，好做提備，不在話下。自此梁山泊十一位頭領聚義，真乃是交情渾似股肱，義氣如同骨肉。

有詩為證：

古人交誼斷黃金，心若同時誼亦深。
水滸請看忠義士，死生能守歲寒心。

一日，林沖見晁蓋作事寬洪，疏財仗義，安頓各家老小在山，驀然思念妻子在京師，存亡未保，遂將心腹備細訴與晁蓋道：「小人自從上山之後，欲要搬取妻子上山來，因見王倫心術不定，難以過活，一向蹉跎過了。流落東京，不知死活。」

晁蓋道：「賢弟既有寶眷在京，如何不去取來完聚？你快寫書，便教人下山去，星夜取上山來，多少是好。」林冲當下寫了一封書，叫兩個自身邊心腹小嘍囉下山去了。

不過兩個月，小嘍囉還寨說道：「直至東京城內殿帥府前，尋到張教頭家，聞說娘子被高太尉威逼親事，自縊身死，已故半載。張教頭亦為憂疑，半月之前，染患身故。只剩得女使錦兒，已招贅丈夫在家過活。訪問鄰里，亦是如此說。打聽得真實，回來報與頭領。」

林冲見說，潸然淚下，自此杜絕了心中掛念。晁蓋等見說了，悵然嗟嘆。山寨中自此無話，每日只是操練人兵，準備抵敵官軍。

忽一日，眾頭領正在聚義廳上商議事務，只見小嘍囉報上山來說道：

「濟州府差撥軍官，帶領約有一千人馬，乘駕大小船四五百隻，現在石碣村湖蕩裡屯住，特來報知。」

晁蓋大驚，便請軍師吳用商議道：「官軍將至，如何迎敵？」吳用笑道：「不須兄長掛心，吳某自有措置。自古道：『水來土掩，兵到將迎。』」隨即喚阮氏三雄，附耳低言道如此如此；又喚林沖、劉唐受計道，你兩個便這般這般；再叫杜遷、宋萬也吩咐了。正是：

西迎項羽三千陣，今日先施第一功。

且說濟州府尹點差團練使黃安，並本府捕盜官一員，帶領一千餘人，拘刷◆本處船隻，就石碣村湖蕩調撥，分開船隻作兩路來取泊子。

且說團練使黃安，帶領人馬上船，搖旗吶喊，殺奔金沙灘來。看看漸近灘頭，只聽得水面上嗚嗚咽咽吹將起來。黃安道：「這不是畫角之聲？且把船來分作兩路，去那蘆花蕩中灣◆

住。」看時，只見水面上遠遠地三隻船來。

看那船時，每隻船上只有五個人：四個人搖著雙櫓，船頭上立著一個人，頭帶絳紅巾，都一樣身穿紅羅繡襖，手裡各拿著留客住，三隻船上人，都一般打扮。於內有人認得的，便對黃安說道：「這三隻船上三個人，一個是阮小二，一個是阮小五，一個是阮小七。」

黃安道：「你眾人與我一齊併力向前，拿這三個人！」兩邊有四、五十隻船，一齊發著喊，殺奔前去。那三隻船唿哨了一聲，一齊便回。

黃團練把手內槍拈搭動，向前來叫道：「只顧殺這賊，我自有重賞。」那三隻船前面走，背後官軍船上，把箭射將去。那三阮去船艙裡，各拿起一片青狐皮來遮那箭矢。後面船隻只顧趕。

趕不過二三里水港，黃安背後一隻小船，飛也似划來報道：「且不要趕！

◈拘刷——收繳、征用。 灣——此為停泊之意。

我們那一條殺入去的船隻，都被他殺下水裡去，把船都奪去了。」

黃安問道：「怎的著了那廝的手？」

小船上人答道：「我們正行船時，只見遠遠地兩隻船來，每船上各有五個人。我們併力殺去趕他，趕不過三四里水面，四下裡小港鑽出七八隻小船來。船上弩箭似飛蝗一般射將來，我們急把船回時，來到窄狹港口，只見岸上約有二、三十人，兩頭牽一條大篾索◆，橫截在水面上。「卻待向前看索時，又被他岸上灰瓶、石子，如雨點一般打將來。眾官軍只得棄了船隻，下水逃命。我眾人逃得出來，到旱路邊看時，那岸上人馬皆不見了。馬也被他牽去了，看馬的軍人都殺死在水裡。我們蘆花蕩邊，尋得這隻小船兒，逕來報與團練。」

黃安聽得說了，叫苦不迭，便把白旗招動，教眾船不要去趕，且一發回來。那眾船才撥得轉頭，未曾行動，只見背後那三隻船，又引著十數隻船，都只是這三五個人，把紅旗搖著，口裡吹著唿哨，飛也似趕來。黃安卻待把船擺開迎敵時，只聽得蘆葦叢中炮響。黃安看時，四下裡都是紅旗擺滿，慌了手腳。後面趕來的船上叫道：「黃安留下了首級回去！」

黃安把船盡力搖過蘆葦岸邊，卻被兩邊小港裡鑽出四、五十隻小船來，船上弩箭如雨點射將來。黃安就箭林裡奪路◈時，只剩得三四隻小船了。黃安便跳過快船內，回頭看時，只見後面的人，一個個都撲通的跳下水裡去了。有和船被拖去的，大半都被殺死。

黃安駕著小快船，正走之間，只見蘆花蕩邊一隻船上，立著劉唐，一撓鈎搭住黃安的船，托地跳將過來，只一把攔腰提住，喝道：「不要掙扎！」別的軍人能識水者，水裡被箭射死。不敢下水的，就船裡都活捉了。

黃安被劉唐扯到岸邊，上了岸，遠遠地晁蓋、公孫勝山邊騎著馬，挺著刀，引五、六十人，三、二十匹馬，齊來接應。一行人生擒活捉得一二百

◈篾索—竹篾編的繩索。　奪路—慌亂中爭奪道路逃跑。

人，奪的船隻，盡數都收在山南水寨裡安頓了。大小頭領，一齊都到山寨。晁蓋下了馬，來到聚義廳上坐定。

眾頭領各去了戎裝軍器，團團坐下。捉那黃安綁在將軍柱上，取過金銀緞疋，賞了小嘍囉。點檢共奪得六百餘匹好馬，這是林沖的功勞；東港是杜遷、宋萬的功勞；西港是阮氏三雄的功勞；捉得黃安，是劉唐的功勞。

眾頭領大喜，殺牛宰馬，山寨裡筵會。自醲的好酒，水泊裡出的新鮮蓮藕，山南樹上，自有時新的桃、杏、梅、李、枇杷、山棗、柿、栗之類，自養的雞、豬、鵝、鴨等品物，不必細說。眾頭領只顧慶賞。新到山寨，得獲全勝，非同小可。有詩為證：

水滸英鋒不可當，黃安捕捉太譸張。
戰船人員俱虧折，更把何顏見故鄉。

正飲酒間，只見小嘍囉報道：「山下朱頭領使人到寨。」晁蓋喚來，問有甚事。

小嘍囉道：「朱頭領探聽得一起客商，有數十人結聯一處，今晚必從旱路經過，特來報知。」

晁蓋道：「正沒金帛使用，誰領人去走一遭？」

三阮道：「我弟兄們去。」晁蓋道：「好兄弟，小心在意，速去早來。」三阮便下廳去，換了衣裳，跨了腰刀，拿了朴刀、欓叉、留客住，點起一百餘人，上廳來別了頭領，便下山去，就金沙灘把船載過朱貴酒店裡去了。晁蓋恐三阮擔負不下，又使劉唐點起一百餘人，教領了下山去接應。又吩咐道：「只可善取金帛財物，切不可傷害客商性命。」劉唐去了。

晁蓋到三更，不見回報，又使杜遷、宋萬，引五十餘人下山接應。晁蓋與吳用、公孫勝、林沖飲酒至天明，只見小嘍囉報喜道：「虧得朱頭領，得了二十餘輛車子金銀財物，並四、五十匹驢騾頭口。」

晁蓋又問道：「不曾殺人麼？」

小嘍囉答道：「那許多客人，見我們來得頭勢猛了，都撇下車子、頭口、行李，逃命去了，並不曾傷害他一個。」晁蓋見說大喜：「我等自今以後，不可傷害於人。」取一錠白銀，賞了小嘍囉。便叫將了酒果下山來，直接到金沙灘上。見眾頭領盡把車輛扛上岸來，再叫撐船去載頭口馬匹，眾頭領大喜。把盞已畢，教人去請朱貴上山來筵宴。

晁蓋等眾頭領，都上到山寨聚義廳上，簸箕掌、栲栳圈◆坐定。叫小嘍囉扛抬過許多財物在廳上，一包包打開，將彩帛衣服堆在一邊，行貨◆等物堆在一邊，金銀寶貝堆在正面。眾頭領看了打劫得許多財物，心中歡喜。便叫掌庫的小頭目，每樣取一半，收貯在庫，聽候支用。

這一半分做兩分，廳上十一位頭領，均分一分；山上山下眾人，均分一分。把這新拿到的軍健，臉上刺了字號，選壯浪◆的分撥去各寨餵馬砍柴，軟弱的各處看車切草。黃安鎖在後寨監房內。

晁蓋道：「我等今日初到山寨，當初只指望逃災避難，投托王倫帳下為一小頭目，多感林教頭賢弟推讓我為尊，不想連得了兩場喜事：第一贏得官軍，收得許多人馬、船隻，捉了黃安；二乃又得了若干財物金銀。此不是皆托眾弟兄的才能？」

眾頭領道：「皆托得大哥哥的福蔭，以此得采。」

晁蓋再與吳用道：「俺們弟兄七人的性命，皆出於宋押司、朱都頭兩個。古人道：『知恩不報，非為人也！』今日富貴安樂，從何而來？早晚將些金銀，可使人親到鄆城縣走一遭，此是第一件要緊的事務。再有白勝陷在濟州大牢裡，我們必須要去救他出來。」

吳用道：「兄長不必憂心，小生自有擺劃◆。宋押司處酬謝之恩，早晚必用一個兄弟自去。白勝的事，可教驀生人◆去那裡使錢，買上囑下，鬆寬他

◆**頭口**—牲口。 **行貨**—泛指貨物。 **壯浪**—身體強壯。

篾箕掌、**栲栳圈**—圓的形象，表示團團圍著。篾音璧。栲栳音考老，用柳條編成的容器，形狀像斗。 **擺劃**—安排、策劃。 **驀生人**—素不相識的人。

便好脫身。我等且商量屯糧造船，製辦軍器，安排寨柵城垣，添造房屋，整頓衣袍鎧甲，打造槍刀弓箭，防備迎敵官軍。」

晁蓋道：「既然如此，全仗軍師妙策指教。」吳用當下調撥眾頭領，分派去辦，不在話下。

且不說梁山泊自從晁蓋上山，好生興旺。卻說濟州府太守見黃安手下逃回的軍人，備說梁山泊殺死官軍，生擒黃安一事；又說梁山泊好漢，十分英雄了得，無人近傍得他，難以收捕。抑且水路難認，港汊多雜，以此不能取勝。

府尹聽了，只叫得苦，向太師府幹辦說道：「何濤先折了許多人馬，獨自一個逃得性命回來，已被割了兩個耳朵，自回家將息，至今不能痊。去的五百人，無一個回來；因此又差團練使黃安並本府捕盜官，帶領軍兵前去追捉，亦皆失陷。黃安已被活捉上山，殺死官軍，不知其數，又不能取勝，怎生是好？」

太守肚裡正懷著鬼胎，沒個道理處。只見承局來報說：「東門接官亭上有新官到來，飛報到此。」太守慌忙上馬，來到東門外接官亭上，望見塵土起處，新官已到亭子前下馬。府尹接上亭子，相見已了。那新官取出中書省更替文書來，度與府尹。太守看罷，隨即和新官到州衙裡，交割牌印，一應府庫錢糧等項。當下安排筵席，管待新官。舊太守備說梁山泊賊盜浩大，殺死官軍一節。說罷，新官面如土色，心中思忖道：「蔡太師將這件勾當抬舉我，卻是此等地面，這般府分！又沒強兵猛將，如何收捕得這夥強人？倘或這廝們來城裡借糧時，卻怎生奈何？」

舊官太守次日收拾了衣裝行李，自回東京聽罪，不在話下。

且說新府尹到任之後，請將一員新調來鎮守濟州的軍官來，當下商議招軍買馬，集草屯糧，招募悍勇民夫、智謀賢士，準備收捕梁山泊好漢。一面申呈中書省，轉行牌仰附近州郡，併力剿捕；一面自行下文書所屬州縣，知會收剿，及仰屬縣著令守禦本境。這個都不在話下。

且說本州孔目◆，差人齎一紙公文，行下所屬鄆城縣，教守禦本境，防備梁山泊賊人。鄆城縣知縣看了公文，教宋江疊成文案，行下各鄉村，一體守備。正是：

一紙文書火急催，官司嚴督勢如雷。
只因造下彌天罪，何日金雞放赦回？

宋江見了公文，心內尋思道：「晁蓋等眾人，不想做下這般大事，犯了大罪，劫了生辰綱，殺了做公的，傷了何觀察，又損害了許多官軍人馬，又把黃安活捉上山。如此之罪，是滅九族的勾當！雖是被人逼迫，事非得已，於法度上卻饒不得。倘有疏失，如之奈何？」自家一個心中納悶。吩咐貼書後司張文遠將此文書立成文案，行下各鄉各保，自理會文卷。

宋江卻信步走出縣來，走不過三、二十步，只聽得背後有人叫聲押司。宋江轉回頭來看時，卻是做媒的王婆，引著一個婆子，卻與她說道：「妳有緣，做好事的押司來也！」

宋江轉身來問道：「有甚麼話說？」

王婆攔住，指著閻婆對宋江說道：「押司不知，這一家兒，從東京來，不是這裡人家。嫡親三口兒，夫主閻公，有個女兒婆惜。她那閻公，平昔是個好唱的人，自小教得她那女兒婆惜，也會唱諸般耍令◆。年方一十八歲，頗有些顏色。

「三口兒因來山東投奔一個官人不著，流落在此鄆城縣。不想這裡的人，不喜風流宴樂，因此不能過活，在這縣後一個僻靜巷內權住。昨日她的家公◆因害時疫◆死了，這閻婆無錢津送◆，沒做道理處，央及老身◆做媒。我道：『這般時節，哪裡有這等恰好？』又沒借換處，正在這裡走投沒路的，

◆**孔目**—舊時掌管文書檔案的小官。 **耍令**—小調、小曲。 **家公**—一家之長。多指丈夫。
時疫—傳染病。 **津送**—辦理喪事。 **老身**—老婦人的自稱。

只見押司打從這裡過，以此老身與這閻婆趕來，望押司可憐見她則個，作成一具棺材。」

宋江道：「原來恁地。妳兩個跟我來，去巷口酒店裡，借筆硯寫個帖子，與妳去縣東陳三郎家，取具棺材。」

宋江又問道：「妳有結果◈使用麼？」

閻婆答道：「實不瞞押司說，棺材尚無，哪討使用？」

宋江道：「我再與妳銀子十兩，做使用錢。」

閻婆道：「便是重生的父母，再長的爺娘，做驢做馬，報答押司！」

宋江道：「休要如此說。」隨即取出一錠銀子，遞與閻婆，自回下處去了。

且說這婆子將了帖子，逕來縣東街陳三郎家，取了一具棺材，回家發送了當◈，兀自餘剩下五六兩銀子，娘兒兩個，把來盤纏，不在話下。忽一朝，那閻婆因來謝宋江，見他下處，沒有一個婦人家面，回來問間壁王婆道：「宋押司下處，不見一個婦人面，他曾有娘子也無？」

王婆道：「只聞宋押司家裡在宋家村住，卻不曾見說他有娘子◈。在這縣裡做押司，只是客居。常常見他散施棺材藥餌，極肯濟人貧苦，敢怕是未有娘子。」

閻婆道：「我這女兒長得好模樣，又會唱曲兒，省得諸般耍笑，從小兒在東京時，只去行院◈人家串，哪一個行院不愛她！有幾個上行首◈，要問我過房◈幾次，我不肯。只因我兩口兒無人養老，因此不過房與他。不想今來倒苦了她。我前日去謝宋押司，見他下處沒娘子，因此央妳與我對宋押司說，他若要討人時，我情願把婆惜與他。我前日得妳作成，虧了宋押司救濟，無可報答他，與他做個親眷來往。」

◈**結果**—此指旅費。　**了當**—完結。　**娘子**—妻子。　**行院**—妓院。
上行首—即上廳行首。官妓班首的稱謂。亦泛指名妓。
過房—過繼。

王婆聽了這話，次日來見宋江，備細說了這件事。宋江初時不肯，怎當這婆子「撮合山」的嘴攛掇，宋江依允了。就在縣西巷內，討了一所樓房，置辦些傢伙什物，安頓了閻婆惜娘兒兩個，在那裡居住。沒半月之間，打扮得閻婆惜滿頭珠翠，遍體綾羅。正是：

花容嫋娜，玉質娉婷。
髻橫一片烏雲，眉掃半彎新月。
金蓮窄窄，湘裙微露不勝情；玉筍纖纖，翠袖半籠無限意。
星眼渾如點漆，酥胸真似截肪。
金屋美人離御苑，蕊珠仙子下塵寰。

宋江又過幾日，連那婆子也有若干頭面衣服，端的養得婆惜豐衣足食。初時宋江夜夜與婆惜一處歇臥，向後漸漸來得慢了。卻是為何？原來宋江是個好漢，只愛學使槍棒，於女色上不十分要緊。這閻婆惜水也似後生，況兼十八、九歲，正在妙齡之際，因此宋江不中那婆娘意。

一日，宋江不合帶後司貼書張文遠來閻婆惜家吃酒，這張文遠卻是宋江的同房押司，那廝喚做「小張三」，生得眉清目秀，齒白唇紅。平昔只愛去三瓦兩舍，飄蓬浮蕩，學得一身風流俊俏。更兼品竹調絲◈，無有不會。這婆惜是個酒色娼妓，一見張三，心裡便喜，倒有意看上他。那張三見這婆惜有意，以目送情，等宋江起身淨手◈，倒把言語來嘲惹張三。常言道：「風不來，樹不動；船不搖，水不渾。」那張三亦是個酒色之徒，這事如何不曉得？因見這婆娘眉來眼去，十分有情，便記在心裡。向後宋江不在時，這張三便去那裡，假意兒只做來尋宋江。那婆娘留住吃茶，言來語去，成了此事。誰想那婆娘自從和那張三兩個搭識上了，打得火塊一般熱，並無半點兒情分在這宋江身上。宋江但若來時，只把言語傷他，全不兜攬◈他些個。這宋江是個好漢，不

◈**撮合山**——撮合男女婚事的媒人。
截肪——切開的脂肪。喻顏色和質地白潤。　**品竹調絲**——吹彈各種管、弦樂器。
淨手——便溺。　**兜攬**——理睬。

以這女色為念，因此半月十日，去走得一遭。那張三和這婆惜，如膠似漆，夜去明來，街坊上人也都知了，卻有些風聲吹在宋江耳朵裡。

宋江半信不信，自肚裡尋思道：「又不是我父母匹配的妻室，她若無心戀我，我沒來由惹氣做甚麼？我只不上門便了。」自此有幾個月不去。閻婆累◆使人來請，宋江只推事故不上門去。正是：

花娘有意隨流水，義士無心戀落花。

婆愛錢財娘愛俏，一般行貨兩家茶。

話分兩頭。忽一日將晚，宋江從縣裡出來，去對過茶房裡坐定吃茶。只見一個大漢，頭帶白范陽氈笠兒，身穿一領黑綠羅襖，下面腿絣◆護膝八搭麻鞋，腰裡跨著一口腰刀，背著一個大包，走得汗雨通流◆，氣急喘促，把臉別轉著看那縣裡。

宋江見了這個大漢走得蹊蹺，慌忙起身趕出茶房來，跟著那漢走。約走了三、二十步，那漢回過頭來，看了宋江，卻不認得。宋江見了這人，略有些面熟，「莫不是哪裡曾廝會來？」心中一時思量不起。那漢見宋江看了一回，也有些認得，立住了腳，定睛看那宋江，又不敢問。宋江尋思道：「這個人好作怪！卻怎地只顧看我？」宋江亦不敢問他。只見那漢去路邊一個篦頭◆鋪裡問道：「大哥，前面那個押司是誰？」篦頭待詔應道：「這位是宋押司。」那漢提著朴刀，走到面前，唱個大喏，說道：「押司認得小弟麼？」宋江道：「足下◆有些面善。」那漢道：「可借一步說話。」宋江便和那漢入一條僻靜小巷。那漢道：「這個酒店裡好說話。」兩個上到酒樓，揀個僻靜閣兒裡坐下。那漢倚了朴刀，解下包裹，撇在桌子底下。

◆累——屢次。累音壘。　絣——音崩。纏、捆之意。
汗雨通流——形容汗如雨下的樣子。　篦頭——即梳頭，還兼挖耳朵和按摩。
足下——古代下對上或同輩相稱的敬詞。

那漢撲翻身便拜。宋江慌忙答禮道：「不敢拜問足下高姓？」

那人道：「大恩人，如何忘了小弟？」

宋江道：「兄長是誰？真個有些面熟，小人失忘了。」

那漢道：「小弟便是晁保正莊上曾拜識尊顏，蒙恩救了性命的赤髮鬼劉唐便是。」宋江聽了大驚，說道：「賢弟，你好大膽！早是沒做公的看見，險些兒惹出事來！」

劉唐道：「感承大恩，不懼一死，特地來酬謝。」

宋江道：「晁保正弟兄們，近日如何？兄弟，誰教你來？」

劉唐道：「晁頭領哥哥再三拜上大恩人。得蒙救了性命，現今做了梁山泊主都頭領，吳學究做了軍師，公孫勝同掌兵權。林沖一力維持，火併了王倫。山寨裡原有杜遷、宋萬、朱貴和俺弟兄七個，共是十一個頭領。現今山寨裡聚集得七八百人，糧食不計其數。只想兄長大恩，無可報答，特使劉唐齎一封書，並黃金一百兩，相謝押司，並朱、雷二都頭。」劉唐打開包裹，取出書來，便遞與宋江。

宋江看罷，便拽起褶子前襟，摸出招文袋。打開包兒時，劉唐取出金子放在桌上。宋江把那封書，就取了一條金子和這書包了，插在招文袋內，放下衣襟，便道：「賢弟，將此金子依舊包了。」隨即便喚量酒的打酒來，叫大塊切一盤肉來，鋪下些菜蔬、果子之類，叫量酒人篩酒與劉唐吃。看看天色晚了，劉唐吃了酒，把桌上金子包打開，要取出來。

宋江慌忙攔住道：「賢弟，你聽我說：你們七個弟兄初到山寨，正要金銀使用；宋江家中頗有些過活，且放在你山寨裡，等宋江缺少盤纏時，卻教兄弟宋清來取。今日非是宋江見外，於內已受了一條。朱仝那人，也有些家私，不用與他，我自與他說知人情便了。

「雷橫這人，又不知我報與保正，況兼這人貪賭，倘或將些出去賭時，便惹出事來，不當穩便，金子切不可與他。賢弟，我不敢留你相請去家中住，倘或有人認得時，不是耍處。今夜月色必然明朗，你便可回山寨去，莫在此停擱。宋江再三申意眾頭領，不能前來慶賀，切乞恕罪。」

劉唐道：「哥哥大恩，無可報答，特令小弟送些人情來與押司，微表孝順之心。保正哥哥今做頭領，學究軍師號令，非比舊日，小弟怎敢將回去？到山寨中必然受責。」

宋江道：「既是號令嚴明，我便寫一封回書，與你將去便了。」劉唐苦苦相央宋江收受，宋江哪裡肯接，隨即取一幅紙來，借酒家筆硯，備細寫了一封回書，與劉唐收在包內。劉唐是個直性的人，見宋江如此推卻，想是不肯受了，便將金子依前包了。

看看天色晚來，劉唐道：「既然兄長有了回書，小弟連夜便去。」宋江道：「賢弟，不及相留，以心相照。」劉唐又下了四拜。宋江教量酒人來道：「有此位官人留下白銀一兩在此，我明日卻自來算。」劉唐背上包裹，拿了朴刀，跟著宋江下樓來。離了酒樓，出到巷口，天色昏黃，是八月半天氣，月輪上來。宋江攜住劉唐的手，吩咐道：「賢弟保重，再不可來。此間做公的多，不是耍處。我更不遠送，只此相別。」劉唐見月色明朗，拽開腳步，望西路便走，連夜回梁山泊來。

再說宋江與劉唐別了，自慢慢行回下處來，一頭走，一面肚裡尋思道：「早是沒做公的看見，爭些兒惹出一場大事來！」一頭想：「那晁蓋倒去落了草，直如此大弄◈。」轉不過兩個彎，只聽得背後有人叫一聲：「押司，哪裡去來，好兩日不見面。」宋江回頭看時，正是閻婆。不因這番，有分教：宋江小膽翻為大膽，善心變做惡心。正是：

言談好似鈎和線，從頭釣出是非來。

畢竟宋江怎地發付閻婆？且聽下回分解。

◈家私—家財、家產。**申意**—表達心意。**四拜**—加重的拜禮。**大弄**—放開手幹，大規模地行動。

國家圖書館出版品預行編目(CIP)資料

水滸傳/孫家琦編輯. — 第一版.
— 新北市 : 人人, 2017.02
冊 ; 公分. —(人人文庫)
ISBN 978-986-461-080-8(卷1:平裝)
ISBN 978-986-461-086-0(全套:平裝)
857.46 105024588

【人人文庫】

水滸傳

卷1

第一回至第二〇回

題字・篆刻/羅時僖
書系編輯/孫家琦
書籍裝幀/楊美智
發行人/周元白
出版者/人人出版股份有限公司
地址/23145新北市新店區寶橋路235巷6弄6號7樓
電話/(02)2918-3366(代表號)
傳真/(02)2914-0000
網址/www.jjp.com.tw
郵政劃撥帳號/16402311人人出版股份有限公司
製版印刷/長城製版印刷股份有限公司
電話/(02)2918-3366(代表號)
經銷商/聯合發行股份有限公司
電話/(02)2917-8022
第一版第一刷/2017年2月
定價/新台幣250元

※本書內頁紙張採敦榮紙業進口日本王子58g文庫紙